光文社文庫

長編時代小説

だいこん

山本一力

KOBUNSHA

だいこん

解説　縄田一男

序章

天明《てんめい》の元号は縁起がわるかった。

何年も寒い夏が続き、米が実らず、ひとが飢えた。

打毀《うちこわ》しも方々で起きた。

ひとは天明という元号にうんざりしていた。

それでも八年続いたが、九年目を迎えた一月二十五日に寛政へと改元された。

徳川第十一代家斉《いえなり》は、天明七（一七八七）年四月の将軍宣下から間もない同年六月に、松《まつ》平定信《だいらさだのぶ》を老中に任じた。そして前任老中田沼意次《たぬまおきつぐ》の権勢を、定信に下命して根こそぎ剝奪《はくだつ》させた。

実力者老中の首を腕力で挿《す》げ替えたことで、家斉は将軍の威信を幕閣に示した。

まいない政治の極みとして、世に悪評の高かった田沼を切り捨てた人事は、町人たちの評判も高めた。

老中の座を追われた田沼は、天明八年七月に死去。寛政への改元は、田沼が逝ったことども重なり、新しい時代の到来を望む江戸町民から喜ばれた。

つばきが生まれた年も、奇《く》しくも改元のなされた明和元《めいわ》（一七六四）年である。前の将軍第十代家治《いえはる》が、十四年目に入った宝暦《ほうれき》の元号を、六月二日に明和と改めた。

つばきはこの年の九月に、吾妻橋《あづまばし》たもとの、浅草並木町の裏店《うらだな》で生まれた。つばきのふたおや、通い大工の安治《やすじ》と、橋場の石工《いしく》職人の長女だったみのぶとが、所帯を構えて二年目のことである。

みのぶは、つばき、さくら、かえでと女児ばかり三人を授かった。こどもの命名はすべて安治で、こどもが生まれた季節の花を名前にした。

もっとも、つばきは九月生まれである。

長女を授かった年の正月から、安治は本所で商家の別宅普請に駆り出された。その敷地に、つばきが群れになって植えられていた。

真冬でも深緑の葉は艶々としている。美しさに見とれた安治は、こどもが生まれる前から男女にかかわりなく、つばきの名を決めていた。

つばきは生まれてから今日まで、浅草を離れたことがない。妹はふたりともすでに嫁いでいたが、五十路《いそじ》を迎えた父親はいまでも棟梁にはならず、通い大工を続けている。

住まいも並木町から動かぬまま、つばきはふたおやとともに暮らしていた。ただし裏店ではなく、親のために建てた建坪二十坪の平屋にである。

一度も並木町から出たことのないつばきが、深川永代寺《えいたいじ》門前仲町の空地に二階家の普請を始めたのは、寛政元年二月だった。

季節は冬から春へと移り、雨が少なかったことで普請もはかどった。

永代寺や富岡八幡宮の桜が花を散らせて葉桜となった四月上旬に、二階家は棟上げを終えた。

「上天気はしばらく続きそうだと、左官屋が言い残してけえったところでさ」

大工の棟梁はこの正月で二十六を迎えたつばきよりも、はるかに年長である。しかし施主に対しては、年の差にはかかわりなく、ていねいな口をきいた。

普請場は、永代寺仲見世を通り抜けて、堀にぶつかる突き当たりの空地だ。

二年前までは、冬木町の材木商が材木置き場として使っていた土地である。木場に新しい置き場を構えたことで、三百坪が空地となった。

広さはたっぷりあるが、元が材木置き場だっただけに、まわりは何町にもわたって、一軒の商家も長屋もない。しかも仲見世通りからは離れた突き当たりゆえ、ひとの流れもない。どれほど周旋屋が売り込んでも、ここを買おうという客はあらわれなかった。

地主の材木商にはカネが有り余っていたことで、一年経って売れなくても、平気な顔で更地にしていた。

昨天明八年七月まで、つばきは浅草材木町で元料亭を使った一膳飯屋を営んでいた。大川に面した二階家で酌婦《しやくふ》十二人を抱《かか》えた店は、ひとの多い土地柄にも恵まれて大いに繁盛していた。

その客のひとりが冬木町の材木商、豊国屋木左衛門《きざえもん》である。つばきが二階家を普請している土地は、木左衛門が遊ばせていた土地だ。

つばきは木左衛門と掛け合い、百坪を借り受けた。三百坪もの土地を買い取るだけのカネは、いかに材木町の店が繁盛していたとはいっても、工面はできなかった。

「あんたが商いを伸ばしたときのために、残りは更地のままにしておこう」

木左衛門は三分の一の土地を借りたいという、つばきの申し出を呑んだ。

材木町の店をたたんで、なれない深川でつばきが新しい商いを興すことになったのは、木左衛門がうっかり口にしたことが端緒だった。話を呑んだのは、木左衛門にも負い目があったからだろう。

寛政元年五月八日は、朝から見事に晴れ上がった。朝五ツ（午前八時）の鐘が鳴り終わったころ、空地に五台の大八車がつけられた。

炊き口が三つある大きなへっつい（かまど）がふたつ、それに真新しい大鍋、小鍋、おたま、ざる、まな板、庖丁などの料理道具である。鍋は朝日を浴びてキラキラと照り返っていた。

据付を請け負った道具屋の、揃いの半纏《はんてん》を着た手代と職人が合わせて四人。連中が車力《しやりき》に指図し、四間《けん》（七メートル強）の広い間口から、てきぱきと道具が運び込まれ始めた。

四ツ（午前十時）過ぎには、提灯屋と看板屋がそれぞれ品物を納めにきた。

軒先から垂らすと、長さが五尺（およそ百五十センチ）もある、大型のぶら提灯である。赤地に白く屋号が染め抜かれていた。

看板は厚さ三寸三分（約十センチ）の分厚い杉板で、幅五尺、高さ四尺の大きなものだ。看板屋は、玄関のひさしにこれを据え付けた。

だいこん。

太い筆文字で描かれた屋号である。

松やにを含ませて描いた屋号が、斜め上からの陽を浴びて艶を浮かび上がらせた。

「てえした看板じゃねえか」

据付が終わったひさしを見上げて、道具屋と提灯屋が顔を見合わせていた。

つばきも看板に見とれた。

筆文字は力強く、それでいてやさしい。

見詰めれば見詰めるほど、商いの繁盛を運び込んでくれると思える看板だった。

「あんたがこの店のあるじかい」

看板に見入っていたつばきは、うしろからかけられた声に気づかなかった。

「おい、ねえさん……聞こえねえのか」

尖った声でつばきが振り返った。

「あんたがあるじだな」

唐桟《とうざん》の胸元をはだけた男は、胸にさらしを巻いていた。

「なにかご用でも？」

「ご用でもたあ、ごあいさつだぜ」

男がつばきに詰め寄った。朝から飲んでいるのか、昨夜の酒が残っているのか、男が吐く息には安酒のいやな臭いが含まれている。つばきがわずかに目元をゆがめた。

「おれは深川《ここ》をあずかる、閻魔堂《えんまどう》の弐蔵《にぞう》のわけえもんだ」

男は五尺二寸（約百五十八センチ）で、髷《まげ》を結っているつばきと同じ背丈だ。男は組の名を口にすれば相手が怯《おび》えると思っていたようだが、つばきは動じなかった。

「深川で派手な商いやろうてえときは、うちに筋を通すのがきまりだぜ」

「派手な商いとは、どういうことを言ってるんでしょう」

「おめえ、よそもんだな」

呼び方が、あんたからおめえに変わった。

「面倒が起きるめえに、うちまでつらあ貸しねえ」

男があごをしゃくった。

成り行きを案じた道具屋の手代や普請場の職人たちが、つばきの後ろに集まってきた。大工は手にのこぎりをさげている。

「分かりました。行きます」

答えてから、つばきは後ろを振り返った。

「すぐに帰ってきますから」

つばきの瞳はいつも黒く潤んでいる。職人たちに笑いかけた目が、なみだ目のように見えた。

「あっしが供をしやしょう」

半纏を手にした棟梁が寄ってきた。

使いの渡世人が目を尖らせた。

「わたしひとりで行ってきます」

やわらかい言葉で棟梁を押しとどめた。つばきの物腰に怯えた様子がなかったことで、棟梁もそこまでで引いた。

閻魔堂の弐蔵の宿は、普請場からさほど遠くもない亥《い》ノ口橋のたもとにあった。黒板塀で囲まれたしもた屋だが、玄関の格子戸わきには若い衆ふたりが張り番に立っていた。

組の玄関から入る女客はまれである。つばきの脱いだ塗り下駄が、雪駄《せった》のなかで浮き上がって見えた。

使いに連れて行かれたのは、大きな神棚と使い込まれた長火鉢の目立つ弐蔵の居室だった。五月だというのに、長火鉢の灰のなかには熾火《おきび》がいけられていた。

「あんたが女あるじか」

武蔵から先に話しかけた。

白髪混じりの髪が、六十近い年配だと思わせた。しかしつばきを見据える目は、奥底にけだものの凄みが隠されているようだ。

つばきは武蔵の顔を見たときから、いぶかしげな目になっていた。声を聞いて、さらにその色が濃くなった。

つばきの目の動きを見て、武蔵もふっと目元をやわらげた。紺無地のつむぎの袖を引き上げて、手を長火鉢の端にのせた。両手の小指が欠けている。

「やっぱり……伸助《しんすけ》おじさんでしょう?」

「つばき坊か?」

互いがなつかしげに目を見交わした。

「突っ立ってねえで、茶をいれさせろ」

つばきを連れてきた男に、武蔵が茶をいいつけた。思いがけない成り行きに、男はすぐには動けなかった。が、武蔵にきつく睨《にら》みつけられると、あわてて流しへ出て行った。

「幾つになったよ」

「二十六です。おじさんは?」

「五十の半ばになっちまったよ」

武蔵は、手下の前では見せたことのない笑顔をつばきに向けた。

「おめえを追っかけて田んぼ道を走ったのが、昨日のようだが……あれからもう、二十年近くなるてえことか」

武蔵がしみじみとした口調でつぶやいた。

思いがけない男と、思いがけない場所で出会ったことで、つばきは武蔵の前に座ったまま、遠い日々を思い返し始めていた。

第一部

一

明和三（一七六六）年、数え三歳の正月をつばきは並木町の裏店で迎えた。

二十七歳になった父親の安治は、棟梁から普請場を任されるようになっていた。

三月の産み月を控えたみのぶの腹は、日に日に膨らみを増している。

「おなかであばれるのが痛い……」

みのぶが顔をゆがめるほどに、腹の子は元気に育っていた。

長女のつばきは風邪ひとつひかず、病知らずの孝行っ子だ。

カネはなんとか足りるぐらいで、蓄えもない暮らしだが、親子三人は笑って元旦を迎えられた。

昨年の師走は、月の半ばから五日も氷雨《ひさめ》が降り続いた。それで普請が大きく遅れた。

「天気次第だというのは分かるが、あたしはどうしても暮れのうちに棟上げをやりたい」

施主に強く迫られた棟梁は、木枯らしのなかで職人たちの尻を叩いた。正月飾りを売る市が雷御門《かみなりごもん》前に立ち始めても、仕事納めとはならなかった。

棟上げができたのは、暮れもどん詰まりの大晦日である。吹きさらしの普請場にゴザを敷き、上棟式を祝った。

搗《つ》き立ての鏡餅の上には、正月を迎える玉飾りが載っていた。

「一夜飾りは縁起がわるいというが、あたしは気にしない」

年を越さずに棟上げできたことを、施主は大いに喜んだ。

師走の十日間、安治は毎朝まだ暗いうちに裏店を出た。そして凍てついた夜空のなかを、半纏を閉じ合わせて戻ってきた。

そんなきつい普請場を経ての元旦である。

安治が目覚めたのはいつも通り七ツ半（午前五時）だったが、寝起きはよさそうだ。

「湯にへえってくるぜ」

搔巻《かいまき》を脱ぐなり、安治は半纏を羽織って手拭《てぬぐ》いを持った。元旦だけは、材木町の梅の湯が朝湯をたてる。

「いっしょにいくう……」

綿入れを着たつばきが、安治にまとわりついた。

暮れは仕事に追われて、銭湯どころではなかった。安治と湯に行くのが冬場のなによりの楽しみだったつばきだが、この十日間は一度も行けないできた。

ゆえに一緒に行きたいとせがんだ。

「おめえはどうするよ」

流しで庖丁《ほうちょう》を使っているみのぶの背中に、安治が問いかけた。

「あたしはよしとく。お雑煮のダシを取らなきゃいけないし、田作《たづくり》がまだ途中だから」

「いいじゃねえか、そんなのは。湯からけえってやりゃあいいだろうに」

「お元日《がんじつ》から口をとがらせないでよ」

みのぶは背中を向けたままだ。

「おなかの子だって、三月にはもう生まれるんだから、無理いわないで」

みのぶの腹は、帯をきつくは締められないほどに大きい。それを言われて安治も黙った。

おもてはまだ星空だったが、元旦である。吾妻橋からの通りに並ぶ店は、大店《おおだな》も小商人《こあきんど》も初詣客を見越して、夜通し店を開《あ》けている。

そのさまを見て、安治が足を止めた。

「ここで待ってろ」

「どうしたの」

「湯のけえりになにか買ってやらあ。ひとっ走りけえって、ゼニを取ってくるからよ」

長屋まで三町（約三百三十メートル）で、おとなが駆ければわけはない。

つばきがひとり残された道を、夜明け前から着飾った初詣客が、ひっきりなしに通り過ぎた。

人波は吾妻橋から続いていた。

浅草寺《せんそうじ》が六ツ（午前六時）を打ち始めた。

東の空が、下のほうから少しずつ明るくなっている。初日《はつひ》はまだ見えないが、昇りくる陽があとに続いていることを、空の色味が伝えていた。

つばきは寒さを忘れて見とれた。

「どうした、寒いかよ」

ものも言わず、綿入れの前で両手を固く握り締めたつばきを見て、安治が心配した。

「あれを見て……すごくきれい」

こどもが指差す方角の空を見て、安治もその場を動かなくなった。

吾妻橋東詰《ひがしづめ》の先に広がる空が、藍色から薄い紺色に変わり、見る間に正月飾りのダイダイのような色に染まり始めた。

「お天道《てんとう》様が出てきたぜ」

「すごくおっきいね」

「そりゃあでけえさ。なんたって、江戸中を照らすんだからよう」

親子が真っ白な息を吐きつつ、初日に見入っていた。

「ちゃんとおんなじように、お天道様に手を合わせろ」

安治が、初日に向かって両方の手を合わせた。つばきも同じ形で、小さな手を合わせた。

初日に祈願する親子を見て、通りがかりの初詣客が足を止め、東を振り返った。

「これはまた見事な初日の出じゃないか」

あっという間に、初日を拝むひとの群れができた。

「さあ、行くぜ」

安治はこどもの手を引いて人ごみを離れた。

「みんなおとうちゃんの真似をしてた」

「おれじゃねえ。おめえの真似だ」

安治がつばきのあたまをなでた。

「おめえがおっきくなったら、おめえのそばにはひとが群らがるかもしれねえぜ」

「むらがるって、どういうこと？」

「どういうことって……そのうち分からあ」

答えるのが面倒らしく、安治はこどものあたまをもう一度強くなでてごまかした。

つばきにはどんな意味かが分からない。

しかしこどもながらにも、わるいことではないと察して足を弾ませた。正月祝いにおろした駒下駄が、小石を蹴った。

まだ六ツ早々だというのに、元旦の朝湯はひとで溢れていた。とりわけこどもが多く、甲高い声が飛び交っていた。

江戸の銭湯は湯が熱い。

そっとつからないと、冷えた肌に湯が食らいついてくる。安治は湯船につかるまえに、陸湯《おかゆ》を浴びて身体を慣らした。少しぬるめだが、それでもつばきは飛び上がった。

「がまんしな。これを浴びとかねえと、とっても湯船にはへえれねえ」

いやがるこどもを押さえつけて、安治は何杯も陸湯を浴びせた。それでこどもも、なんとか湯船につかることができた。

「どうでえ、まだ熱いか」

「おなかがちくちくして痛い」

つばきが半べそ顔になっている。

「じっとしてりゃあ、すぐに慣れるさ」

そっとつばきを引き寄せた。

そのとき。

ふたりのこどもが、勢いよく湯船に飛び込んだ。が、あまりの熱さにひとりは飛び出し、もうひとりが乱暴に湯をかきまぜた。

やっとの思いで我慢していたつばきに、まぜられた湯が食らいついた。

つばきが父親にしがみついた。泣き声も出ないほどに熱そうだ。

「ばかやろう。湯をまぜるんじゃねえ」

怒鳴った安治は、こどもを抱えて湯船を出た。出がけに、左手でこどものあたまを軽く小突いた。

怒鳴られて驚いた上に、見知らぬおとなにあたまを叩かれて、こどもは湯船から出て大声で泣き出した。

男がひとり、こどものそばに寄ってきた。

身体中にびっしり毛が生えた、五尺七寸（約百七十三センチ）ほどの大男だった。

「うちの子になにしやがんでえ」

つばきを抱えた安治に男が詰め寄った。

「どうもしねえよ」

安治はつばきをおろして、正面から男と向き合った。背丈に差があり、安治は相手を見上げる形になった。

「湯んなかで暴れるから、軽く小突いただけよ。それがどうかしたかい」

「どうかしたかじゃねえだろう。ガキが泣いてるじゃねえか」

上背のある男は、安治を見下したような物言いだった。

「こどもに詫《わ》びねえ」

両手をこぶしに握った男が、安治を見据えて言い放った。

「ばかいうねえ。泣いてるのは、てめえっちのガキかよ」

「おれの子でわるいか」

「湯に連れてくるなら、へえり方ぐれえはしつけとけ」

元旦早々の諍《いさか》いである。

洗い場の客も湯船の客も、新年の出し物だと思っているらしく、だれも止めに入ろうとはしなかった。

「身体はちいせえが、口はでけえらしいな」

男があごを突き出して毒づいた。

「おめえには、そこで縮こまってるおんなのガキが似合いだぜ」

つばきを指差してあざわらった。

安治の動きは素早かった。

男の両腕をつかんで動きを封じたあと、右足で相手のきんたまを蹴り上げた。素っ裸の男は、まともに急所蹴りを食らい、その場にうずくまった。

「元旦から喧嘩がやりてえなら、相手を選んで好きなだけやりねえ」

これだけ言うと、つばきの手を引いて場を離れた。男はまだうずくまったままである。その姿を確かめてから、陸湯をこどもと一緒に浴びて洗い場から出た。

気が高ぶってはいたが、つばきにはきちんと綿入れまで着せた。

梅の湯を出ると、男がひとり追ってきた。

「やるじゃねえか、兄さんも」

わきに並びかけてきた男は、元旦の朝でも素肌に唐桟一枚で、さらし巻きの身なりである。ひと目で渡世人だと知れた。

「さっきの野郎は、御米蔵《おこめぐら》の仲仕《なかし》だぜ」

安治の足が止まった。

御米蔵とは、諸国から江戸に運び込まれる公儀年貢米の蔵である。ここで働く仲仕連中は、御上《おかみ》の米を扱っていることを笠に着て、えらそうに振舞う手合いが多かった。

「おれは橋場の金蔵親分とところのわけえもんで、伸助てえんだ。連中がおめえさんにわるさを仕掛けてきたら、いつでも助けるぜ」

つばきはこのとき初めて、閻魔堂の弐蔵こと、伸助にあたまをなでられた。

二

冬場は新しい普請が少ない。

それに加えて七草過ぎから雨が続いた。

安治は一月は十二日働いただけだった。それでも暮れに詰めて稼いだ手間賃が残っていたことで、あせらず骨休めを決め込んだ。

「両国の軽業《かるわざ》でも見に行かねえか」

「おもしれえ芝居がかかってるそうだぜ」

「浅草寺参りのけえりに、蕎麦《そば》でもたぐってこようじゃねえか」

安治はかならず、みのぶを誘った。

しかし女房はいつも断りを口にした。

身重だったし、出かけるのはいつも雨降りである。寒さはわずかにゆるみ始めていた。しかし冬場の雨降りの外出《そとで》は、産み月の迫った女には億劫《おっくう》なのだろう。

安治は舌打ちしながら、つばきを連れて遊びに出た。傘をさして人ごみを歩くとき、子連れは厄介だからだ。

つばきは、安治と出かけられるのが嬉しかった。それとは逆に、なぜおかあちゃんは、おとうちゃんと出かけるのをいやがるのかと、晴れない心持ちを抱《いだ》いた。

元旦の湯で見た父親が、つばきには誇らしかった。

おとうちゃんが殴りかかったのは、あたいのことをわるくいわれたから……。

これがつばきには嬉しかった。

湯を出たあとは、なにも買わずに長屋に戻った。それでもつばきは大満足だった。

あの朝、安治と一緒に見た初日の出を、何度も思い出した。ダイダイ色の空を思い浮かべると、手拭いをさげた安治が一緒に思い出された。

二月に入ると、安治の仕事が忙しくなった。

つばきがまだ寝ている間に出かけてしまう。目覚めたとき父親がいないのが悲しくて、つばきはなんとか早起きしようと頑張った。

しかしまだ三歳の子には、七ツ半は早すぎた。つばきは目覚めるなり、安治が着ていた掻巻に袖を通した。

父親の寝汗の匂い。

父親のびんつけ油の香り。

それらが染み込んだ掻巻を着て、母親と一緒に朝餉《あさげ》を食べた。

「そんな大きなものを着て、ごはんを食べたりするんじゃないの」

みのぶには何度も叱られた。

掻巻の袖に汁椀をひっかけて味噌汁をこぼしたときは、母親に手の甲をひっぱたかれた。それでもつばきは着るのをやめようとしない。

「おまえみたいな強情な子は、おっかさんはきらいだから」

きつく叱られたときは、掻巻に顔をうずめて泣いた。

つばきは母親とふたりだけで過ごすときを、つらく感じた。

臨月が近くなるにつれて、みのぶが始終不機嫌だったこともある。おなかの子が動いて身体の調子がきついときは、みのぶはつばきに当り散らした。

おかあちゃん、ほんとうにあたいがきらいなのかもしれない……。

三歳の子が思い悩んだ。

よその家では夕暮れ近くなると、母親とこどもが連れ立って買い物に出た。

身重なみのぶは、野菜も魚も豆腐も、ほとんど担ぎ売りから買った。つばきは母と子が手をつないで出かける姿を、土間の隅から眺めた。

日が落ちて長屋に職人たちが帰ってきはじめると、つばきは綿入れを着て吾妻橋のたもとまで出た。普請場から帰ってくる安治の出迎えである。

二月に入っても、夜はまだ凍えている。

空は高く、星も夏よりは遠くに見えた。

つばきは父親があらわれるまで、星を数えて待った。数はまだ五つまでしか知らない。

数え始めは、吾妻橋の真上に出ている大きな星と決まっていた。その星から、右の方へと数えるのだ。

ひとつ、ふたつ、みっつ、よっつ、いつつ。

五まで数えると、また一に戻る。これを何度も繰り返した。

本所回向院《えこういん》あたりの星を数えているとき、いつも安治が橋の真ん中に姿を見せた。橋には明かりがなく、ほとんど月星の光だけである。その暗がりのなかに、つばきは帰りくる父親を見つけた。

「ばかやろう、風邪ひくじゃねえか」

毎夜のように聞く安治のせりふである。

口調は乱暴で怒っているようにも聞こえたが、つばきを見る目は笑っていた。

二月晦日に日本橋堺町から火事が出た。

火勢は火消しをあざわらうように衰えず、周辺の町を焼き尽くし、中村座と市村座まで焼け落ちた。

翌日から、安治は夜更けまで帰ってこれなくなった。火事場の後始末の手伝いと、建て直す商家の普請に追われたからだ。

吾妻橋で父親を待つ楽しみを、つばきは奪われた。

三

つばきに妹が生まれたのは、三月二十二日である。

「今日は生まれそうな気がする」

みのぶはこの朝、起きられなかった。

安治はわきについていたい様子だったが、棟梁から普請場を任されている身である。

「構ってやれねえが勘弁してくれ」

亭主に詫びを言われて、みのぶも無理は口にしなかった。その代わりに、つばきを起こして行ってくれと安治に頼んだ。

「お安いこった」

軽く請け合ったがまだ七ツ半である。

「おい、つばき……起きてくれって」

ほっぺたを叩こうが、小さな布団を引き剝《は》がそうが、つばきは目を覚まさない。仕事場へ急がなければばならない安治は、こどもの手をつかんで引き起こした。

「つばき、起きろてえんだ」

乱暴な言葉のあと、平手でこどもの頰を張った。寝起きのわるい様子に焦《じ》れていた安治は、普請場では丸太も運ぶ太い手で、まともに横っ面をひっぱたいてしまった。

初めて親に頰を張られた驚きと痛さで、つばきが泣き声をあげた。まだ眠くて機嫌のわるいときである。こどもの泣き声には遠慮がなかった。

「うるせえ、泣くんじゃねえ」

さらにもう一発、手が出かかった。が、怯えきったこどもの目を見て、安治は平手をおろした。

「今日はおっかさんの、でえじな日だ」

手はおろしたものの、声はまだ高ぶっている。つばきの泣き声がおさまらない。

「泣くなてえんだよ」

安治が自分に怖い顔を向けるのを、つばきはこの朝初めて味わった。

大好きな父親から、睨みつけられるのが哀しかった。しかし泣きやまないと、もっと怖い顔になりそうだと分かり、なんとか声を抑え込んだ。

「おめえも、もう三つじゃねえか」

泣くのをやめたら、安治がいつものやさしい顔に戻った。

「ことによると、今日はおめえに兄弟ができるかも知れねえ。どうだ、嬉しいかよ」

まだ肩をひくひくさせているつばきが、こっくりとうなずいた。

「だったらおめえは、いつ生まれてもいいように片づけを始めな」

これだけ言うと、安治は道具箱を担いで宿から飛び出した。

「おかあちゃん、どうすればいい？」

「おせき婆さんを呼んできて」

みのぶは口をきくのも億劫そうだった。

「おとうちゃんは片付けろといった……」

「ぐずぐず言ってないで、早く呼んできて」

みのぶの尖った声で、つばきは宿から押し出された。

三月下旬の明け六ツ前は、すでに明るい。みのぶが言ったおせき婆さんとは、長屋の奥に住む産婆《さんば》である。まだ目が覚めきっていないつばきは足がうまく動かず、井戸のわきで小石につまずいた。

間のわるいことに、身体ごと水溜りに倒れ込んだ。着物も顔も泥まみれだ。

いつものつばきなら、泣き声をあげただろう。しかしこの朝は違っていた。

自分がすぐに起きられなかったことで、安治にひっぱたかれた。

見たこともなかった怖い顔で怒鳴られた。

大泣きしたら、さらにきつく叱られた。

頬を張られた痛みにではなく、安治に凄い形相《ぎょうそう》で叱られたことが哀しくて泣いたのだ。

朝はちゃんと起きて、泣きさえしなければ、おとうちゃんはやさしい……。

分別がつくには、まだまだの歳である。

しかしつばきは、父親にきらわれないために、早起きと、泣き声をあげないことを決めていた。

産婆のおせきは、腰高障子の外に立った、泥まみれのつばきを見て目を丸くした。

「どうしたんだい、その格好は」

「おかあちゃんが、早くきて欲しいって」

つばきはしっかりした声で用件を伝えた。

「みのぶさんが？」

すぐに察した産婆は、手早く着替えるとみのぶの元に駆けた。

「通り道が大分に大きくなってるからね。生みたくなったら我慢はいらないよ」

産婆は周りの家に声をかけて、産湯《うぶゆ》の備えを頼んだ。

「つばきちゃんは、へっついの火の番をしてちょうだい」

産婆に用を言いつけられて、つばきは力をこめてうなずいた。

日が昇り、正午の鐘が流れてきた。

「また元気そうな女の子だよう」

おせきはつばきも取り上げていた。

三月二十二日の昼過ぎに、つばきに妹ができた。


「また女か……」

仕事から戻った安治は、つかの間声を曇らせた。

しかし赤ん坊の元気な泣き声を耳にすると、すぐに顔を崩して抱き上げた。

花冷えが長屋にも忍び込んでくる。

抱いた子の産着《うぶぎ》の上に半纏を重ねた安治は、つばきを連れて長屋の路地に出た。

「今朝は痛かったかよ」

安治がきまりわるそうな声で問いかけた。

「うん、すごく痛かった」

「どれ、見せてみろい」

赤ん坊を抱いたまま、つばきの前にしゃがんだ。頰を見詰めても、明かりがなくてよく見えない。安治は手のひらでつばきの右頰をやさしくなでた。

「でえじょうぶだ、腫れちゃあいねえ」

つばきは頰をなでる父親の手に、自分の両手を重ねた。強く押しつけすぎたのか、しゃがんだ安治の腰がふらついた。

驚いた赤ん坊が、いきなり泣き出した。

「いけねえ、いけねえ」

すぐさま立ち上がり、赤ん坊をあやし始めた。ふたり目のこどもでもあり、安治のあやし方は手馴れたものだった。

わずかな風が、大川端から桜の花びらを運んできた。なかのひとひらが、赤ん坊のひたいに舞い落ちた。

「おっかあよう……」

安治は桜の花びらをそのままにして、宿に入った。つばきがあとを追った。

「赤ん坊の名めえは、これっきゃねえてえのがあるぜ」

安治の声が大きく弾んでいた。
妹の名はさくらと決まった。

四

三月、四月は暖かな日が続いたが、夏の手前の五月中旬になって陽に勢いがなくなった。日本橋の大火事で焼け出された商家の多くは、元の場所に新しい店の普請を望んだ。それも一日も早い再建を、である。

安治が仕える棟梁は、三軒の大店を得意先として抱えていた。安治はなかのひとつ、大通りに面した乾物問屋を任された。

土地の広さはおよそ二百坪。この敷地に、十間《けん》（約十八メートル）間口の二階家を普請するのだ。図面は施主と棟梁、安治の三人で描いた。

「およそのところで、二百七十両の費《つい》えがいりやすが……」

「掛かりはいいから、一日も早く棟上げをしてもらいたい」

棟梁が弾いた見積もりを施主は呑んだ。

「それじゃあ早速に」

棟梁と安治があたまを下げて、請負仕事が動き始めた。

棟梁はすべてを安治に任せた。

乾物屋よりも大きな普請場が、ほかにふたつあったからだ。

「命がけでやらせてもれえやす」

大仕事を任せてくれた棟梁に、安治は厚く礼を言った。

取り掛かりは材木仕入れの掛け合いと、職人の手配りである。材木仕入れには棟梁に何度も連れて行かれたが、ひとりで出向くのは初めてである。

棟梁半纏は、背中の屋号が赤で描かれている。安治は胸を張って赤文字の半纏を着た。

しかし掛け合いが始まるなり、越えるのが難儀な壁にぶつかった。

火事騒動で、材木代が棟梁の見積もりよりも三割も高値になっていた。算盤を弾いた棟梁も、相場の動きはもちろん知っていた。火事のあとの高値相場を、棟梁は何度もくぐり抜けている。ゆえに材木代は平相場に二割乗せて見積もりをしていた。

ところが今回の火事は、日本橋である。

大店なら材木代を惜しまないと市場は読んだらしく、日ごとに高値を書き換えた。

その結果、棟梁の見積もりよりも、さらに二割も高くなっていたのだ。

「施主と掛け合うほかはねえ」

棟梁は渋い顔ながらも、安治の掛け合いを責めはしなかった。ほかの二軒の普請場でも、同じように見積もりの読み違いが起きていたからだろう。

わけを聞いて施主も得心した。

安堵《あんど》した安治が材木仕入れを終えたのは、五月十九日のことである。

その二日後に梅雨がきた。

「見積もり直しを呑んでくれた施主の手前もある。雨降りだろうが、仕事は休まねえぜ」

棟梁は言い切ったが、安治が手配りした人夫の多くは雨をきらった。

仕事始まりの五ツになっても、人夫が顔を出さないのだ。手配りさせた周旋屋にねじ込んだが、相手もお手上げの様子である。

「江戸はどこも普請ばやりでしてね、連中の仕事先は幾らでもあるんです」

雨降りに働かなくても、仕事にあぶれる気遣いはなかった。

大工や左官、経師《きょうじ》、屋根葺《ふ》きなどの職人は、流れ者の助っ人でも引き受けた仕事はこなす。

しかし下働きの人夫は違った。その日の気分次第で、平気で普請場をすっぽかした。

安治が任された普請場はまだ基礎仕事のさなかで、職人は鳶《とび》しか入っていない。手元で使う人夫が顔を出さないので、鳶は仕事にならなかった。

「こんなんじゃあ、やってらんねえやね。人夫がそろったら呼びにきてくんねえ」

鳶が帰ったあとの雨の普請場で、安治は施主からきつい言葉でなじられた。

はけ口のない怒りを抱えた安治は、吾妻橋たもとの縄のれんで憂さ晴らしの酒を呑んだ。

空徳利が何本も並んだ。が、明日からの段取りがつかず、大して酔えなかった。

「おめえさん、正月の兄さんだろう？」

寄ってきたのは、隅でひとり酒を呑んでいた仲助だった。

「仲仕の連中とはあれっきりかい」

「それどころじゃねえ」

思案に詰まっている安治は、ぞんざいな受け答えになった。

「なんでえ……ごあいさつじゃねえか」

仲助の目が、渡世人ならではの凄みを帯びた。その目を見て、安治の薄い酔いが吹き飛んだ。

揉め事を起こして、怪我でもしたら棟梁に顔向けできねえ……。

赤文字半纏が、安治に軽はずみな振舞いを思いとどまらせた。

「すまねえ、あにい。仕事の思案に詰まってたもんで……勘弁してくんなせえ」

安治が詫びて仲助が目の光を消した。

「思案てえのは、なんのことでえ」

機嫌を直した仲助に問われて、安治は人夫がこなくて困り果てている次第を話した。

「何人いるんでえ」

「何人って、人夫がですかい」

「決まってるじゃねえか」

「向こう十日間、毎日十人でさ」

「なんでえ、たったの十人かよ」

空の盃を持った伸助が、薄笑いを浮かべた。その顔を見て、安治が徳利を差し出した。

「出づら（日当）は幾ら払えるんでえ」

「昼の賄い込みで、二百文でさ」

「二百じゃ無理だ」

伸助の答えはにべもなかった。

「人夫に三百、おれに二百で都合五百なら、明日から回すぜ」

見積もりよりもひとり三百文高くなったら、一日三貫文、十日で三十貫文。ざっと六両の吐き出しである。

六両は痛手だが、預けられた費えのなかでやり繰りできる金高だった。

「この先も、しばらく雨続きでしょうが、あにいの人夫はでえじょうぶでしょうね」

「おれが仕切ると言ってるぜ」

伸助の口調に凄みが戻っていた。

「分かりやした。ひとり五百で、十人そろえてくだせえ」

「聞いたよ」

伸助が空の盃を突き出した。

五

明和四（一七六七）年三月の桜は、いつもの年よりも早く咲いた。

誕生から一年を過ぎて数え二歳になったさくらは、よちよち歩きができていた。

四ツ（午前十時）を過ぎると、並木町の裏店にもいっときだけ陽が差し始める。

「さくら、お洗濯に行こうね」

四歳になったつばきは、さくらの手を引いて長屋の井戸端に出た。

「えらいねえ、つばきちゃんは」

「ほんとうだよ」

長屋の女房連中が声を揃えた。

もう水は冷たくはなかった。

しかし固い木綿の安治の仕事着を洗うのは、四歳の子には骨である。しかも天気である限りは毎日だ。

「かしてみな、あたしが絞ってやるから」

井戸端のひとりが、つばきから安治の仕事着を取り上げた。両手でぎゅっと絞ると、紺色の水が垂れ落ちた。

「こんな子に洗濯させるなんて、やっさんもしょうがないよ」

絞りながら、畳職人の女房が文句を言った。

「おとうちゃんのことをわるく言わないで」

つばきが仕事着をひったくった。職人の女房が、あわれむような目でつばきを見ていた。


今年の正月の十日過ぎから、みのぶが吾妻橋西詰の蕎麦屋に手伝いに出始めた。朝の五ツ半（午前九時）から、夕方七ツ（午後四時）までの手伝いである。

所帯を構えてから、初めての勤めだった。みのぶが働きに出ないことには、月に七百五十文の店賃《たなちん》すら払えないほどに、カネに詰まっていた。

普請場を任されている安治は、出づら一貫文も稼いでいる。月に二十日働けば四両の実入りだ。いま暮らしている長屋でも、安治の稼ぎは飛びぬけて多かった。

それなのに店賃にさえ事欠くのは、伸助に誘われて遊んだ賭場に借金を抱えているからだ。借金は十両だが、利息が十日ごとに一割。月に三両払っても、元金は一文も減らない高利である。去年九月から、安治はこの利息を払い続けていた。

明和三年五月下旬。

伸助が手配りした人夫は、十日間、ひとりも欠けずに下働きに出てきた。雨続きながらも、基礎は大いにはかどった。

六月七日、数日延びた基礎仕事の終わりを待っていたかのように、短い梅雨が明けた。あとは天気に恵まれて、大工仕事もとどこおりなく運んだ。

「梅雨をいとわずに普請を続けてくれたことで、今日のめでたい日が迎えられた」

乾物屋の上棟式は、棟梁が約束した通り八月の藪入り前にすませることができた。

施主に大いに面目がほどこせた棟梁は、安治に二両の祝儀をくれた。そして出づらを一気に一貫文にまで増やした。

腕のよい大工でも、出づら五百文が限りなのに、安治は倍の手間賃である。

普請場を任されているとはいえ、破格の手間賃だ。それほど棟梁は安治を見込んでいた。

祝儀をもらった夜、安治は伸助から酒に誘われた。

「今夜はうちに寄ってきねえ」

この夜初めて、伸助が盆の出方《でかた》（仕切り役）を務める賭場に誘われた。

安治は普請場でも、八ツどきの休みに職人たちと手慰みを楽しむことはあった。むげに断ると、てきめん職人の働きぶりがわるくなる。普請場の博打は、職人を気持ちよく働かせるための、仕事も同然のものだった。

せいぜい五文、十文のサイコロ勝負である。負けてもたかがしれていた。

伸助の賭場は本寸法の鉄火場だ。

「どっちもどっちも、どちらもどっちも、存分に賭けてくだせえ」

博打はサイコロの丁半である。

盆に入った伸助は、調子をつけた口上で客の賭けをあおった。

賭場の賭け金は一朱からだった。一両出しても、十六枚の駒札しかこない。どんぶりにサイコロを投げ込み、文銭《もんぜに》で遊ぶ普請場の博打とは桁が違っていた。

安治は、いつまた人夫のことで世話になるかも知れないという、伸助への義理を抱えている。それゆえ一両を駒札に取り替えた。棟梁から二両の祝儀をもらったことで、ふところ具合もよかった。

義理で始めた博打だったが、一度も勝てずに一両が消えた。賭場にくる前に、安治は相当に酒が入っていた。その酔いが分別を甘くした。

残りの一両を駒札に替えた。そして負けた。

「なんでえ、まるっきり目が出なかったてえのか」

文無しになった安治のわきに、盆を離れた伸助が寄ってきた。

「遊びてえなら駒を回すぜ」

伸助はツケで遊ばせると言っている。

「いや、ここまでで充分でさ」

負けて悔しかったが、賭場から借金するのがどれほど怖いかのわきまえはあった。

「なら、好きにしな」

賭場を出るとき、下足番の若い衆が足代だと言って小粒銀ふた粒を差し出した。

ふた粒で銀二匁、わずか百七十文である。

小粒を手にした安治は、賭場にあわれみをかけられた気がした。いきなり悔しさが募ってきた。

負けた二両を小粒に直せば、百二十粒にもなる。それだけ巻き上げておきながら、たったふた粒の足代だと……。

腹立ちが治まらなくなった安治は、もう一度賭場に戻った。すぐに伸助が寄ってきた。

「なんでえ、けえったんじゃねえのか」

「負けたままじゃあ、腹の虫が治まらねえ」

「どうしようてえんだ」

「二両ばかり、回してくだせえ」

安治はみずから賭場に嵌《はま》り込んだ。

借りた二両も、四半刻《しはんとき》も持たずにあっさり負けた。

この夜ひと晩で、安治は十両の借金を賭場に背負った。いかに稼ぎがいいとはいえ、十両は到底返せない。

「十日ごとに利息さえ入れてくれりゃあ、いつまででも待つぜ」

伸助の口調はわざとらしいほどに軽かった。

ここまで借金知らずに生きてきた安治は、利息の重さを分かっていなかった。

利息は十日ごとに一両である。大工の稼ぎのほとんどが利息に消えた。

雨降りが幾日か続くと、たちまち実入りが減ってしまう。明和三年の年の暮れは、正月の支度がなにひとつできなかった。

年が明けた一月は、氷雨が続いた。

棟梁から旬日ごとに渡される手間賃が、一月十日には二貫文しか入らなかった。一両五貫文の銭相場では、全部伸助に渡しても利息の半分にもならない。

「おめえを誘ったのはおれだ。足りねえ分はなんとかこっちで工面しておくぜ」

恩着せがましいことを言われた上に、有り金の二貫文をそっくり取り立てられた。

「おとっつあんから借りてくる」

「ばか言うねえ。そんなことをひとことでも漏らしたら、その日のうちに離縁するぜ」

安治はみのぶに息巻いたが、カネが湧き出てくるわけではない。米味噌を買うゼニはもちろん、店賃すら払えなくなった。

「あたしも働きにでるから」

「つばきとさくらはどうするんでえ」

「つばきももう四つじゃない。家の手伝いはできる歳よ」

安治は渋々ながらも、みのぶが手伝いに出ることを受け入れた。そうしない限り、暮らしが潰れそうだった。

しかしふたりの実入りを合わせても、賭場の利息と、店賃に米味噌の費えを払うと、一文も残らない。

一日でも利息の払いが遅れると、賭場から取り立てが押しかけてきた。それが何度か続いたことで、安治のしでかしたことが長屋中に知れ渡った。

洗濯を終えたつばきは、さくらを背負って大川端に出た。土手の桜が満開である。

花の下では親子連れが楽しそうに弁当を広げていた。父親は職人らしく、重箱のわきには畳んだ半纏が見えた。

去年の秋から、安治がまったく構ってくれなくなっていた。

銭湯にも連れて行ってはもらえない。

父親の様子が変わったわけは、ときどき長屋に顔を出す伸助という男にあると、つばきは思っていた。

両手の小指が欠けたいやなやつ。

桜の下で笑いこけている親子連れを見ているうちに、つばきの目からなみだがこぼれ出た。

姉の様子を感じ取ったのか、背中のさくらが小さな手でつばきの髪をなでた。

六

唐桟を着た若い者が茶を運んできた。

弐蔵に出したあとで、つばきの膝元にもぞんざいに湯呑みを置いた。それを潮に、つばきは物思いを閉じた。

「安治はどうしてるよ」

親しみのない口調で、弐蔵が安治の名を口にした。

「元気です」

「大工を続けているということか」

「そうです」

「棟梁にでもなったかよ」

「おとっつあんには、ひとの上に立つ気はこれっぽっちもありませんから」

つばきの答え方にも愛想がない。弐蔵が目つきを険しくした。

「つばき坊もあいかわらずだな」

「伸助さんもおなじでしょう」

つばきの口からおじさんが消えて、伸助さんと呼んでいた。

「いまは伸助じゃねえ」

弐蔵が相手の口を抑え込んだ。口調が伝法なものに変わっている。

「安治はあいかわらず棟梁でもねえようだが、いまのおれは組を抱えている」

弐蔵があごをしゃくると、つばきの後ろに控えた男が煙草盆を差し出した。キセルを手にした弐蔵は、刻《きざ》み煙草を詰め始めた。

銀の火皿は肉厚で、前足をあげて襲いかかろうと身構えた虎が細工されている。

「組を抱えているてえことはだ……」

熾火にキセルを押しつけながら、上目でつばきを見た。昔馴染みを見るやさしさが失せて、修羅場をくぐってきた渡世人の目に変わっていた。

「相手がつばき坊でも、あめえ顔してなつかしんでるだけてえわけにはいかねえ」

吹かした煙が弐蔵の顔の周りに漂った。

「仲町界隈《かいわい》はうちの縄張《シマ》だ。ここで商売を始めようてえなら、おめえにもそれなりの筋を通してもらわねえと面倒が起きる」

「筋を通すって……やくざ者におカネを払うということですか」

「まったくおめえは、幾つになっても身も蓋《ふた》もねえ物言いしかしねえな」

「伸助さんが言ってるのは、そういうことでしょう?」

「伸助じゃねえと、そう言ったぜ」

弐蔵が凄んだ。

つばきは顔色も変えない。細くてくっきりとした眉が、わずかに動いただけだった。

「わけえのがいうには、だいこんてえ看板がかかってるらしいが、なんでえ、だいこんてえのは……何屋を始める気なんでえ」

「お弁当を売るのと、昼のごはんを食べてもらう店です」

意外にも、つばきは素直な返事をした。

「弁当売りだとう？」

弐蔵の声が甲高くなった。

「そんな商いをやるために、おめえは二階家を普請したてえのか」

「いけませんか」

「いけなくはねえ。なにをやろうが、おめえの勝手だ」

弐蔵の物言いは相手を突き放していた。

「だがよう、つばき坊よ……深川《ここ》にも弁当売りは幾らもいるが、みんな担ぎ売りだ。二階家を構えて商うほどの儲けは出ねえ」

弐蔵が極《き》めつけを口にした。つばきが目に力をこめて弐蔵を見つめ返した。

「どうやら言い分がありそうだな」

「命がけで始める商いです。始める前から言いがかりはよしてください」

「商いてえのは、おめえだけじゃねえ、だれでも命がけで始めるもんだ」

「だったらなおさら、縁起でもないことは言わないで……」

「ちょいと待ちねえ」

武蔵がつばきの言い分を途中で抑えた。

「おれはいま、閻魔堂の武蔵として物を言ってるわけじゃねえ。ガキの時分からおめえを見てきた、知り合いとして言ってるんでえ。そう尖《とんが》らずに聞きねえな」

武蔵が突き出した手のひらの、小指が欠けている。つばきが口を閉じて座り直した。

「商いを始めようてえやつは、だれもが夢中になってて、ものがめえなくなってるもんだ。ところが醒めてるおれには、岡目八目、急所がめえる」

つばきに向けて、煙草の煙を吐き出した。

「おめえがやる弁当売りだの昼飯屋だのは、この界隈の日傭取《ひようとり》が相手だろうよ」

つばきが返事の代わりにうなずいた。

「深川はよそよりも普請場は多いが、どこの連中も馴染みの担ぎ売りを決めるぜ」

「なんで伸助さんに、そんなことが分かるんですか」

「うちは連中からも賽銭《さいせん》を集めてるからよ」

伸助と呼ばれたことには取り合わず、武蔵はつばきにわけを聞かせた。

「ひとつの普請場で売れる弁当は、せいぜいが二十、ゼニで二百文てえところだ。しかも雨に祟られりゃあ、その日はあがったりよ。店を持たねえ身軽さだからこそ、お天気相手の、あてにならねえ商いもなんとかやれるだろうが、二階家を構えて続けられる商売じゃねえ」

つばきを見据える弐蔵の目が険しい。商いの役に立つと考えているのか、つばきはおとなしく聞いていた。

「おめえ、並木町から移ってねえと、そう言ったな」

「言いました」

「そんなおめえが、なんだって深川で商いを始める気になったんでえ」

「材木置き場のあとを、使ってもいいという方がいましたから」

「豊国屋だな」

「伸助さんは豊国屋さんをご存知ですか」

「ほどほどには知ってるが、てめえの土地を他人にわけもなく貸すような男じゃねえ。これもおれが分からねえことのひとつだ」

弐蔵の顔つきが一段と厳しくなった。

「豊国屋の跡地に二階家が建ち始めたとき、うちのわけえのが木左衛門になにができるんだと訊いた。あいつは、さあなんでしょうと、鼻先であしらったらしい。そうだな？」

「仙吉からそう聞きやした」

つばきの後ろで、唐桟の男が返事をした。

「豊国屋は、算盤勘定の釣り合わねえことに力を貸すタマじゃねえ。食えねえタヌキだが、めっぽう利には聡《さと》い野郎だ」

キセルを膝元に置いた弐蔵は、火鉢越しに上体をつばきに寄せた。

「浅草しか知らねえおめえが、なんで深川で商売を始めようとしたのかがひとつ」

小指の欠けた手をつばきに突き出し、弐蔵は指折り数え始めた。

「算盤高い豊国屋が、旨く運ぶわけもねえ弁当屋に、なぜてめえの土地を使わせるのかがひとつ。なかでも一番分からねえのが、つばき坊と豊国屋とのかかわりだ」

手を戻した弐蔵は、顔がつばきにくっつきそうなほどに身を乗り出した。

「おめえの気性をかんげえても、あんな野郎のいいなりになってるとは思えねえ」

「あたりまえです。妙なかんぐりはやめてください」

「だったら、なぜ豊国屋の土地を借りられたんでえ」

「きっとあたしに負い目があるんでしょう」

「なんでえ、負い目てえのは」

「あたしのお店で、いやなことを言ったものだから、それで商いを変えました」

浅草材木町のつばきの一膳飯屋に、豊国屋木左衛門は月に六度は顔を出した。

最初は材木町での寄合を終えたあとの流れで立ち寄った。つばきの客あしらいを気に入ってからは、わざわざ宿駕籠《しゅくかご》を仕立てて深川冬木町から足を運んできた。

下足番にまで祝儀を忘れない木左衛門だが、店での評判は散々である。渡した祝儀の数倍も、あれこれと勝手な用を言いつけるし、振舞いがとにかく偉そうだったからだ。

つばきの店には、蔵前札差の番頭たちもときおり顔を出した。材木商と札差は、ともに江戸で名高い金持ちである。

札差の番頭や手代も祝儀を出した。いずれも銀の小粒ひとつだが、ひと目につかぬように気遣ってくれた。それでいながら店では他の客の邪魔にならぬよう、おとなしく飲み食いするだけだ。用を言いつけたりもしない。

豊国屋はまるで違った。

三と七のつく日が、木左衛門がおとずれる日だった。月に六度の馴染み客だが、ときには近在神社の縁日と重なることがある。そんな夜は、十二人の酌婦は手洗いに立つこともできないほどの忙しさとなった。

店がどれほど立て込んでいても、木左衛門は大川が見渡せる二階の小部屋を用意させた。それが当然という顔で言いつけるのだ。

先客がいると断っても聞き入れない。

去年（天明八年）七月十七日もそうだった。

この夜は、鳥越神社の縁日に札差番頭衆の寄合が重なり、空き部屋がなかった。

「十七日にあたしが来るのは、分かりきったことだろう」

「分かってはいますが、なにしろ急なお客様が大勢で押しかけられましたもので」

「それがどうした。どれだけ客がこようが、部屋はないと断ればいいだろう」

「そんなわけには参りません」

上客づらを押しつける木左衛門に腹を立てたらしく、人柄の練れているはずの下足番が言い返した。

木左衛門がいきり立った。

「なんのための祝儀か、少しはわきまえろ」

「祝儀とは、これのことですかい」

まだ握ったままだった小粒を、下足番は木左衛門に突き出した。

「あっしが欲しいとねだったわけじゃねえんだ」

下足番の物言いが変わっていた。

「これはけえしやすぜ」

怒りで棒立ちになった木左衛門の手に、小粒をむりやり握らせた。

店先でもめていることを知らされたつばきが、急ぎ足で近寄った。

「なにか粗相でも?」

「粗相もなにも、なんだ、この下足番は」

大店のあるじとも思えない口調で、豊国屋はことの次第をまくし立てた。

「久兵衛の言った通りですから」

つばきは下足番の言い分を支えた。

「あんたまでそんなことを言うのか」

「ご覧の通りですから、今夜は勘弁してください」

つばきがあたまを下げた。

「深川の豊国屋を断るとは、店がはやって浮かれているんだろうが」

木左衛門がつばきを見据えて毒づいた。

「たかが呑み助相手の、夜の商売をやっている者が、昼の商いのあたしを断るとは大した度胸だ」

捨てぜりふを残して、木左衛門が店先を離れようとした。つばきがそれを呼び止めた。

「なんだ、部屋が用意できるのか」

「聞き捨てならないことを言われて、このままにはできません」

「なんだそれは。今度は言いがかりか」

いきり立っていたはずの木左衛門が、あざけりを浮かべて戻ってきた。

「夜の商いとはどういうことですか」

「どうもこうもない、見たままを言ったまでだよ」

木左衛門の口調は、つばきを見下していた。

「あんたは所詮、呑み助を相手にしているだけだ。昼間に汗水を流す連中相手では、こうはいかないと言ったつもりだが、言葉が足りなかったかね」

「あたしには、夜の商いしかできないと言ってるんですか」

「そう聞こえたなら、その通りだ」

「分かりました」

つばきが木左衛門に詰め寄った。

「この月限りで、この店をやめます」

つばきの剣幕と口にした言葉を聞いて、木左衛門よりも下足番の久兵衛が飛び上がった。

「かならず昼間の商いで身を立てます」

「ここを閉じて、昼の商売を始めると言っているのかね」

「そう聞こえたはずです」

「確かにそう聞いたよ」

木左衛門はまだ薄笑いを浮かべたままだ。

「意気込みは大したものだが、そんなに軽々しく言えることとは思えないがね」

「………」

「だいいち、なにをやる気だ」

「そんなこと、いま訊かれても分かりません。あたしもこの場で決めたことですから」

「だから軽々しいと言っている」

「いいえ。軽くはありません」

騒ぎを知って、酌婦や奉公人たちがつばきのそばに寄ってこようとした。それをつばきは押しとどめた。

「あたしはここまで、自分が口にしたことはかならずやり通してきました。なにかはまだ決めていませんが、昼の商いを始めます」

木左衛門と並ぶと、五尺二寸のつばきは相手を見上げる形になる。しかし潤んだ黒い瞳には、強い決意がみなぎっていた。

「商いが決まったら、豊国屋さんにもお力添えをお願いするかも知れません。その折りには、よろしくお力をお貸しください」

思いも寄らない成り行きに、木左衛門の口が半開きになっていた。


「それでおめえは、ほんとうに店を畳んだてえのか」

「あとを続けたいというひとに譲りました」

「じゃあ、店はそのままか」

「あたしには、もうかかわりのない店です」

「まったくつばき坊らしいぜ」

武蔵の目から尖りが消えている。

「だがよう、その店はおめえで持ってたんだろうが」

「そうです」

つばきの答え方には、うぬぼれも気負いもなかった。

「おめえが抜けたら、店は持たねえだろう」

「ひいきにしていただいた今戸《いまど》の代貸に、あとをよろしくお願いしましたから」

「なんでえ、今戸の代貸てえのは」

渡世人が出てきたことで、武蔵が目元をゆがめた。

「伸助さんは、今戸の芳三郎《よしさぶろう》という貸元を知っていますか？」

武蔵が息を呑んだ。

今戸の芳三郎は、浅草を含む江戸の北側を束ねる男である。

武蔵が伸助と呼ばれていたころに仕えた橋場の金蔵も、芳三郎には一目も二目《もく》もおいていた。

武蔵は芳三郎とは、じかにかかわりを持ったことはない。しかし名の大きさは知り尽くしていた。

「おめえは親分を知ってるてえのかよ」

「何度も札差の旦那様とご一緒にお見えになりましたから」

「芳三郎親分が、材木町の呑み屋に？」

よほどに驚いたのか、武蔵の声が裏返っている。

「肩の張らない店だと言われて、随分とごひいきにしてくれました」

「じかに口をきいたてえのか」

つばきは、こともなげにうなずいた。

武蔵の目にうろたえの色が浮いている。

その目の色を間近に見て、つばきはまた昔を思い出した。

七

明和六（一七六九）年八月二十六日。

凄まじい暴風を道連れにした野分《のわき》が、江戸の町に襲いかかった。つばき六歳、さくら四歳の晩夏である。

「こんな日ぐらい、家にいて」

夜明けから風がうなりをあげていた。長屋の腰高障子が、いまにも吹き飛ばされそうだ。

音と風の強さに怯えたみのぶが、亭主の安治に仕事を休んでくれと泣きついた。

「駿河町の普請場が気がかりだ。休んじゃあいられねえ」

安治は女房の頼みを振り切った。

「あたしたちがどうなってもいいの」

みのぶのわめき声が風の音に消された。女房には構わずに、安治は支度を続けている。みのぶは亭主の手から半纏を引ったくった。

「なにしやがんでえ」

「聞いてよ、この風の音を」

「聞こえてるさ」

安治は女房から半纏をもぎとった。

「おれは普請場を任されてんだ。いたくてもいられねえのは、おめえにも分かり切ってんだろがよ」

「こんな日にこどもを残して出て行くなんて、そんなこと分かんないわよ」

「ふざけんじゃねえ」

安治が畳に半纏を叩きつけた。

「こんな日にも出てくから、うちはめしが食えてるんじゃねえか」

「なによ、えらそうに」

みのぶは負けずに言い返した。

「幾ら稼いだって、あらかたは賭場に持ってかれるだけじゃないの。この三年、うちが食べていられたのは、あたしが奉公を続けているからでしょう」

「なんだとう」

安治がおのれの箱膳をひっくり返した。

「好きなだけ、そうやって物を壊せばいいわよ。言っときますけど、うちにはお膳を買うお足なんか、一文もありませんから」

朝から夫婦が遣《や》り合っている。

つばきは妹を抱きしめて、部屋の隅で小さくなっていた。

「おめえのあたまんなかは、ゼニしかねえのかよ」

女房に言葉のつぶてを投げつけて土間におりた。

賭場の借金を責められると、安治は逃げ場がなくなってしまう。野分の風はひどいが、雨はなかった。股引に半纏一枚を羽織っただけで、道具箱も持たずに出て行った。

みのぶは大きなため息のあと、こどもたちの朝飯を調《ととの》えた。

浅草寺が五ツ（午前八時）を打ち始めた。

強い風に乗っているのか、鐘の音がいつもより大きい。

二年前の正月から、みのぶは吾妻橋東詰の蕎麦屋に手伝いに出ていた。仕事始めは五ツ半（午前九時）で、いつものみのぶは五ツで身支度を始める。

しかし野分の風は、ときが過ぎても一向に収まらない。飯が終わると、こどもふたりは風に怯えて部屋の隅から動こうとしなかった。

「今日は休みにさせてもらうから」

母親の言葉で、こどもの顔が明るくなった。

「おかあちゃん、お店に断りを言いに行くの？」

ここまでの二年半の間、毎朝仕事に出る母親をつばきは見てきた。どれほどの実入りなのかまでは分かってないが、暮らしに欠かせぬ稼ぎであることはわきまえている。

その大事な仕事先を、断りもいわずに休めるとは、まだ六歳ながらも、つばきは思ってはいなかった。

「こんな野分の日だもの、お店だって分かってくれるわよ」

みのぶはこどもふたりを抱きしめた。

家の手伝いと妹の世話をけなげにこなすつばきだが、まだまだ母親に甘えたい歳である。

「きょうはずっと、おかあちゃんと一緒にいられるの？」

「そうよ、ずっと一緒にいようね」

みのぶの声は、安治とのいさかいを忘れたかのようにやさしかった。つばきとさくらが、母親にしがみついた。

しかし四ツ（午前十時）の鐘で破れた。

「みのぶさん、いなさるかい」

さらに激しさを増した風音に負けない大声で、男が障子戸越しに呼びかけてきた。

「五兵衛さん……？」

「そうだ、わしだ」

蕎麦屋のかまど番と薪割《まきわり》役で雇われている五兵衛だった。

「こんな日にすまないが、旦那がぜひとも出てもらいたいと言ってきかないんだ」

五兵衛はすでに五十を越していたが、毎日薪割を続ける腕は歳には見えないほどに太い。しかし風の中を歩いてきたことで、白髪の髷《まげ》が乱れている。小雨も降り始めているらしく、しわの寄った顔が雨粒で濡れている。

よれた髷と雨に打たれた顔が、一足飛びに年寄りに仕立てていた。

「それを言うために、この風のなかを？」

うなずいた五兵衛の顔から、雨のしずくがこぼれ落ちた。

「でも五兵衛さん、こんな野分のさなかに、こどもだけを残しては行けません」

五兵衛をいたわりながらも、みのぶはきっぱりと断った。

「こどもを店に連れてきてもいいと、旦那は言ってなさる」

「ばかなことをいわないで」

みのぶの声でさくらが泣き出した。

「四つと六つの子を連れて、どうやって吾妻橋を渡れというんですか。そんな不人情なことを言うお店なら、たったいま暇をいただきます」

「あんたが怒るのも無理はないが、竹町《たけちょう》のかしらから泣きが入ったんだ」

言いながら五兵衛は土間に入った。壁にかかっていた手拭いを、つばきが差し出した。

「えらいねえ、よく気がきくよ」

首から吊るした財布を取り出した五兵衛は、一文銭ふたつをつばきに握らせた。

「大川の張り番に、かしらは本所から助っ人四十人を頼んだそうだ。その賄《まかな》い代わりに、うどんとそばをたっぷり仕込んでくれというのが、かしらの頼みでね」

「そんな数は、いっぺんにはとっても無理でしょう」

「そのことだ、みのぶさん」

顔をぬぐい終わった手拭いを、五兵衛はつばきに戻した。雨粒を吸い取った手拭いは、いまにも水をこぼしそうなほどに濡れていた。

「あんたの客あしらいがないと、とっても乗り切れないと旦那も分かっているんだよ。不人情で言ってるわけじゃないことを呑み込んで、なんとか店に出てくれないか」

「分かりました、すぐに行きます」

事情を知ったみのぶは、その上余計なことはいわず、すぐさま身支度を始めた。

「小さい子は、わしが背負う。おねえちゃんは、おっかさんと手をつないで行けばいい」

五兵衛はさくらを背負ってから、半纏を羽織った。並木町を出たときは小粒だった雨が、吾妻橋のなかほどでいきなり強くなった。

五兵衛もみのぶも傘は持っていない。野分のなかを行くには、番傘は邪魔なだけだ。

「しっかり握ってるんだよ」

みのぶに言われて、つばきは母親をつかむ手に力を込めた。長さ七十六間（約百三十七メートル）の吾妻橋は、真ん中がゆるやかに盛り上がっている。雨に打たれた橋板は、気を張って踏みつけないと滑りそうだ。

五兵衛は底に牛皮を張った雪駄を履いていた。これだと下駄やわらじよりは滑りにくい。

「わしの半纏をつかめばいい」

さくらを背負った五兵衛が先に立ち、半纏の裾をみのぶがつかんだ。つばきはしんがりで、みのぶの帯に手をかけた。

五兵衛が身体を張って風除けになった。

みのぶは左手で五兵衛の半纏をつかんでおり、右手は橋の欄干をつかんでいた。

真ん中を過ぎて下りに差しかかったとき、橋の下からつむじ風のような烈風が舞い上がってきた。

「しっかり欄干をつかむんだ」

後ろを振り返って五兵衛が怒鳴った。

みのぶは半纏から手を放し、両手で欄干をつかんだ。その急な動きについていけず、つばきの手が母親の帯から放れた。

そのつばきに、つむじ風が襲いかかった。

足元をすくわれたつばきは、橋の西詰に向けて転がり始めた。

五兵衛はさくらを背負っていて動けない。

みのぶも吹き飛ばされまいとして、両手で欄干を握ったままだ。

「おかあちゃあああん……」

転がりながら、つばきが叫んだ。

風は木の葉をもてあそぶように、つばきを転がした。欄干と橋板との間には、高さ一尺の隙間がある。こどもの小さな身体なら、わけなく潜《くぐ》り抜けてしまいそうだ。

落ちれば波頭の立つ大川である。

背負った子には構わず、五兵衛が助けに動こうとした。

「とっつあんじゃ無理でえ」

男がつばきに向かって駆け出した。

危うく欄干の隙間から転がり落ちそうだったつばきを、男の両手がつかみ止めた。

左右の小指が欠けた伸助だった。

八

蕎麦屋のあるじは、伸助に何度もあたまをさげて礼を言った。みのぶも五兵衛も同じだった。

「もっと、ちゃんとお礼を言いなさい」

みのぶは本気でつばきを叱りつけた。つばきが伸助のそばに近寄ろうともしなかったからだ。

「いいてえことさ」

つばきに笑いかけた伸助の目は、笑ってはいなかった。

つばきは伸助がきらいだった。

三年前から、安治とみのぶは顔を合わせると口争いばかりしている。そのわけが伸助にあると、つばきは思っていた。

博打。借金。利息。

毎日のように耳にする言葉の意味が、つばきには分からない。しかし、伸助の名も毎日聞かされた。こどもながらにも、伸助が安治とみのぶを苦しめているのは分かった。

よりにもよって、その伸助に死にかけたところを助けられたのだ。

母親も伸助をきらっていることを、つばきは知っていた。それなのにいまは、伸助に何度もあたまを下げている。

おかあちゃんが伸助おじさんにぺこぺこしているのは、あたいのせいだ……。

そう思うと、つばきは泣きたくなった。

そのかたわらで、橋にしがみついたまま、助けに動いてくれなかった母親を恨んだ。

おとうちゃんなら、きっとあたいを助けてくれたのに。

この思いが消えない。

ありがとうと、一度ぞんざいにつぶやいただけで、母親に何度言われても、つばきは伸助にきちんとした礼を言わなかった。

「妙に胸騒ぎがしたもんでよう、用もねえのに、橋に行かなきゃあと思ったんでえ」

店のおごりで出された冷や酒を呑みながら、伸助が大声で話し始めた。

「そしたら案《あん》の定《じょう》てえわけさ」

支度の手をとめて、あるじまでが伸助の話に付き合っている。

「あともう一歩遅かったら、つばき坊は大川にはまっちまってたぜ」

「ほんとうにありがとうございます」

みのぶがまた、深々とあたまを下げた。

「いいてえことよ、あんたの亭主とは兄弟分の付き合いだ。役に立ててなによりだぜ」

徳利が空になっている。

「どうも気がつきませんで」

立ち上がって伸助に背を向けた、あるじの目元がゆがんでいた。

「ところで、なんだってこんな日に子連れで橋を渡ってたんでえ。安治はいねえのかよ」

「駿河町の普請場が気になると言って、いつもより早出しましたから」

「そいつあ見上げた了見と言いてえが、棟梁でもねえのに、なんでそこまでやるんでえ」

みのぶは答えずにうつむいた。

二本目の徳利が空になったとき、竹町のかしらが入ってきた。鳶宿の半纏を着た若い衆十五人を従えている。

伸助が急いで立ち上がった。

「そいじゃあ、けえらせてもらうぜ」

渡世人は、かしらと目を合わさぬようにして出て行った。

「いまのは橋場の渡世人じゃねえか」

「かしらはご存知で？」

問われたあるじが問い返した。

「何年か前に、うちの若いのが橋場の賭場にはまって往生したことがあるんだ」

かしらは赤い筋の入った役半纏の袖を引っ張りながら、手近な腰掛に座った。

「なんでまた、こんな野分のさなかに渡世人がここに？」

かしらの目がわずかに曇っている。

わけを話さないことには始まらないと判じたのか、蕎麦屋のあるじが吾妻橋の一件から、安治の借金までの次第を聞かせた。

「そいつあ災難だったなあ」

聞き終わったかしらは、つばきの身体を抱き上げた。

「もうでえじょうぶだぜ」

抱えられたつばきは張り詰めていた気が抜けて、声をあげて泣き出した。

「さぞかしおっかなかっただろうよ。構やしねえ、泣きたいだけ泣きねえ」

こどもを抱えたまま、かしらはみのぶに近寄った。

「あっしはすぐさきの竹町で鳶宿をやってる、辰五郎《たつごろう》てえまだ三十九の駆け出しでやす。あっしが無理を頼んだばっかりに、おたくさんにもこの子にも、ひでえ思いをさせちまいやした。勘弁してくんなせえ」

つばきを土間におろしてから、みのぶにあたまを下げた。

散々に風に吹かれているはずだが、髷はびくともよれてはおらず、手入れの行き届いた月代《さかやき》は青々としている。眉は太くて濃い。

三十九の歳で荒っぽい鳶を束ねる辰五郎の声は、低くて張りがあった。

「なにをおっしゃるんですか。どうかあたまをあげてください」

みのぶは濡れた胸元を合わせ直した。

「そいじゃ許してくださるんで」

「あたりまえです。この子が転んだのは、かしらのせいでもなんでもありませんから」

「そう言ってもらえりゃあ、あっしも気が楽でさあ」

辰五郎は連れてきた若い衆を呼び寄せた。

「聞かなくてもいいことを、無理やり聞いちまいやしたが、これもなにかの縁でさあ。賭場の借金はけえさねえことにはしゃあねえが、何か妙なことになったら、いつでもそう言ってくんなせえ」

辰五郎のわきにならんだ十五人が、てんでにみのぶに笑いかけた。

辰五郎は土間にしゃがみ、つばきと同じ目の高さになった。つばきは泣きやんでいた。

「おっかなかったかい？」

「こわかった……」

「そうだろうともさ。あんな風の吹いてるさなかに吾妻橋を渡るのは、おとなのおれでもおっかねえや。よく我慢したなあ」

辰五郎にあたまをなでられて、つばきは蕎麦屋にきてから初めて笑った。

「いい笑い顔だ。なめえは？」

「つばき」

「いいじゃねえか。きっぱりしてて、おめえにぴったりだ。さぞかし、べっぴんさんになるだろうぜ」

「ほんとうに？」

「あたぼうよ。おっかさんもあんなにきれいなひとだ、おめえはもっとそうなるさ」

立ち上がった辰五郎は、つばきを腰掛に座らせてからとなりに腰をおろした。

「転がりながらも橋から落っこちずにすんだてえのは、おめえに強い運があるからだ。この先おっきくなったとき、おれでよけりゃあ後見に立つからよ」

「こうけんて、なんのこと？」

問われた辰五郎が考え込んだ。

「桃太郎の犬みたいなもの？」

「犬は家来だからよう……ちょいと違うが、つばきちゃんなら家来になってもいいぜ」

辰五郎は、つばきのあたまをグリグリッとなでて立ち上がった。

つばきには、乱暴にあたまをなでた辰五郎の手のぬくもりが心地好かった。ときたま同じことをする安治のと、同じような手ざわりを感じた。

近くで話をするとき、口から煙草の匂いがした。この匂いも安治と同じだった。

竹町の辰五郎。つばきは小さな胸に、この名を大事にしまいこんだ。

四ツ半（午前十一時）を過ぎると、蕎麦屋はひとで埋まった。辰五郎が頼んだ大川の張り番が他町から集ってきたからだ。

つばきはさくらと一緒に、土間の隅で邪魔にならないように店の様子を見ていた。だれもが股引半纏姿だが、見たこともない柄物が土間を行き交っている。太目の者もいれば、痩せぎすもいた。安治より小柄な鳶もいるし、蕎麦屋の鴨居に髷がくっつきそうな大男もいる。

身なりも背格好もばらばらだが、だれもが安治と同じ匂いを発していた。きらいな伸助とは違う、身体を張って働く職人ならではの、威勢のよい匂いである。

つばきはこれだけ大勢の職人が、ひとつ所に集っているのを見たのは初めてだった。きびきびした動きと、飛びかう職人言葉が嬉しくて、目を輝かせて見入った。

みのぶの働く姿を見るのも初めてだった。

雨に打たれて濡れた着物を、みのぶは店のお仕着せに着替えていた。紺木綿に白い大きな格子柄が染め抜かれた、粗末な着物だ。

しかし黄色のたすきと、真っ赤な帯がつばきにはまぶしく見えた。そのお仕着せを着て、土間の人ごみの間をきびきびと動く母親に、つばきは見とれた。

「うどんふたつに、しっぽくがご新規です」

みのぶの声は澄んでいてよく通る。家では聞いたことのない母親のはずんだ声が、つばきの耳には新鮮だった。

「ねえさん、蕎麦湯をもらえねえか」

「茶をもう一杯くんねえな」

客のいうことに、みのぶは笑顔で返事をする。そしてすぐに応じる。重たい土瓶を、何度でも客の前に運ぶ。

その立ち姿の美しさが、つばきには誇らしかった。

おかあちゃんて、すごい。

橋で助けに動いてくれなかったことなど、つばきはすっかり忘れていた。

みのぶは少しも休まずに働き続けた。

それでも、土間を埋めた客のすべてには目が行き届かない。

つばきは母親から客に目を移していた。

蕎麦湯を欲しがっている客。

薬味が欲しそうな客。

食べ終わって煙草盆を探している客。

客がなにを欲しがっているかを、つばきは感じ取っていた。

大きくなったら、あたいもおかあちゃんとおんなじことがしたい……。

土間の様子に見入っている姉の手を、さくらがしっかりとつかんでいた。

九

野分は、深川三十三間堂をなぎ倒したほどの、凄まじい風が吹き荒れた。大川端の桜や、江戸城常磐《ときわ》の松も、老木の何本もが根を剝《む》き出しにして倒れた。

風はひどかったが、雨は少なかった。

それゆえ大川は暴れておらず、橋が流されることもなかった。

安治は普請途中の家を守り切った。

建てていたのは、日本橋駿河町の鰹節問屋、寛永《かんえい》屋の隠居離れである。屋号の通り寛永二（一六二五）年の創業で、明和六年の今年で創業百四十四年を迎えた老舗である。

今年の正月に、前当主は長男に代を譲った。六代目を襲名した息子は、隠居祝いとして、屋敷内に離れの普請を始めた。

内湯まで設けた三十坪の平屋である。

廊下と湯殿には、惜しみなく檜《ひのき》を用いたぜいたくな普請を請け負った棟梁は、差配に安治を立てた。

博打のカネに追われてはいたが、安治の仕事の目配りに抜かりはなかった。その器量を買っての起用である。

野分の風に身体をあおられながら、安治は思い切った手を打った。

途中まで葺いていた屋根をすべて取り払い、風の通り道をこしらえたのだ。その判断が効を奏し、棟上を終えた家を壊さずにすんだ。

屋根葺きが二度手間になっても、施主は大満足した。

「あんたが屋根を壊し始めたときには、気でもふれたかと案じたがねえ。いま思い返しても、あれは大した見極《みきわ》めだった」

野分が東に去ってから五日後、寛永屋の隠居は棟梁を呼び寄せ、大いに褒め称えてから安治に祝儀を渡した。

よほどに嬉しかったのか、祝儀は三両の大金だった。

「おめえの働きがよくて、おれもいい顔ができた。祝儀はそっくりおめえのもんだ」

棟梁は三両すべてを安治に渡した。

身体を張って一緒に家を守ってくれた大工と、下働きの仕出し人夫十四人を縄のれんに招き、安治は好きなだけ酒を呑ませてねぎらった。

酒に加えて、一匁の小粒をみんなに配った。

それでも小判二両と、七粒の銀が手元に残った。小粒銀七匁をゼニに直せば、五百九十五文である。

小判と銀とを見せられて、みのぶの顔がほころんだ。安治は七粒の銀をみのぶの膝元に移した。

「そいつはおめえが好きに使ってくれ」

「助かります」

みのぶは心底から嬉しそうな声を出した。

「野分の日に、いやなことを言ってごめんなさい」

詫びの物言いも素直だった。

その女房を見て、安治は背筋を張って座り直した。

「折り入って、おめえに頼みがある」

「どうしたのよ、安さん。そんなにかしこまったりして」

「この二両で、おれに勝負をさせてくれ」

みのぶには亭主の言ったことが分からず、いぶかしげな目で相手を見た。が、やがてなにを言われたかが呑み込めた。

「こんなに苦労してるのに、まだ懲りてないのね」

みのぶの声は、気味がわるいほどに静かだった。

「おれなりに思案した果てのことだ、怒らねえで聞いてくれ」

「どうぞ……好きなだけ言って」

みのぶは怒る気力もなくしたようだった。

「十両の借金をけえすのに、三年越しでまだ一両も元金が減ってねえ」

明和三年に、安治は橋場の賭場で十両の借金をこしらえた。利息は十日ごとに一両、月に三両という途方もない高利である。

以来今日まで、安治とみのぶの稼ぎを合わせても、利息と暮らしの費えを払うので精一杯でやってきた。

安治の手間賃は出づら一貫文である。

明和三年から上がってないが、これは他の職人の倍の手間賃だ。このうえさらに上がることは、もう望めなかった。

月に二十日働いて二万文、金で四両だ。

とはいっても、大工仕事は天気任せである。雨が続くと、たちどころに実入りが減った。

賭場の利息は、稼ぎが少なくても月に三両で変わらない。

みのぶが働きに出ている蕎麦屋は、借金の事情を分かったうえで使ってくれた。あるじは給金に少々の気持ちを加えてくれていた。

月に三度の休みをくれたうえで、日に二百文を払ってくれた。これは大工職人の手元働きに肩を並べる手間賃である。

みのぶは月にならして四貫文を稼いだ。が、店賃と米味噌、炭代を溜めずに払えるぐらいにしかならなかった。

二両の祝儀は、言ってみればあぶく銭も同然だと、安治は考えた。

元々あてにはしていなかったカネだ。

そっくり失っても暮らしは変わらない。

このカネで勝負して運良く勝てれば、暮らしが大きく楽になる。

たとえ勝ちが五両どまりだとしても、利息は半分に減る。

そうなれば、ぜいたくはできなくても、季節の着物一枚ぐらいは買えるはずだ。

全部負けても、暮らしにはかかわりのないカネだ、なんとか勝負がしたい。

安治が思案したあらましがこれだった。

「おれは博打がやりてえわけじゃねえ」

安治がどれほど言い聞かせようとしても、みのぶは相手にしなかった。

「あぶく銭だということは分かったわよ。だったらその二両だけでも、元金に入れて楽になりましょう」

「そいつあおれも散々に思案した。だがようみのぶ、二両ばかりけえしても、月に三貫文も楽にはならねえ」

安治が思いっきり強く、みのぶの手を握った。

「そんだけしかけえせねえと、おめえの蕎麦屋勤めをやめさせてやれねえんだよ」

安治は本気で、みのぶに楽をさせてやりたいと思っていた。そうしたいがための思案だった。

何度も同じことを聞かされているうちに、みのぶにも安治の思いが通じたようだ。

「分かったわ、安さん」

相変わらず物静かな話し方だが、安治の気持ちを受け止めているのが声音《こわね》に出ていた。

「安さんの思う通りにして」

「分かってくれたかよ」

言葉ではなく、安治に笑いかけることでみのぶは答えを返した。

「おめえが承知してくれるなら、おれは命がけで賭場と勝負してくるぜ」

「でも安さん、借金をきれいにしないままだと、伸助さんは遊ばせてくれないでしょう」

「それについちゃあ、おれに別の思案があるんでえ」

「思案て、危ないことじゃないでしょうね」

「あたぼうじゃねえか。このうえ、おめえにしんぺえかけることはやらねえ」

安治が力強く請合った。


毎月五のつく日に、浜町や人形町、蠣殻町《かきがらちょう》界隈の小商人《こあきんど》を集めて開かれる賭場が、浜町河岸《はまちょうがし》にあった。それを安治に話したのは、野分の守りを手伝った仕出し人夫である。

「安治さんも賭場の利息に追われてると、伸助さんに聞きやしたぜ」

振舞い酒の場で、となりに座った人夫が安治にささやいた。

「でえじょうぶでさ。おれもおんなじ身で、こうして仕出しにされてるんだ」

人夫は富一《とみいち》という名の、二十八のひとり者だった。

「安治さんは三年になるんでやしょう」

妙になれなれしい口調が気に障り、安治は返事をしなかった。しかし富一は構わずに話を続けた。

「このまま人夫を続けてたんじゃあ、生涯借金は返せねえ」

ぐずぐずと愚痴をこぼす富一の話を、安治は周りに気を使いながら聞いていた。十両もの借金を賭場に抱えていることが知れたら、どんな騒ぎが起きるか知れたものでない。

さりとて酒の回った富一を邪険に扱うと、大声でみんなにばらしかねない怖さがあった。

生返事を繰り返していたら、富一が思いも寄らない話を始めた。

「橋場と同じで、一朱から遊ばせてくれる賭場が浜町河岸にあるんでさ」

富一はすでに五年越しで、浜町河岸に出入りしていると言う。

客は小商人ばかりで、博打も橋場に比べればおとなしい。勝ち逃げをしても、賭場はいやな顔も見せずに送り出してくれると富一は続けた。

「おれは食うものも着るものも始末して、博打の元手を蓄えてるんでさ。いまだに芽がでねえが、きっとツキはくる。そうなりゃあ、耳をそろえて、伸助の野郎に叩きけえしてやるつもりでさ」

安治さんなら、いつでも賭場に顔つなぎすると富一は胸を叩いた。

その場では、安治は笑っただけで返事をしなかった。しかし並木町までの道々、富一の言ったことがあたまのなかで暴れまわった。


「今度の賭場は九月五日だてえんだ」

「五日なら、あさってじゃないの」

「運が味方してくれるように、おめえもしっかり願掛けしてくんねえ」

「分かったわ。あした、観音《かんのん》さまにお願いしてくる」

みのぶの返事に、迷いはみじんもなかった。

こどもを寝かしつけたあと、安治は半月ぶりにみのぶと交わった。

博打を控えた高ぶりが、ふたりをいつも以上に燃え上がらせた。

安治はみのぶのなかで、したたかに果てた。

三人目の子宝を授かったことを、みのぶは身体の奥で感じていた。

十

賭場は五ツ（午後八時）からである。

六ツに駿河町の普請場を仕舞いにした安治は、着替えに並木町まで戻ることにした。

「なりなんざ、うるせえことはいいやせん」

富一は仕事着のまま顔を出そうと言い張った。しかし安治は、今夜の博打は先々の生き方を決める大きなものだと思っている。

「おれは、なりをこしらえてから出直すぜ。浜町河岸で落ち合おうじゃねえか」

五ツに河岸の小川橋たもとでと決めて、宿に戻った。

安治からもらった小粒で、みのぶは小鯛の塩焼きを用意していた。

「いっぱい縁起をつけて、しっかり勝負をしてきてね」

おとついの夜に肌を重ねてから、みのぶは上機嫌である。母親が明るいので、つばきもさくらも嬉しそうだった。

「おとうちゃん、どこかに行くの?」

箱膳を片付けたあとで着替えを始めた安治を見て、つばきが心配顔を見せた。

「今夜はでえじな仕事がある。おめえたちはおっかさんに世話を焼かせねえで、とっと寝ろよ」

小言のようなことを言いつつも、安治の物言いは機嫌がいい。その話し方を聞いて、つばきの顔が明るくなった。

夜に入って安治が出かけるのは、ないことだ。みのぶはつばきとさくらの手を引いて、駒形町の木戸まで見送りに出た。

九月五日の夜は空に叢雲《むらくも》もなく、月星の明かりが夜道を照らしている。

「じゃあな。ツキを祈っててくんねえ」

「もちろんそうするわよ」

みのぶが明るく笑いかけた。

「三人で、観音さまにしっかりお願いしてから帰るから」

駒形町の町木戸で、安治は三人と別れた。

蔵前の御米蔵に続く道は広々としていた。通りの右手には札差の大店が軒を連ねており、大川側には御米蔵が建ち並んでいる。

昼間はひとと荷車とで溢れ返っているが、夜は野良犬も歩かないような暗闇である。

しかし空には月星があり、提灯を持たない安治でも楽に歩けた。蔵を通り過ぎたあとの辻を、大川に向かって折れた。月明かりに照らされた柳橋が見えてきた。

ときは六ツ半（午後七時）過ぎの見当である。ここから浜町河岸まで、安治の足なら四半刻《しはんとき》（三十分）もかからない。柳橋に差しかかったところで、安治は足の運びをゆるめた。

「そこの兄さんよう、ちょいと待ちねえ」

橋を渡ったとき、大川端の暗がりから男が安治を呼び止めた。

伸助に呼び止められたかと思い、安治はびくっとして足を止めた。

男は伸助ではなかった。

伸助よりも、さらに相手がわるかった。

「やっぱりおめえだぜ」

熊のように毛深い男が、暗闇から出てきた。男には、ふたりの連れがいた。

「三年めえの正月に、おれにしゃれたあいさつをしてくれたのを、よもや忘れちゃあいねえだろうな」

もちろん安治は覚えていた。

明和三年の元旦に、湯屋できんたまを蹴り上げた男だった。

「あんときの仲仕さんか……」

答えつつ、安治は腰を落として身構えた。

「おめえにたっぷり礼をしてえと思ってよう、三年越しに探してたぜ」

仲仕が言い終わる前に、連れのふたりが安治を取り囲んだ。さいわいにも仲仕の三人は素手だった。

道具を使わない殴り合いなら、安治の得手とするところだ。相手がどれほど大男だろうが、三人と向き合うことになろうが、安治は怯《ひる》みはしない。

しかし、いまはときがわるかった。

大事な博打を控えた夜である。

一発や二発、こぶしで殴られても屁でもないが、アザのついた顔で賭場には行きたくなかった。

「すまねえが、今夜は勘弁してくれ」

「なんだと。正月の威勢はどうしたんでえ」

「おめえさんの相手はかならずさせてもらうが、今夜はちょいとわけありなんでえ」

「ふざけんじゃねえ」

安治の後ろに回った男が怒鳴った。

「おれは並木町の信太郎店《しんたろうだな》に暮らす、でえくの安治だ。どこにも逃げ隠れはしねえ」

安治は大男から目を逸らさなかった。

「今夜でなけりゃあ、おめえさんのいう所までつらを出すからよう。いまだけは勘弁しちくんねえ」

安治は仲仕にあたまを下げた。

逃げ口上を言うようでつらかった。

喧嘩相手にあたまを下げるのも、胸のうちが針で刺されたように痛む。

しかしいまは遣り合うことは避けたかった。

駒形町の町木戸で見送ってくれた女房とこどもを思うと、殴り合って運を落とすような真似はできないと思った。

正味であたまを下げた安治を見て、仲仕は身構えを解いた。

「おれは六番蔵の龍吉《りゅうきち》だ」

名乗ってから安治に一歩詰め寄った。

「おめえの言い分を呑んで、勝負はあずける。都合がついたら、昼間のうちに六番蔵までつらあ出してくれ」

龍吉が目配せすると、ふたりの男が安治から離れた。

「どんな用だか知らねえが、おめえがあたまを下げるのは、よほどのことだろうよ」

暗がりで龍吉がにやりと笑った。

「おめえがめげたんじゃあ、張り合いがねえ。段取りよくことが運ぶように、祈ってるぜ」

安治の肩をぽんと叩いたあと、龍吉と連れは御米蔵の闇に溶けた。

十一

五ツの鐘が鳴る前に、安治は小川橋のたもとに着いた。下を流れるのは入船堀で、中洲の先で大川と交わる。

小川橋を境にして、大川寄りの両岸には大名屋敷が並んでいる。町家と異なり、高い塀で囲まれた大名屋敷は、明かりが道端に漏れてこない。

柳橋のあたりまでは空に雲はなかった。

いまは月に薄い雲がかぶさっている。

提灯の明かりも、町家から漏れる明かりもない。安治は真っ暗闇に近いなかで富一を待った。

「安治さん、ここでさあ」

小川橋の下から声をかけられて、安治は飛び上がりそうになった。

「おどかすんじゃねえ」

びくっとしたさまを富一に見せたことが腹立たしくて、安治は声を尖らせた。

「なんで橋の下なんかにいるんでえ」

「このあたりは大名屋敷が多いもんで、夜回りの十手持ちがうるせえんでさ」

小声で話しながら、富一は橋の下から上がってきた。

「宿がしっかりしてる安治さんなら、問い詰められてもどうてえことはねえが、おれっちはそうはいかねえんでね」

「おめえ、無宿者《むしゅくもん》か」

「そんなもんでさ」

普請場のときとは、物言いが変わっている。

暗闇で油断のない目を光らせている富一には、得体の知れない凄みがあった。

「とにかく行きやしょう。賭場はその辻をへえった三軒目なんで」

富一は闇を気にせず足を速めた。

あとに続く安治は、富一の不気味さに胸の奥底がざらついた。

しかし勝負をしようと決めている。

下げたくもないあたまを仲仕に下げた。

いまさら引き返す気はさらさらない。富一の真後ろについて辻を曲がった。

「待ちなせえ」

高さ一丈（約三メートル）はありそうな黒板塀に張り付いていた男が、ふたりを呼び止めた。

「富一でさ」

名乗りを聞いて張り番が寄ってきた。

ほとんど明かりがないのに、目と、身体に巻いた白いさらしがはっきりと分かった。

「遊びなさるんで」

富一の顔を見知っているらしく、男はていねいな口をきいた。

「お連れさんもご一緒ですかい」

「おれが仕えている並木町の棟梁だ。構わねえだろう？」

「どうぞ」

強い目で安治をひと睨みしたあと、男は塀に設けた隠し戸を開いた。

いきなり明かりが押し寄せてきた。

暗がりになれていた安治が、眩しそうに目を細くした。明かりは、座敷に灯《とも》されている百《ひゃく》目《め》ろうそくが放つ光だ。高い塀にさえぎられて外には漏れていなかったが、賭場は昼間の長屋よりも明るかった。

座敷に上がる敷石のわきには、別の張り番が立っていた。

「ついさっき、壺が開いたところでさ」

「口開けの出目は」

富一が、賭場を知り尽くしているような問い方をした。

「五二《ぐに》の半でやした」

「ありがとよ」

富一が祝儀を握らせた。

安治には見えなかったが、文銭であるわけがない。賭場の若い衆に握らせるなら、少なくとも小粒だろう。

いまのいままで、安治は張り番に祝儀を渡すことには思い至ってはいなかった。富一の振舞いを見て、いかにおのれが賭場では素人かを思い知った。

座敷に上がると、富一はまっすぐ帳場に向かった。八畳間の真ん中に、帳場格子が構えられている。見た目には商家の帳場と同じだが、結界の内側に座っているのは、まぎれもなく渡世人だ。

先に富一が格子の前に座った。

差し出された木皿に、じゃらじゃらと音を立ててカネを移した。小粒と一朱金である。帳場には両替屋で見かける秤が置いてあった。

帳場の男は小粒銀の目方を量った。一朱金貨は、ろうそくの明かりで念入りに確かめた。あたかも、本両替の手代のようである。

確かめ終わると、駒札が八枚出てきた。

長さ三寸、幅一寸五分の杉板で『一朱』の焼印が押されている。富一は八朱、半両の元手で遊ぶ気らしい。

賭場で八朱は、ごみのような少額である。

しかし仕出し人夫の稼ぎで、しかもその大半を伸助に取り上げられる男には、八朱を蓄えるのは生易しいことではない。

「親方、お先でやす」

駒札を手にした富一が座をあけた。

安治を棟梁と呼ぶというのは、賭場にくる前の取り決めである。

帳場に座った安治は、紙入れから取り出した二枚の小判を皿に載せた。

帳場の男は富一のときと同じように、小判を念入りに吟味した。槌目を手で触り、小判の表裏に打たれた後藤と桐の極印を二度確かめた。

「札はなににされやすか」

男が初めて口を開いた。

賭場には一朱、一分、一両の札が用意されている。その金種を問うていた。

「一分札にしてくれ」

「全部をですかい？」

「全部だ」

安治の答えはきっぱりしていた。

一分札は、一枚で富一の四倍である。二両取り替えても八枚しかない。が、安治は長い勝負をする気はなかった。

帳場は八枚の一分札と、四枚の一朱札を出してきた。四朱が余分である。

「多過ぎねえか」

「四朱はお客さんの小判の増歩《ましぶ》でさ」

帳場の勘定に狂いはなかった。

小判一両で四分が両替相場だが、これは混ぜ物が多い元禄小判を基にしてのことである。安治が持参した享保《きようほう》小判は、元禄のものよりはるかに上質である。

ゆえに帳場は、一両あたり二朱の増歩をつけたのだ。暮らしのなかで小判には縁のない安治は、享保小判の値打ちを知らなかった。

思いがけず、四朱も余分に手に入った。

幸先《さいさき》がいいぜ。

柳橋のごたごたから張り詰め続けていた安治の顔が、初めてゆるんだ。

「こいつを受け取ってくれ」

帳場の敷居をまたいだところで、安治は一朱札二枚を富一に渡そうとした。半両しか持っていない男が、庭の若い衆に祝儀を握らせていたからだ。

しかし富一は受け取ろうとしない。

「お客さん、そいつは駄目でさ」

帳場の隅にいた見張り番が、きつい声で安治の振舞いを咎めた。

「客人《きやくじん》同士の駒の回しはご法度《はつと》でやす」

男の口調は、そんなことも知らずに賭場にきたのかとなじっている。ゆるんでいた安治の顔がこわばった。


「四一《しつぴん》の半」

盆の出方（仕切り役）が、調子をつけて出目を触れた。

勝った安治に、漆塗りの一両札が二枚配られた。これで都合八両である。受け取った二枚を膝元に重ねていたとき、日本橋石町《こくちよう》から四ツ（午後十時）の鐘の音が流れてきた。

「ここでひと休みさせていただきやす」

出方が勝負の中休みを告げた。

「今夜は冷えやすから、鍋焼きうどんを用意させていただきやした。どちらさんも暖かいのを口に入れて、ひと息ついてくだせえ」

出方に促された客は、てんでに駒札を手にして別間へと移った。安治も立ち上がった。

このうえなく上首尾に勝ち続けていた。

安治は半目《はんめ》にだけ賭けようと決めて賭場に臨んだ。わけは名前だった。

丁半博打は、長引くと負ける。

伸助に誘われて遊んだとき、安治は引き際を見失って手ひどく痛めつけられた。それをわきまえていただけに、勝負は手早く終わらせようと決めた。

そのために朱ではなく、分の札にした。勝つにしても負けるにしても、早くケリをつけたいがためである。

あとは丁半どちらの目に賭けるかだ。

安治はおのれに博打の勘があるとは思っていない。勝負の流れが読めるとも思ってなかった。

丁半どっちかの、決め打ちしかねえ。

様々に思案しているとき、ふっと家族の名前が浮んだ。

やすじ。

みのぶ。

つばき。

さくら。

奇しくも四人とも三文字、奇数である。

これに思い当たった安治は、半目だけに賭けた。それも毎回ではなく、ないと思っているおのれの勘を搾り出し、場を選んで賭けた。

すべてが当たったわけではないが、勝ちがはるかに多かった。一刻（二時間）続けた勝負で、二両四朱が八両にまで増えていた。

富一はまるで目が出ず、四半刻も持たずに賭場を出ていた。ツキのない男がそばを離れてくれて、安治は胸のうちで喜んだ。

手元の札は、すべて一両に変わっていた。二分の勝負に勝つと、賭場は分の札を黒塗りの両に取り替えたからだ。

八枚の札を手にして、安治は別間に移った。十四、五人の客がうどんを食っている。部屋の隅に座ると、すかさず土鍋で煮たうどんが運ばれてきた。

ときはすでに四ツを過ぎていた。

大方の客は浜町界隈の商人で、町木戸が閉じたあとでも木戸番に話がつけられた。賭場はそれなりに、鼻薬を嗅がせていた。

しかし安治は浅草である。通り抜ける木戸はざっと数えただけでも十を超えた。きちんとしたわけがあれば、木戸番は送り拍子木を打って隣町につないでくれる。

しかし安治はことのほか嘘が苦手だった。そのうえ、博打帰りの負い目がある。木戸番を言いくるめるなど、できそうになかった。

ここで夜明かしをするほかねえ。

そう肚《はら》を決めてから、うどんに箸をつけた。

八両まで増やすことができた安治は、勝負はもう充分だと思っていた。賭場で明け六ツを迎える客のために、横になれる小部屋が用意されている。

うどんを食ったら横になる。

安治は、そう決めた。そして食べ終わると、賭場を見もせず小部屋に入った。

先客はひとりもいなかった。

賭場の勝負が盛んになるのは、四ツを過ぎてからだ。人気《ひとけ》のない部屋で、掻巻を着て横になった。が、八両まで増やしたことに気が高ぶっており、目を閉じても眠りがこない。寝返りを打っても、醒めるばかりだった。

どうせなら、十両そっくりけえしてえ。

この思いが、あたまのなかを走り回った。

さらに別の思案も浮んだ。

二両の勝負に一回勝てばいい。

今夜は勘が冴えているし、この先の生涯で、一回こっきりの勝負だ。

十両持ち帰れば、みのぶも勤めがやめられる。つばきもさくらも、一緒にいられる。

安治は掻巻を脱ぎ捨てた。

もしも負けても、まだ六両残る。

それだけ返せれば、利息も大きく減る。

負けたとしても、六両残ってれば悔やむことはねえ。

勝負は一回と決めた安治は、一両札六枚を紙入れにしまった。膝元に重ね置いていたら、どれほど決めていても、負ければ手をつけるに決まっているとわきまえていたからだ。


「おかえんなせえ」

座敷の若い衆が、戻ってきた安治を盆に案内した。安治は一両札二枚を手にしたまま、すぐには勝負に入らず、見《けん》に回った。

中休みを境にして、勝負が大きくなっていた。朱も分も盆にはなく、札は黒塗りばかりだ。

ひと回り大きな五両札が何枚も盆に張られていた。

一一《ぴんゾロ》の丁。

五五《ごゾロ》の丁。

四六《しろく》の丁。

大きな勝負で、三度続けて丁目が出た。

「今度は半だろう」

膝元に黒塗り札をうずたかく積んだ商家のあるじ風の男が、五両札三枚を半に張った。

安治もその目に乗った。

「五二の半」

出方が安治の勝ちを触れた。二枚の一両札が安治に配られた。

肩が下がり、大きな吐息が安治から漏れた。

やっと借金がきれいになる……。

安治は半目に張った札に手を伸ばしかけた。

「これでしばらく半目が続くだろうよ」

十五両勝った男が、上機嫌で半目にさらに十五両を加えた。都合三十両である。周りの客がどよめいた。

「そうは旨くは運ばないだろうさ」

隅の客が丁に張った。積まれた札の高さから、丁にも三十両が張られたのが分かった。ふたりに引き込まれるように、他の客が丁半それぞれに札を置いた。

もう一回、半目が出る。それで二両余分に手に入る。二両あれば、みのぶやこどもに、好きなものが買ってやれる……。

安治は伸ばした手を引っ込めた。

「二六《にろく》の丁」

出方の触れが安治の耳に突き刺さった。

この負けで安治は壊れた。

膝元に残っていた二枚を次の勝負に賭けた。それが失せると紙入れから札を取り出した。

丁が七回続き、安治はすべてを失った。

十二

十月二十日は恵比須講《えびすこう》である。

この日、江戸の商家はどこもが親類や商いの得意先を招いて宴席を張る。

日本橋駿河町の寛永屋も、八ツ（午後二時）で店じまいをし、客を招く備えを始めた。

隠居の離れは五日前に仕上がった。

寛永屋母屋の宴会は、六代目が取り仕切る。隠居した五代目は棟梁と安治のふたりを招き、いわば内輪だけの恵比須講を祝った。

店の宴席は七ツ半（午後五時）からだ。隠居は六代目に遠慮して、半刻遅い六ツにふたりを招き入れた。

「とにかく住みやすい離れだ」

寛永屋の隠居はのっけから上機嫌だった。

「駿河町には何人も隠居した仲間がいるが、あたしほどの普請はひとつもない。あんたの思案のおかげだ」

差し出された徳利を、安治は両手で受けた。

「酒が入る前に、これだけは済ませておきたい。あたしの気持ちだ、どうか納めてくれ」

寛永屋の家紋が染め抜かれた袱紗《ふくさ》を、棟梁と安治の前に置いた。

「どれだけ喜んでいるかを幾ら口で言っても、なかなか通じるものじゃない。いつもカネで無粋だと思うだろうが、とにかくあたしはこれがしたかった。気持ちよく受け取ってもらいたい」

隠居がふたりに軽くあたまを下げた。

「そんな、もったいねえことを……」

棟梁が隠居のあたまを上げさせた。

「安治の仕事で、あっしまでおこぼれにあずかるようでやすが、喜んでいただけりゃあ、大工冥利に尽きやす」

安治と目を交わしてから、ふたりは一緒に袱紗を手にした。

「遠慮なしにいただきやす」

棟梁と安治が礼の言葉を揃えた。

「どの工夫《くふう》も秀《ひい》でているが、とりわけ鈴がいい。これをみた隠居連中は、だれもがうらやましげな顔になる」

隠居が安治に笑いかけた。

鈴とは、隠居の異変を知らせるために、離れの厠《かわや》、湯殿、寝部屋のそれぞれに垂らした紐のことである。

まだ達者だとはいっても、五代目はすでに六十を超えている。このたび普請した家は、建坪三十の堂々とした造りである。

客間、寝部屋、湯殿に厠、それに賄いをする台所と、こしらえも本寸法だ。

棟上も終わり、内部の造りに入ったところで安治は隠居に思案を話した。

「ご隠居がなにかのはずみで動けなくなったとき、急を知らせる工夫を備えてえんで」

安治は離れに紐を張り巡らすことを申し出た。身に障りが生じたときには、離れの方々に垂らされた紐を引っ張ればいい。

たとえ声が出せなくなっていても、紐を引けばひとが駆け寄る。

「離れ番には女中さんではなしに、腕っ節の強い男衆をつけられたほうが、ご隠居も安心でやしょう」

隠居は即座に安治の工夫を呑んだ。

当初は母屋の女中に、離れも受け持たせる段取りだった。安治の思案を聞いたあと、台所わきに六畳間をひとつ設けた。離れ番の住まいである。

この工夫は六代目当主も大いに喜んだ。

安治がこれを思いついた元は、つばきにあった。


並木町の裏店の一番奥には、六十七歳の年寄、とめがひとり暮らしをしている。息子は本所《ほんじょ》の煮売り屋に婿入りしており、とめはつばきが生まれる前からひとり暮らしだった。

孫と遊びたくても婿入り先には行きにくい。つばきが生まれたあとは、とめは孫代わりにつばきを可愛がった。

さくらが生まれると、とめが赤ん坊の世話を手伝ってくれた。みのぶが吾妻橋に手伝いに出始めたあとは、つばきとさくらを日暮れまでそばに置いた。

しかしどれほど可愛がってはもらっても、母親が勤めから戻ると、こどもふたりはみのぶの元に駆け戻って行く。

こどもがいなくなると、とめは肩が落ちて背が丸くなった。

去年（明和五年）の梅雨のさなかに、とめは腹痛に襲われて夜通し苦しんだ。

みのぶが吾妻橋に出たあとで、顔を出したつばきとさくらが、とめの容態に気づいた。

厠にも立てず、とめは布団と着物を下で汚していた。

「だれかを呼んできて」

つばきは三歳のさくらを長屋に走らせた。

土間の水がめから手桶に汲み上げ、手拭いを濡らすと、とめの身体を拭いた。

年寄とはいっても、五歳のつばきよりは大きい。

「おばあちゃん、畳に移って……」

汚れた布団を、つばきは両手で土間まで引っ張った。いやな臭いが染み付いていたが、つばきはかまわずに片づけた。

とめの汚れた着物を脱がせているときに、さくらが長屋の女房連中を連れてきた。

その夜の晩飯の膳はにぎやかだった。

知らせを受けた息子が長屋に駆けつけ、とめの介抱にあたった。その息子が、母親を助けてくれた礼にと、商売物の野菜の煮付けを山ほど持ち寄ったからだ。

「おばあちゃん、おなかが痛くて声も出せなかったって」

とめが回復しているのを知り、朝の様子を話すつばきの声には元気が戻っていた。

「声が出なくても、壁でも叩いたらとなりのおばちゃんが分かったのにね……」

安治はこのときのことを覚えていた。

声が出せなくても、壁を叩く。

つばきの思いつきを膨らませて、鈴を取りつける思案に行き着いた。

鈴のほかにも、玄関の上がり框《かまち》を低くして上がりやすくした。湯殿と厠には、杉の手すりを付けた。敷居の溝は蠟引きにして、滑りをよくした。

これらの工夫は、長屋の年寄の暮らしを見てのことである。そうしようと思い立ったのも、つばきととめとの一件があったからだ。

いただいた祝儀を納めつつ、安治はみのぶとこどものことを考えた。

九月にもらった祝儀を、結局はすべて失った。負けて朝帰りしたとき、みのぶはひとことも嫌味を口にしなかった。

が、気落ちしたことは隠せなかった。

あれからすでにひと月半が過ぎている。

天気に恵まれたことで、なんとか利息は払い続けられた。が、暮らしにゆとりはない。

いかほどの祝儀かは分からないが、またもやありがたいカネが手に入った。しかし今回は、博打で増やそうなどとは、かけらも思わなかった。

袱紗ごとみのぶに渡して、少しは喜ばせてやりてえ……。

そう思い定めて口にする酒は、旨くもあり、ほろ苦くもあった。

隠居の振舞い酒は六ツ半でお開きとなった。

棟梁と安治を、隠居は離れの玄関先まで見送りに出た。

十月も下旬の夜である。

寛永屋を出たふたりは、ともに半纏の前をきつく合わせた。

「おれはわきに用があるから、ここで別れようぜ」

今川橋を渡った北詰で、棟梁は真っすぐ鍛冶町に向けて歩み去った。

安治はたもとを右に折れた。堀沿いに歩いた先が両国橋である。少しでも早くみのぶに祝儀を渡したい安治は、目一杯に足を速めた。

「そこで止まりな」

鋭い呼び声で安治の足が止まった。

振り返ると、伸助が暗闇に立っていた。

十三

薬研堀《やげんぼり》わきの暗がりに、気を失った安治が転がされていた。伸助が隠し持っていた寸鉄《すんてつ》で、いきなり鳩尾《みぞおち》を突かれてのことだ。

伸助は安治のふところを探り、袱紗を取り出した。わずかな月明かりのなかで袱紗を開くと、半紙に包まれた小判三枚が出てきた。

「てえした祝儀じゃねえかよう」

転がったままの安治のわき腹を伸助が強く蹴った。安治は正気に返らず、そのまま転がされていた。

仕出し人夫富一の口から、恵比須講の日には安治と棟梁が、駿河町の宴席に招かれることを伸助は聞き出した。

恵比須講の十月二十日は、どこの普請場も仕事休みである。

伸助は八ツ半過ぎから、並木町の裏店木戸わきに身を潜めていた。安治は七ツの鐘が鳴り終わったところで、木戸から出てきた。

行き先の分かっている伸助は、安治から半町（約五十五メートル）離れてあとを追った。

伸助の目が怒りで細くなっている。

蔵前を通り過ぎた安治が、浅草橋を南に渡った。傾き始めた晩秋の西日が、橋の人込みを照らしている。盛り上がった橋の真ん中で、伸助は神田川につばを吐いた。

「野郎、ひとを嘗《な》めやがって」

細い目のまま、伸助が毒づいた。

安治のあとをつけることになったきっかけは、三日前の夜に富一がぽろりと漏らしたひとことである。

寛永屋の離れ普請は、十月十五日に仕上がった。そのあと二日、細かな手直しが加えられた。手元の手伝いに、富一も呼ばれた。

七のつく日は、富一が伸助に利息を支払う日である。めずらしく機嫌のよかった伸助に、富一は縄のれんで安酒を振舞われた。

「ご隠居が、滅法に安治さんの仕事を気に入ってやしてねえ。駄目直しを手伝うおれにも、下男さんが小粒を握らせてくれやした」

酒が入った富一は、調子に乗って余計なことを口走った。

伸助が盃を置いた。

「おめえ、もらった小粒はどうしたよ」

「………」

「持ってるんだろう。素直に出しねえ」

「そんな……利息は払いやしたぜ」

「払ったかどうかは訊いてねえ。祝儀を出せてえんだ」

富一は舌打ちをしながら小粒を出した。

「手元働きのおめえに祝儀を出すようじゃあ、安治はもっともらってるな」

問われても富一は返事をしなかった。

「ちょいと組まで、つらあ貸しな」

唐桟の胸元を開いた伸助は、さらしに差した匕首《あいくち》を見せて凄んだ。

橋場の納屋で散々に痛めつけられて、富一は浜町河岸の一件からすべてを吐いた。

伸助のなかで暗い怒りが沸き立った。

安治から利息を取り立てながらも、伸助は嘘のつけない安治の気性を買っていた。

雨が続いて利息が足りないときには、代貸に口添えして不足額を待ってもらいもした。

月に三両の利息が、どれほど安治に痛手であるかは、伸助も知り尽くしている。女房が手伝いに出ていることも、こどもふたりだけで留守番していることも分かっていた。

なにか旨い儲け話でもあれば、安治につないでやろうと思案したりもした。

が、組に借金をこしらえたのは安治だ。伸助があおって賭場に嵌めたわけでもない。

じかに手助けはできないものの、この先で利払いに詰まるようなことがあれば、その都度《つど》口添えはしてやろうと決めていた。

ところが安治は、祝儀を博打に遣《つか》っていた。

それも伸助には黙って、あろうことかよその賭場に、である。

女房やこどものために祝儀を遣ったのであれば、伸助はまだ我慢もできた。

組の賭場で勝負がしたいと言われていたら、代貸に頼んでいただろうと思った。

そこまで相手を思っていたのに、安治はよその賭場でカネを遣った。

きつい取立てをしながらも、伸助は安治のことを渡世人なりに案じていたのだ。

裏切られたと知って、伸助はどう仕置きをするかだけを考えた。

それほどに怒りは深かった。

恵比須講に安治が招かれていることを、富一が漏らした。

祝儀が出るにちげえねえ。

伸助はその日まで、知らぬ顔で過すことに決めた。富一を脅し、ひとことも安治には漏らすなと口止めをした。

伸助は焦れながら二十日を待った。

ときが経つにつれて、怒りが深まった。

寛永屋から安治が棟梁と出てきたとき、伸助はかまわず飛び出そうとした。が、棟梁に賭場の借金がばれたら、あとが働きにくいと思って踏みとどまった。

安治が棟梁をしくじると、利息の取立てができなくなる。それを考えたからだ。しかし、つい安治の身も案じていることに気づいた。

伸助は、おのれの甘さに舌打ちをした。

今川橋でうまい具合に安治はひとりになった。伸助は薬研堀の暗がりまで我慢した。

呼び止められた安治は、背後の声が伸助と分かると、軽い笑いを浮かべて寄ってきた。

いかにも親しげに振舞う安治を見て、溜まっていた伸助の怒りが噴きだした。

「ちょいと路地にへえりな」

相手の声音を聞いて、安治は笑いを引っ込めた。路地で向き合うと、伸助はものも言わずに寸鉄を突き出した。

安治が喧嘩強いことは知っている。が、修羅場をくぐった渡世人の相手ではなかった。身をかわすこともできず、鳩尾を押さえて安治はその場に倒れこんだ。


伸助は安治の頬を平手で張り、鼻をつまんで正気に返らせた。

「やっとおかえりか」

気づいた安治のわきに、伸助がしゃがみ込んでいる。安治が立ち上がろうした。そのあたまを伸助が抑えつけた。

「おめえには、心底がっかりしたぜ」

伸助の口調は冷え冷えとしていた。

「よそで遊ぶたあ、随分とおれを虚仮《こけ》にしてくれたじゃねえか」

ふところから奪い取った袱紗で、安治の顔をなぶるように叩《はた》いた。

「三両へえってたぜ」

安治が伸助を押しのけて立ち上がった。こぶしを握って身構えている。

「おれと遣り合っても怪我するだけだぜ」

伸助の口調は、相手の腕を見切っていた。

安治はそれでも、右肩を突き出して殴りかかった。軽く体をかわした伸助は、相手に足払いを食わせた。正気づいて間もない安治はその足をかわせず、もう一度あたまから地べたに転がった。

「ここまでにしとかねえと、命のやり取りてえことになるぜ」

腰を落としたままの形で、伸助は安治を見下ろした。

「この三両は……」

怒りを込めて、伸助が相手を蹴飛ばした。

「元金に入れといてやる」

袱紗をふところにしまうと、そのまま場を離れた。安治が襲いかかることなど、かけらも案じていない歩き方だった。

十四

「いまでも信太郎店に暮らしてるのか」

武蔵に問いかけられても、物思いにふけっていたつばきから返事が出ない。

「親分が訊いていなさるじゃねえか」

若い者が、つばきの背に手をかけた。

「ばかやろう。触るんじゃねえ」

きつい物言いで叱られて、男はあわてて手を引っ込めた。

伸助だったころの弐蔵が自分を可愛く思ってくれていたのを、つばきは知っている。

が、何年もの間、高い利息を取り立てたのが伸助であることも、忘れていない。

いまさら親切そうにされても……。

返事をしないまま、つばきはまた思い返しに戻った。


みのぶは身ごもっていた。

十一月半ばに最初のつわりがあった。

つばき、さくらのときは大して苦しまずにすんでいたが、三度目はひどかった。

しかもまずいことに、蕎麦茹《ゆ》での香りに身体が応じた。

少しでも香りをかぐと、胸のあたりがむかついてしまう。何とか我慢をしようとしたが、土間で吐くことが続いた。

「気の毒だが、うちも客商売だ。わるいが勘弁してくれ」

身体が元に戻ったらいつでもきてくれと言って、あるじは銀十匁の手当てをくれた。

「いい折りじゃねえか。おめえもゆっくり養生しねえな」

安治は正味《しょうみ》でみのぶを気遣った。

しかし師走に入り月初に雨が続いたら、たちまち家のなかが暗くなった。利息の払いに詰まり始めたからだ。

元金は七両に減っており、十日ごとの利息も二分三朱になった。ゼニに直せば、月に四貫六百文も軽くなった勘定である。これはみのぶが毎月稼いでいた金高と、ほぼ同じだ。

安治の稼ぎが変わらなければ、月に三度の利息を払っても、暮らしは成り立った。

しかし師走に入ると雨が続いた。

安治の利払い日は、五のつく日である。

十二月五日の夜五ツ。

氷雨にも近い凍えた雨のなか、伸助が長屋に顔を出した。朔日《ついたち》から五日も雨に祟られて、安治は安酒でしたたかに悪酔いしていた。

伸助が腰高障子を開けると、凍えた風が忍び込んできた。家のなかにいても、吐く息が白く見える夜である。

伸助は、唐桟に厚手の半纏一枚を羽織っただけだった。

「五日だぜ」

前置きもなしに、安治に言葉をぶつけた。安治は酔いで濁った目で伸助を見たが、返事もせずに徳利を手にした。

「出しねえ、二分三朱を」

凄みの利いた伸助の低い声だった。

「ゼニはねえよ」

空の徳利を振って安治が応じた。

「よく聞こえねえ。もう一度言っつくれ」

「なんべんでも言いますようとくらあ」

徳利を膳に置いて、安治が立ち上がった。

みのぶは亭主に背を向けて寝たままだ。

つばきはさくらを抱きかかえて、枕屏風《まくらびょうぶ》の陰に隠れていた。

安治はよろけながら土間におりて、伸助の正面に立った。

「見ての通りでさあ、伸助さあん」

吐き出す息の酒臭さを嫌って、伸助が顔をそむけた。安治はわざとまた息を吹きかけた。

「てえげえにしろよ」

「なんでえ伸助さん、酒はおきらいだったんですかい……こんなうめえものは、世の中にねえてえのによう……」

安治は大きく息を吸い込んだあと、伸助めがけて吐き出した。

「木戸の外まで、つらあ貸しねえ」

「勘弁しちくんなせえや、伸助さまよう」

伸助の顔におのれの鼻先をくっつけるようにして、安治は鼻歌調子で顔を左右に踊らせた。伸助の右手が安治の利き手を捻《ひね》りあげた。

左手で戸を開いた伸助は、傘もささずに安治を雨のなかに引っ張り出した。

「なにしやがんでえ……」

安治の怒鳴り声が次第に遠ざかり、やがてまったく聞こえなくなった。

「おとうちゃん、どうなるの」

母親に問いかけるつばきの声は、子どもとも思えないほどに差し迫っていた。

「酔っ払いにはちょうどいいお仕置きよ」

みのぶはつばきを相手にしない。

「おかあちゃん……おかあちゃん……」

「うるさいわよ」

みのぶがつばきの手を払いのけた。

「そんなに心配なら、おまえが見てくればいいじゃないのよ」

「そうする」

つばきは裸足のまま、雨のなかに飛び出した。師走に入ってから降り続いた雨は、長屋の路地に幾つも水溜りをこしらえている。

「おとうちゃあああん」

つばきは叫びながら、明かりのない長屋の路地を駆けた。

木戸の手前の水溜りで足を滑らせた。

あとさきも考えず、勢いをつけていたつばきである。手でかばうこともできず、前に倒れ込んだ。

転がっていた小石が、こどものやわらかなひたいを切り裂いた。

「おとうちゃあああん……」

ひたいの痛みと、連れ去られた安治を案ずる思いとが重なり、木戸のわきでつばきが泣き出した。

「どうしたんだ、こんな雨のなかで」

木戸番が小屋から飛び出してきた。

「ひたいが割れてるじゃないか」

木戸番の芳三は、つばきを抱いて小屋に駆け戻った。芳三は、遊びもせずにいつも妹の守をするつばきを、日頃から健気に思っていたらしい。ひたいの血止めをしたあとは、土間の炭火でぬくもらせた。

「なにがあったんだ、つばき坊」

「おとうちゃんが連れてかれたの」

「どこへ」

「分からないけど、怖いひとに」

「この雨のなかをかい？」

つばきがこくっとうなずいた。

止まり切っていなかった血が、ひたいから鼻に伝わり落ちた。芳三は首に巻いた手拭いをはずし、つばきの鼻を拭った。

「だがようつばき坊、木戸からはだれも出てってねえんだ。しんぺえしなくても、おとっつあんはきっと長屋のどこかにいるさ」

「ほんとうに？」

「ほんとうさ」

芳三は売れ残りのさめた焼き芋を一本、つばきに手渡した。

「身体がぬくもったら、これを持ってきな」

「ありがとう。さくらと一緒に食べる」

つばきの返事を聞いて、芳三が大きなため息をついた。

つばきの着物が乾いたところで、芳三は宿までこどもを送った。

安治はまだ帰ってはいなかった。

伸助がさしてきた傘も、土間に立てかけたままである。

つわりが苦しいのか、芳三に送られてきたつばきを見ても、みのぶは起き上がろうとはしなかった。

さくらは泣き疲れたらしく、母親の横で眠っている。

板葺きの屋根を雨が打っていた。

雨をよける寝場所がないのか、雨が冷た過ぎるのか、木戸の先で野犬が鳴いている。

クォォォン……。

凍えをあおり立てるような、哀れな遠吠えがいつまでも続いていた。

十五

十二月七日にやっと晴れた。

安治は道具箱をいつもの右肩ではなく、左に担いで仕事に出た。

みのぶにもつばきにもなにも言わないが、安治は右胸のあたりが痛そうだった。

七日は風もなく、久々に陽が差して寒さがゆるんだ。みのぶは朝の支度をすませたあとは、火鉢をわきに置いて横になった。

雨続きで溜まっていた洗濯物は、つばきが洗った。絞りと物干しとは、女房連中が手伝ってくれた。みのぶがつわりで苦しんでいるのを、だれもが知っていた。

土間とへっついの掃除も、食べた器の洗い物もつばきがやった。四歳になったさくらは、姉にくっついて手伝った。

「おかあちゃん、長屋のそとでさくらと遊んでくる」

みのぶからは返事がなかった。

昼下がりの吾妻橋の通りは、ひとも車も少ない。橋のたもとの石垣に座り、つばきは妹と一緒に日向ぼっこをしていた。

「さくらも駒形町まで歩けるよね」

「歩けるかなあ」

「大丈夫よ。観音さままで、何度も行ってるじゃない」

「おねえちゃん、駒形町でどうするの？」

「おカネを稼ぐの。さくらも一緒よ」

四歳のさくらには言われたことが分からず、きょとんとした目で姉を見ていた。

安治とみのぶが毎日揉めている。

詳しいことは分からないが、家にカネがないのが揉めごとの元だとつばきは思っていた。

おかあちゃんが働けなくなったから。

雨でおとうちゃんが仕事に出られないから。

師走に入ってからの毎日、屋根を打つ雨音を聞きながら、つばきはなにをすればカネが稼げるかを思案した。

が、六歳のこどもに知恵は浮かばない。

やっと雨が上がり、父親は仕事に出た。

ひと通りの家の片づけが終わったとき、つばきはとにかく長屋の外に出ようと決めた。雷御門の通りを行き交うひとを見ていれば、なにか思案が浮かびそうに思えた。

駒形町は、自分たちが暮らす並木町よりも大きな町だと、つばきは判じている。九月の夜、出かける安治を見送ったとき、つばきは町の大きさを感じ取っていた。

なにをするかは、町に行ってから決めればいい。

並木町よりも大きな町に行きさえすれば、こどもでもカネが稼げると思い込んでいた。

吾妻橋のたもとから駒形町までは、広い一本道である。妹の手を握り、つばきは車や荷馬車に気をつけながら歩いた。

歩きながら、ふいに思案が浮かんだ。

肩たたき。

さくらの手を引くつばきの顔に朱がさした。

つばきは長屋で、何度もとめの肩を叩いた。

「おまえはほんとうに上手だねえ」

とめはいつも気持ちよさそうに喜んだ。

ときには一文銭二枚を駄賃にくれた。

肩たたきなら、日暮れまでに十人はできるとつばきは思った。

駄賃はとめおばあちゃんと同じで、ひとり二文にしよう。

十人たたけば……。

つばきはさくらを握った手を放し、両手の指を折って数えた。

二十文。

おかあちゃんが好きなお豆腐が買える。

思案が決まり、つばきは足を速めた。手を引かれるさくらがよろけるほどの早足で、駒形町の木戸をくぐった。

町に入って、思い違いに気づいた。

通りの両側は大きな商家ばかりで、長屋が見当たらない。九月五日は夜道で気づかなかったが、駒形町は商いの町だった。

通りを一町ほど蔵前に向かって歩いた。が、どこまで行っても長屋は出てこない。

せっかくの思案が駄目になると思ったつばきは、通りの端で泣きたくなった。さくらが感じ取ったらしく、強く握り返している。それで泣くのがこらえられた。

「裏の道に行ってみようね」

さくらを怯えさせないように、つばきは明るい声をこしらえた。

米屋と酒屋の間に路地が見えた。さくらの手を引いて路地に近寄った。

路地の両側には、大きな天水桶が置かれている。米屋の桶のわきに、鼻の黒い犬がうずくまっていた。

さくらの足が動かなくなった。

「おねえちゃん、こわい……」

「犬を見なければ平気だから」

怖がる妹の手を強く引き、つばきは路地に入った。犬はこどもに向かって低い唸り声を漏らしたが、それ以上は動かなかった。

商家の裏には長屋が連なっているのが、江戸の町の造りである。米屋の蔵を過ぎると、並木町と同じような長屋の木戸が見えてきた。

つばきは木戸のわきで足を止めた。

「おばあちゃんがいる家を、さくらが見つけてね」

「どこで?」

「そこの長屋で」

「あたい、ここを知らない」

「おねえちゃんだって知らないけど、さがせば見つかるから」

「あたいがひとりで?」

さくらはぐずって動こうとしない。

「おねえちゃんも一緒に行く」

いやがる妹の手を引き、つばきは長屋の木戸を入った。

三軒連なった棟割長屋が、路地の両側に並んでいる。真冬のことで、どの宿も腰高障子をしっかり閉めており、なかの様子が分からない。

長屋には入ったものの、つばきは見知らぬ家に声をかける度胸がなかった。

なにもできないまま、路地を二度往復したとき、木戸番が寄ってきた。

「なんでえ、おめえたちは」

並木町の芳三よりも大柄で、見た目も若い男だった。

「どっからきたんでえ」

つばきは返事をしなかった。

木戸番の物言いが、きらいな伸助に似ていたからだ。男が吐く息もいやな臭いがした。

「こんとところ、路地から桶だのたらいだのがかっぱらわれてるが、おめえらの仕業か」

男が目元を険しくして、つばきの肩をつかんだ。さくらが大声で泣き出した。泣き声を聞いて、長屋の差配が宿から出てきた。

「なんの騒ぎだよ」

「見慣れねえガキが、うちの路地をうろついてやがるんでね。ちょいと問い詰めたら、小さいのが泣き出したんで」

六十見当の白髪の差配が、面倒くさそうな顔つきでつばきに近寄った。

「なにか用かい？」

つばきはこの男の言い方もいやだった。

返事もしたくなかったつばきは、さくらの手を引いて木戸に向かおうとした。

「なんだい、おまえは。ひとが親切にたずねているのに」

差配は、つばきの前に回って立ちふさがった。横に木戸番が並んでいる。

ふたりの男から見おろされて、さくらがさらに大声で泣き出した。

「ひとの長屋に勝手に入り込んで、ぴいぴいうるさく泣くんじゃやない」

差配がさくらの肩を揺さぶった。

つばきは唇を固く閉じ合わせて差配を見詰めた。差配が舌打ちをした。

「なにか盗んじゃいないだろうな」

差配がつばきの身体を撫で回した。

つばきは妹の手を強く握り締めた。

「用がないなら、出てっとくれ」

差配がつばきの尻を叩いた。

ねっとりとした手の感じから逃げたくて、つばきは早足で米屋の角まで駆けた。さくらも泣くのをやめてあとを追った。

さきほどは唸っただけの犬が、駆けてきたつばきに吠えかかった。飛びさがろうとした足がもつれて、つばきが転んだ。先夜のひたいから血がにじみ出ている。さくらは怖さも忘れて姉に駆け寄った。

幸いにも、犬は綱でつながれていた。

「おねえちゃん、ごめんね」

さくらは、姉のひたいを着物の袖で拭いた。

吠えた犬は元通りにうずくまり、こどもふたりの様子を見ている。が、そのうえ飛びかかろうとする気配は見せなかった。

つばきとさくらは、なにもしゃべらずに吾妻橋のたもとまで戻った。石垣に腰をおろしたところで、つばきの両目から涙がこぼれ落ちた。さくらは泣かず、姉の目に着物の袖を押しつけようと背伸びをした。すでに西空に移った師走の陽が、ふたりのこどもに斜めから注いでいた。

十六

みのぶのつわりは、年の瀬が迫るにつれてひどくなった。つばき、さくらのときはほとんどつわりがなかった。

ところが今回は、立ち働こうとすると、すぐに戻してしまうのだ。

「ほかにどこかわるいんじゃねえのか」

安治は連れ合いの身体を案じたが、さりとて医者にみせるカネがあるわけではない。

みのぶはそれを一番分かっていた。

安治から受け取っている暮らしのカネが、底を突いている。なんとか払えているのは店賃と味噌・醬油代だけだ。

店賃は差配がきつく取立てにきたし、味噌と醬油は掛売りをしてもらえなかった。ほかは米も青物も魚も、どれも節季払いのツケである。

魚は長屋にくる担ぎ売りから買ったほうが、品もよくて安い。しかし担ぎ売りは、ツケがきかなかった。高い安いとか品の善し悪しではなく、掛売りをしてもらえるかどうかで店を決めるしかなかった。

買ったもののツケを、大晦日までにはきれいにしなければならない。ぜいたくには縁のないつましい暮らしだが、それでも暮れの払いは二両を超えていた。

みのぶは、掛取りの商人相手に、払いを待ってもらう掛合いが苦手だった。みのぶを育てた両親《ふたおや》は、なにより借金がきらいだったからだ。

みのぶの父親、重三《しげぞう》は石工である。享保四（一七一九）年生まれの重三は、間もなく迎える明和七年の正月で五十二になるが、いまでも橋場で石工職人を続けていた。

単純な墓石ももちろん彫るが、狛犬や石碑などの細工物が得意である。五十路を越えても弟子を抱える気はなく、ただの職人を貫いていた。

しかし腕のよさは周りが認めており、大工の棟梁までもが重三を「橋場の親方」と呼んでいた。

重三はひとにものを頼んだり、借りを作ることがとにかく苦手だった。弟子を抱えた親方にならないわけも、つまりは頼みごとが苦手だったからだ。

そんな気性ゆえ、ツケでものを買うこともしなかった。女房のおちょうが買い物に出るときには、銭と銀とをかならず手にしていた。

商人は、現金買いをいやがった。つり銭の用意が面倒だったからだ。

町場の小商人が商う品々は、一枚六文、二個で十文などのように、そのほとんどが文銭で売られた。

客である職人の多くは、手間賃を十日ごとの旬日に銀で受け取った。

銀と銭は、両替屋や辻に立つ銭売りで交換した。両替には手間賃もかかるし、日ごとの相場で値打ちが上下した。

町場で普段遣いに用いるのは銭である。客も銀を銭に両替して遣ったが、なにしろ重たい。ちょっとまとまった買い物をすると、三百文、四百文の払いになるのも、めずらしくはなかった。

文銭は一枚一匁である。

五百文の払いとなれば、百文ずつ荒縄や細縄で縛った「百文差し」を五本も持ち歩くことになる。

差し五本で五百匁（二キロ弱）。

重たいし、かさばって持ち運べるものではない。それがいやで手間賃として受け取った銀をそのまま遣う客もいた。

銀一匁で、およそ八十二、三文である。

しかし銀銭相場は毎日動いていたし、銀遣いの客には、店が銭のつり銭を用意しなければならない。

銀銭の両替には、手数料がいる。

つり銭を用意するだけで、手数料を取られたり、両替の手間がかかったりする。ゆえに商人は銀の受取りをいやがった。

客は大量の銭を持ち歩くのはご免だという。

客と店の思惑がぶつかりあって生まれたのが、掛売りである。

客は判取帳一冊を持ち歩くだけで、銭も銀もいらない。買い物の額を帳面に書き込み、それを毎月末か、盆暮れ二回の節季ごとに払えばよかった。

店にとっても、判取帳は好都合だった。つり銭の備えや、わずらわしい銀銭換算を店先でしなくて済むからだ。

それに毎日の売上金を家に蓄えずにすむのもありがたかった。

小商人に蔵はない。

盗人を恐れて売上金を両替屋に預けようとしたら、預かり賃を取られる。判取帳なら、現金を手元に置かずにすんだ。

客にも店にも都合のよい判取帳だが、つまりはツケである。支払をすませるまでは、店に借りを抱えているわけだ。

重三にはこれが我慢できなかった。

連れ合いの気性が分かっているおちょうは、いつも何本もの差しを持って、買い物に出かけた。

ときにはみのぶが差しを持たされた。

「ひとに負い目だけは作ってはいけねえ」

みのぶは父親からこれをしつけられた。


年の瀬が近づくにつれて、浅草界隈は正月を迎える備えで町もひともうきうきし始めた。それは長屋も同じだった。

二十日を過ぎると、長屋のどの宿も小さな正月飾りを門口《かどぐち》に飾りだした。二間間口の飾りなど、たかが知れている。

小さな竹に、松の小枝をあしらっただけの飾りで、対《つい》で求めても十六文だ。

それすらも、みのぶは買えない。

正月飾りどころか、明日の米にも事欠くありさまだった。

暮れの払いが迫っている。

おカネをどう工面すればいいの……。

答えの出せない思案に追われて、みのぶはつわりをひどくさせていた。

十二月二十五日は氷雨になった。

安治がいま抱えている普請場は、深川の太物屋《ふとものや》の納戸《なんど》である。建坪十五坪の納戸で、三日もあれば仕上がるはずだった。

ところが施主は造りにこだわった。

「お得意先を、この納戸に招き入れて商いの詰めをやりたい」

費えが高くなるのは困るが、客を招き入れても恥ずかしくないこしらえにしろと、施主は難題をふっかけた。

納戸普請ということで軽く考えていた安治は、のっけから岩に乗り上げてしまった。

費えを安く仕上げるために、材木は杉にした。施主も納得した。

屋根と階段の造作で揉めた。

施主はなんとしてもと、本瓦にこだわった。瓦葺きとなれば、職人も違ってくるし、費えも大きく変わる。

しかし施主は多少のことなら呑むからといって譲らなかった。

二階に上がる階段の造作にも施主はきつい注文をつけてきた。

「階段の材木にうるさいことは言わないが、幅はかならず一間を取ってくれ」

これが施主の言い分である。

一間幅の階段をつけるには、十五坪の納戸は狭すぎる。施主もそのあたりは分かっているようだが、頑として譲らなかった。

安治は手におえなくなり、棟梁に顚末《てんまつ》を聞かせた。

「おめえにあずけた普請場だ。無理だと思ったら、断ってもいいぜ」

さほどに付き合いのある施主ではなかったらしく、棟梁は物別れになっても仕方がないと口にした。

ひとたび引き受けた普請を断るのは、職人の名折れだと安治は思っている。ここまで一度も、そんなことはしないできた。

職人の矜持《きょうじ》が、断ることをためらわせた。

それともうひとつ。

暮れに差しかかったいま、仕事を休みたくはなかった。納戸普請のほかには、年内の仕事はなかった。

たとえ三日の仕事だとしても、出れば三貫文の出づらが入る。これが入らないと、暮れの払いにたちまち詰まってしまう。

さまざまに思い巡らせたあと、安治は施主ともう一度掛け合った。

屋根葺きは職人の都合がついたことで、施主の望みどおりに引き受けた。その代わり、普請が二日延びることになったが、それは施主も受け入れた。

階段はどう図面を描き直しても、一間幅は無理だった。

「なんとか一尺だけ詰めて、五尺幅でやらせてくだせえ」

「一尺も詰めるのかね」

顔を曇らせたまま、施主は返事をしない。棟梁の宿から戻る道々で思いついた思案を、安治は示すことにした。

「あっしの手元に、桜の板が遊んでおりやす。杉と同じてえわけにはいきやせんが、五尺の階段でよけりゃあ、杉の二割増しでこしらえやす」

この代案を聞いて、施主は大きく顔をほころばせた。

一間幅の階段も、本瓦の屋根も、つまりは商談を納戸でやるという、施主の見栄である。

杉板ではなく桜板の階段なら、施主も存分に胸が張れると安治は読んだ。

板の基本は幅三尺、高さ六尺で、五尺は半端である。その寸法の桜板を遣う積もりだった蔵前の施主から、安治と心安い材木屋が、普請流れを食らっていた。

「値はそれなりに考えるから、あんたが使ってくれないか」

話を聞いてから十日ほど経っていたが、材木屋はまださばけず、手元に抱えていた。

だれもがカネの欲しい年の瀬である。

杉の二割増でどうだと持ちかけたら、渋い顔をみせつつも、材木屋は呑んだ。

これで納戸普請の揉めごとは片づいた。

「暮れの三十日には荷が入る。それまでにはなんとしても仕上げて欲しい」

安治が引き受けたのが、二十三日である。翌日から取りかかり、二十八日には引き渡す約定で、安治は段取りを組んだ。

ところが普請二日目が氷雨になった。

瓦職人が入るのは二十七日である。

「年内はこの日だけだ。雨降りで延びても、次の日は請合えねえよ」

始まる前から、職人に釘を刺されていた。

この雨で一日延びたら、段取りが大きくくるっちまうじゃねえか。

仕事に出られない安治は、一向にやみそうもない氷雨を恨めしげに見詰めた。

みのぶは暮れの払いをどうしようかと悩みつつ、さらにつわりで苦しんでいた。

十二月二十五日のつばきの宿は、夜明けからふたおやの機嫌がわるかった。

みのぶは火起こしもしておらず、氷雨の凍えが部屋から動かない。

つばきとさくらは、身体を寄せ合って寒さをしのいでいた。

十七

昼を過ぎても氷雨は降り続いた。

ずぶぬれになった野良犬が長屋に迷い込んできたとき、その犬を追い立てるようにして伸助が顔を出した。

「やっぱりいたな」

土間に立った伸助は、この氷雨のなかでも唐桟一枚に半纏である。さすがに半纏は厚手の刺子《さしこ》を羽織っていた。

「おめえに頼みがあってきたんだ。ちょいと付き合ってくんねえ」

安治の返事も聞かなかった。

わずか六畳の宿である。土間に立つ伸助が手を伸ばすと、安治の襟元がつかめそうだ。

借金返しのほかでは話もしたくなかった安治は、すぐには立ち上がらなかった。

父親を守ろうとするかのように、つばきが伸助と安治の間に座った。

「おめえにもいい話だ。余計なことをかんげえずに、支度をしな」

「なんでえ、いい話てえのは」

座ったままで安治が問いかけた。

薬研堀でしたたかに蹴られた夜のことを、安治は忘れていない。伸助からいい話だと言われても、にわかには本気にできなかった。

「暮れにきてゼニに詰まってるだろうが」

「ああ、詰まってる。途方もねえ利息に、稼ぎをみんな持ってかれるからよう」

安治があてこすりを利かせて吐き捨てた。

意外なことに伸助は怒りもせず、笑いを浮かべた。凄味も皮肉も含まれていない、きれいな笑い方だった。

「だからその払いの足しになるように、おめえに仕事を持ってきたんでえ。今日はおめえも、雨降りでひまにしてるんだろう」

安治は相変わらず返事をしなかった。

伸助は焦れもせず、つばきを手招きした。近寄ったつばきに、伸助は小粒を三粒も握らせた。名前通りの小さな銀の粒だが、三粒なら二百文に近い。

「正月になったら、また別にお年玉をやるからよう。そいつは好きに使っていいぜ」

「ありがとう」

いやがらずに受け取ったつばきは、安治に手のひらの小粒を見せた。

「えらく気前がいいじゃねえか。どういう風の吹き回しでえ」

「だからさっきから、おめえに仕事を持ってきたと言ってるじゃねえか」

伸助の物言いがわずかに苛立ち始めていた。部屋の隅で横になったままのみのぶが、苦しそうな声を漏らした。

「分かった。いま支度する」

みのぶのうめき声で、安治が気持ちを定めた。節季の払いをどうするかで、みのぶがこころを痛めているのは、安治にも分かっていた。

半纏を羽織って出かけようとしたら、伸助がそれを押しとどめた。

「そんな木綿ものを着てねえで、もうちっとましな身なりにしてくんねえ。これから会うひとは、なりにうるせえんだ」

「なんだと」

安治が顔をけわしくした。

着ていたのは、何年も着古した紺木綿の袷《あわせ》である。安治はこの上に掻巻を着て、そのまま寝ている。

いってみれば寝巻きも同然だった。

しかし相手は伸助だ。しかも伸助は、いつも通りの唐桟に半纏だ。

自分だけ、わざわざ着替えることもないと考えていた。

ところが伸助は身なりを咎めた。

「あんただって、いつもの唐桟に半纏じゃねえか」

伸助の身なりに噛みついた。

「おれはいいんだ。先様も、これが渡世人のお仕着せだと思ってるからよう」

伸助が刺子半纏の前を開き、襟元をひらひらさせた。

「おめえはそうじゃねえ。腕のいい堅気のでえくだ。見た目で分かるように、股引《ももひき》半纏に着替えてくんねえ」

有無をいわせない口調の伸助に押されて、安治は仕事着に着替えた。

「これで文句はねえな」

「ああ、それなら行った先で大工仕事になっても、そのまま働けるぜ」

安治の仕事着姿を見て、伸助が顔つきも声の調子も元に戻した。

「みのぶさんよう……」

伸助に呼びかけられて、みのぶが身体を起こした。前髪がほつれて、目が赤い。見た目には病人そのものだった。

「ちょいと亭主を借りるぜ」

みのぶから返事がでない。口を開くのも億劫そうだった。

「けえりには、たんまりお足を持ってくるだろうから よう。楽しみにして待っててくんねえ」

つばきに笑いかけてから、伸助は土間を出た。

「おとうちゃん、このお足、どうすればいいの？」

土間におりようとしていた安治の半纏の袖をつかみ、つばきが問うた。

「おっかさんに渡せばいい」

つばきのあたまをぐりぐりっと強くさわってから、安治は土間に立った。

伸助はすでに戸口に出ていた。

一本しかない番傘を手にして、安治も宿を出た。

氷雨の降り方は相変わらずである。

「行こうぜ」

安治が先に傘をさした。

いつだか腹立ちまぎれに土間に投げつけた番傘は、竹の骨が何本も傷んでいた。

油紙には小さな穴が、ざっと十カ所はあいている。

傘をさすなり、穴から雨粒が忍び込んできた。

「もうちっとましな傘はねえのかよ」

伸助がさしているのは、おろしたてのような黒蛇の目だった。

渡世人は、雪駄と傘に見栄を張るというが、伸助はことのほか蛇の目に凝っていた。

「ゼニさえありゃあ、おれだってこんな破れ傘をさしたくはねえ」

伸助の言い草がいちいち気に障るらしく、安治の答えかたには険があった。あたかも伸助に喧嘩を売っているかのようだ。

しかし今日の伸助は、安治がどれほど無愛想な応じ方をしても、気にしないと決めているようだった。

伸助が向かったのは、稲荷町《いなりちょう》の仏具屋だった。並木町からは半里《はんり》（二キロ）もない道のりだが、ぬかるみをよけながらの歩きである。

仏具屋の前に立ったときには、安治の宿を出て四半刻が過ぎていた。

十八

「お待たせしやした。この男が棟梁を張ってもおかしくねえ腕の、安治でさ」

伸助がくちびるをなめながら、安治を仏具屋のあるじに引き合わせた。

三人が座っているのは、仏壇や位牌が並べられている仏具屋の、上がり框である。

戸が開きっぱなしの土間には、氷雨の凍えをたっぷり吸い込んだ木枯らしが吹き込んでいる。

火の気はまるでない。

身体を温める茶の一杯も出ていなかった。

「池田屋吾助です」

仏具屋のあるじは商売柄なのか、愛想も精気もない物言いをした。

「茶も出さないで申しわけないが、こちらも先を急《せ》いている。さっそく取りかかってもらえるかね」

「がってんでさ」

伸助が請合った。

何をするかも聞かされていない安治は、座を立とうとしない。

池田屋と伸助はすでに立ち上がっている。

「どうしたんだ……仲助さん、話はついているんだろうな」

「すぐあとを追いかけやすから、先に行っててくんなせえ」

池田屋を土間から出して、伸助が座りなおした。

「おめえ、どういう了見でえ」

この日初めて、伸助が凄んだ。

「了見もなにも、おれはなにも聞かされてねえ。いきなり取りかかれと言われても、なにをやるかも分からねえで、どうしろてえんだ」

「だからそいつは、これから行く先でおせえるからよう」

「伸助さん……おれはこんな扱いをされてもへこへこしている小僧じゃねえんだ」

「それが気に入らねえんで、へそを曲げてるてえのか」

伸助が、座ったままの安治の前にたちはだかった。

「おめえ、かんちげえしているぜ」

安治を見下ろす目が、おもての氷雨よりも冷たい。

「おれに隠れて浜町で遊んだ夜から、おれはおめえを見切った。おめえもそうだろうが、おれはおめえがきれえだ。ゼニがねえのを見かねて仕事を回したのは、おめえをしんぺえしたからじゃねえ。ここで潰れられたら、ゼニが取り立てできねえからよ」

いきなり手を伸ばすと、安治の半纏の襟元をつかんだ。

引っ張りあげる力は強く、安治の身体が持ち上がった。

「小僧扱いされて気に食わねえてえなら、とっととけえんな。その代わり、おめえの手にへえる三両が消えるぜ」

「三両だと？」

「ゼニを聞いて気が変わったてえのか」

伸助がくちびるの端をゆがめて、安治の問い直しをあざわらった。

「ここで払う三両は、利息の取り立てとはかかわりのねえ、丸ごとおめえが持ち帰れる三両だ。その気になったてえなら、何をやるかをおせえるぜ」

襟元を握っていた手を離した伸助は、自分から先に框に腰をおろした。

「勝手に腹を立てたおれがわるかった。仕事の中身をおせえてくれ」

てきた」

安治が詫びた。

伸助はそれ以上は文句をつけず、要領よく仕事の中身を話し始めた。

「ここの旦那は、うちの賭場の上客だが、暮れにきてゼニに詰まってると、親分に泣きをいれてきた」

池田屋吾助は、橋場の金蔵が月に三度開く定盆には、欠かさず顔を出した。

盆が開かれるのは、三のつく日である。

この日は金蔵一家の代貸《だいがし》や出方（賭場の仕切り役）が、昼過ぎから盆が立つと触れて回った。

吾助は代貸がたずねてくるほどの上客である。仏具屋は地味な商いだが、儲けは大きいらしかった。

吾助が賭場で遣うカネは、ひと晩でおよそ二十両。札差や材木商のような大尽《だいじん》連中が遊ぶ百両、二百両のカネに比べれば、二十両は少ない。

しかし月に三度、番たび二十両を遊んでくれれば、賭場にはおいしい客だった。

吾助は根っからの博打好きで、賭場遊びだけではなく、米相場にも手を出していた。

去年、今年と米のできがわるい。

それで吾助は、三百七十両もの大損を出した。

幾ら儲けの大きな商いとはいえ、手元に三百七十両は遊んでいない。

年内の清算を相場会所から迫られた吾助は、金蔵に相談を持ちかけた。

四百両に近いカネは、町場の金貸しの手には負えない。さりとて同業者に頼むのは、池田屋のふところ具合を知られるようでいやだった。

思案に詰まった吾助は、金蔵に相談を持ちかけたのだ。

「カネを貸してくれるか、ゼニ儲けの相談にのってくれるか、あたしはどっちでもいいが、とにかくカネか知恵を貸してくれ」

「渡世人にカネを貸せとはいい度胸だ」

金蔵は池田屋の身代を、一日で調べ上げさせた。

「カネは貸せねえが、あんたが盆を開きねえ。道具と人間はうちが出す」

その夜の上がりの一割五分のテラ銭《せん》で、盆を開くことを許すと言い渡した。

客に元手を出させて貸元が盆を助けるのを、向こう打《ぶ》ちという。

カネに詰まった上客の、お助け賭博である。客集めも場所も池田屋が受け持ち、金蔵は賭場の仕切りの一切を引き受ける。

この話がまとまったのが、十二月十五日のことである。

向こう打ちの場所は池田屋で、期日は十二月二十五日。

池田屋は商売仲間や遊び仲間に誘いをかけた。暮れの二十五日は、どこの商家も節季の集金やら、暮れの棚卸《たなおろし》やらで目の回る忙しさである。

しかし忙しいのは奉公人で、あるじはいないほうが喜ばれた。あるじ不在で番頭が仕切るのと、あるじ自らが目を光らせるのとでは、奉公人の心持ちが違う。

わきまえのあるあるじは、暮れの夜には寄合と称して、わざと外出をした。番頭は夜食を調えさせた。それで奉公人たちは、踏ん張る気力をたくわえた。

池田屋と金蔵が定めた十二月二十五日は、商家の旦那衆が遊ぶには格好の時季だった。

賭場は池田屋の仕事場と決めた。

漆塗りの作業場だが、六十畳の広さがあった。これだけあれば、盆も休み場所もこしらえられた。

客に出す茶菓や夜食は、母屋の台所が使える。奉公人が三十人いる池田屋は、大きな炊き口三口のへっついが、三台も並んでいた。

池田屋の仕事場には、品物納めの出入口があり、遊び客は母屋を通らずに、出入りができる。

賭場をこしらえるのに、なんの問題もなかった。

唯一の障りが、仕事場の床板だった。

漆塗り仕事のため、畳ではなくむき出しの杉板張りである。

しかも漆で汚しても職人が気にしないように、杉板は手入れをしていない。方々の板がゆるんだり、反り返ったりしていた。

仕事場で使う分には構わないが、賭場に仕立てるには、なにより平らであることが求められた。

ゆがんだり傾いたりしていると、壺が振れない。大工は池田屋の近所に何人もいたが、暮れの納めを抱えた仕事場は、手を休めることができなかった。

十二月二十五日に日を定めたわけのひとつは、その日なら納めが終わっていたからである。

二十五日の半日仕事で、手間賃は三両。

桁違いに高い手間賃だが、これには口止め料も含まれていた。博打は天下のご法度である。その賭場造りを請負わせる職人には、口の固いことがなにより求められた。

伸助は迷わず安治を思い浮かべた。

しかし暮れは急ぎ仕事に追われていると、利息払いの場で聞かされていた。

もしも雨降りで身体があいていたら、安治を使う。これには金蔵も文句はなかった。

安治の口の固さは、金蔵も知り尽くしていた。ただし、もしも晴れで安治が使えないときのことを考えて、伸助はあと二、三人の当たりをつけていた。

二十五日は、まんまと雨降りになった。

裏切られて以来、口ではいやなことしか言ってないが、伸助は安治一家のことを案じていた。

つわりに苦しむ女房。

まだ小さい姉妹。

伸助は、安治をひたすら慕うつばきが不憫だった。甘い顔を見せてやりたいが、利息取立ての手前、それはできない。

今回の賭場造りは、暮れを控えた安治一家には、この上ない恵みをもたらしてくれると、伸助はひそかに喜んだ。


伸助はこれから修繕する仕事場に安治を連れて行った。現場では吾助がいらいらしながら待っていた。

「六ツ（午後六時）までには仕上げてもらわないと、あとの段取りに困る」

伸助の顔を見るなり、池田屋が噛み付いた。伸助は軽くあたまを下げて池田屋をなだめた。

「安治の腕に任せやしょう。六ツめえには、床がすっかり片づいてやすから」

伸助に聞くまでもなく、安治はなにをやればいいかを読み取っていた。

道具箱は、池田屋のものを使う段取りである。しかし仏具屋で使う道具は大工のものではなく、指物《さしもの》に近かった。

馴れない他人の道具で、急ぎ仕事はできない。

「ひとっ走り宿にけえって、道具箱を引っ担いでくる」

「なんだい、それは。始まる前からそんなことで、本当に任せて大丈夫かね」

吾助がまたも口を尖らせた。

あるじのあしらいを伸助に任せて、安治は並木町まで氷雨のなかを往復した。

ぶつくさ文句ばかり言っていた吾助も、安治が仕事を始めるとすっかり安心したらしい。

八ツには女中に言いつけて、焙《ほう》じ茶と羊羹《ようかん》とを運ばせた。

仕事は六ツの鐘の手前で仕上がった。

伸助は使いやすいように、銀の小粒と銭の百文差しとで三両の手間賃を支払った。

利息を取り立てるいやな男の助けで、安治一家は年越しができた。

十九

正月は十五日の左義長《さぎちょう》まで、大工の仕事は休みである。手間賃が入らなくなるので安治にはきついが、伸助は一月の利払いは待つと言ってきた。

これで安治は大きく息がつけた。

久々に、わずらわしいことを思い悩まずに、芯からの骨休めができた。

みのぶのつわりは相変わらずだが、年越しができたことで、それなりに落ち着いていた。

安治はつばきとさくらを連れて、両国橋西詰の盛り場や、浅草寺、今戸などを巡り歩いた。

三日には深川にまで足を伸ばし、富岡八幡宮にも初詣の賽銭を投げ入れた。

つばきが初めて深川に足を踏み入れたのは、この七歳の正月だった。

正月早々、安治は方々の神社にこども連れで初詣ができた。

元旦から上天気続きである。

「今年はいい年になるぜ」

つわりが少し治まっていたみのぶも、三番目のこどもが生まれる明和七年に希望をつないだ。

一月七日の七草がゆは、気力の戻りつつあるみのぶがこしらえた。塩味だけのかゆだが、朝からみのぶの手料理が口にできて、安治はどんぶりに二杯もお代わりした。

伸助おじさんが利息の取立てにさえこなければ、おとうちゃんとおかあちゃんは、あんなに仲がいいのに……。

七歳になったつばきは、さまざまなことが分かり始めていた。

家の中がいつも暗くて揉め事が絶えないのは、おカネがないから……。

利払いに追われなくて、安治もみのぶも顔に笑いが絶えない。そんなふたりを見て、つばきは少しでも早く、カネを稼いで親を喜ばせたいと思った。

かならずあたいが稼ぐ……。

七歳の正月七草の朝、つばきは小さな胸に大きな決め事をしまいこんだ。

七日の昼過ぎ。

宿の腰高障子戸の外に、長屋の差配がひとを連れてきた。

「おまいさんに御用の筋で訊きたいことがあるらしい」

差配はこれだけ言うと、かかわりあいをきらって宿に戻った。あとに残った男は、帯に十手を挟んでいた。

「おれは稲荷町をあずかる徳三だ。大工の安治てえのはおめえだな？」

目明《めあか》しは安治の返事を聞きもせず、表に連れ出した。

十手持ちに宿に踏み込まれて、つばきは怯えた。安治のたもとにしがみつき、間近で見た十手は不気味で、そして大きかった。

目明しは安治に縄を打つことはしなかった。しかし並んで歩く姿は、まるで咎人《とがにん》を引っ立てて行くようだった。

素早く下駄を履いたつばきは、安治のあとをつけた。

ときおり目明しが振り返って、つばきを見た。見ただけで、追い払うことはしない。

こどもの足でおとなについて歩くのは大変である。なんども足がもつれて転んだ。

真冬の凍えた地べたは固くて冷たい。

稲荷町が近くなったとき、つばきは小石につまずいた。周りに何個も石が転がっていた。

そのひとつで、したたかにひたいを打った。ひたいから血がにじみ出た。

つばきは痛さを感じなかった。

それよりここで安治を見失ったら、二度と会えない気がした。その怖さに背中を押されて、けんめいにあとを追った。

次第に息があがり、歩くのもつらかった。それでもつばきはあとを追い続けた。

目明しは稲荷町の自身番小屋に入った。

つばきが戸口に駆け寄った。

目明しはつばきの顔を見たあとで、大きな音をさせて小屋の戸を閉じた。

ひたいからにじみ出ていた血は、冬の凍えのなかで乾いていた。つばきは固まった血をはがし取った。

どうしてよいか分からず、閉じられた戸の前で立ち尽くしていると、なかから白髪頭の親爺《おやじ》が出てきた。

「安治というのは、おまえのちゃんか？」

親爺の声はガラガラに嗄《か》れていたが、話し方はやさしかった。

「ちょいと訊かなきゃいけねえことがあるからよう。おめえのちゃん次第だが、二、三日はけえれねえ」

やっぱりおとうちゃんは、もう帰ってこれないんだ……。

つばきの目からなみだがあふれた。

親爺は手拭いでつばきの目を拭い、ついでにひたいの血のあとも拭き取った。

「おめえに泣かれても、おれにはどうにもできねえ。もうじき暗くなるから、とにかく今日はけえれ」

親爺はつばきの向きを変えて、しわのよった手でつばきの背中を押した。

押された先で、つばきはまた振り返った。

「おとうちゃん、もう帰れないの？」

怖くて言い出せなかったことを、思わずつばきは口にした。それが怖くて、声をあげて泣き出した。

「そんなことはねえ」

つばきの泣き声が大きくて、親爺は困り果てたような顔つきだ。

「ちゃんがしんぺえなら、明日もここに来ていいからよう。今日はけえんな」

親爺は渋るつばきの手を引いて、雷御門につながる大路まで出た。

「けえり道は分かってるな」

つばきは、泣きじゃくりながらもうなずいた。

冬の陽が足早に沈んでゆく。

大路を行き交うひとたちも、日暮れを控えて気ぜわしそうだ。つばきが泣いていても、立ち止まるひとはいなかった。

つばきは番小屋の親爺の、しわのよった手をつかんだまま、泣き続けた。

大路に立つふたりを、沈み行く陽が低い空から照らしていた。

二十

安治が戻ってこないまま、一月八日が明けた。

長屋の井戸端の手桶に、分厚い氷が張った朝五ツ（午前八時）。稲荷町の目明し徳三が、ふたりの手下、半吉と幸助を連れて安治の宿に顔を出した。

半吉は五尺一寸（約百五十四センチ）の小柄な男で、濃紺の刺子半纏を着ている。半纏の丈が長過ぎて、ふくらはぎまで隠れていた。

幸助は、六尺（約百八十センチ）はありそうな大男だ。股引の上に分厚い綿入れを着ており、見るからに動きが鈍そうだった。背中には金糸銀糸で、虎の縫い取りがしてある。長年使い古した綿入れは糸が解《ほつ》れており、虎の牙が欠けそうになっていた。

「へえるぜ」

徳三は言葉とともに障子戸を開けた。

「家捜しをさせてもらう。おめえさんたちは土間におりてくんねえ」

徳三がしゃべると、口の周りが真っ白になる。それほどに朝の土間は凍えていた。

「なにを探そうというんですか」

みのぶがつらそうに上体を起こした。

「そいつはいえねえ」

徳三の指図で、手下のふたりが手早く履き物を脱ぎ始めた。

小柄な半吉は動きが敏捷だ。手早く雪駄を脱ぎ、すぐさま板の間に上がった。

幸助は履き物ではなく、わらじ履きだ。寒さに弱いのか、股引も足袋《たび》も厚手だ。わらじの編み上げ紐をほどく、手元の動きが鈍《のろ》い。

土間の真ん中に立った徳三が舌打ちをした。

それを聞いて幸助が焦《あせ》ったらしく、さらに手の動きが鈍くなった。

「もういい、おめえひとりで探しねえ」

「がってんでさ」

半吉がずかずかと六畳間に踏み込んだ。

目明しの手下は実入りがいいのか、半吉が脱いだ雪駄は、籐《とう》で編んだ上物だった。

「そこにいると邪魔だ。親分が言われた通り、土間で待ちな」

肩を抱いて妹に寄り添っているつばきに、半吉が指図した。寒さと、幸助がまだわらじの紐をいじっていることに苛立っているらしく、声が鋭く尖っている。

怯えたさくらが、つばきにしがみついた。

「おめえたちにどうこうするわけじゃねえ」

五歳のこどもを怯えさせたのを、半吉は悔いたらしい。さくらに話しかける声が、わずかに柔らかくなっていた。

安治の搔巻に妹と一緒にくるまりながら、つばきは土間におりた。

母親があとに続いた。

わらじの紐を締め直した幸助が、土間におりてきたこどもの搔巻を着せ直してやった。

「ありがとう」

つばきに礼を言われた幸助が、こどもに笑いかけた。徳三が、さきほどよりもさらに大きな音を立てて舌打ちをした。が、幸助はつばきに笑いかけた顔を変えなかった。

所帯道具は簞笥一棹《ひとさお》だけの貧乏暮らしである。家捜しはあっけなく終わった。

「なんにもありやせんぜ」

六畳間の真ん中に突っ立った半吉が、困り果てたような声を出した。

徳三は、はなから何も出てこないだろうと踏んでいた。しかし家捜しは、雇い主の同心の指図である。

目明しは従うしかなかった。

徳三を手元で使っているのは、北町奉行所定町廻《じょうまちまわり》同心、鈴木惣之助《そうのすけ》である。

定町廻同心は南北それぞれの奉行所に、わずか八名ずつしかいない。この人数で江戸の隅々にまで目を配るのが役目である。

ゆえに同心たちは各町に、意のままに動かせる目明しを配していた。鈴木は浅草全域を受け持っており、稲荷町界隈を徳三に任せていた。

鈴木は役所同輩の増田慎四郎《しんしろう》と、常に手柄を競い合っていた。俸給も歳も、ふたりは同じである。しかし鈴木はまだ定町廻同心の三代目だが、増田は元和《げんな》時代から代々この職に就いていた。

そのため八丁堀の組屋敷は、鈴木よりも増田が三十坪ほど大きかった。そのうえ増田の屋敷は南に向いており、真冬のいまでも八ツ半（午後三時）まで陽光に恵まれた。

対する鈴木の屋敷は北向きで、しかも欅《けやき》の古木にさえぎられて、冬場はほとんど陽が差さない。

陽光が差すか差さぬかで、炭代が年に五両近く異なるのだ。そのことを内儀にこぼされ続ける鈴木は、増田に対する思うところを肚のうちに抱えていた。

そんな鈴木に今年の正月早々、増田から一席構えたから都合をつけて欲しいとの申し入れがあった。酒席を調えた場所は、大川を東に渡った深川山本町の料理屋だという。

定町廻は江戸全域を見回るのが務めゆえ、鈴木は深川にも通じている。増田が待っているという料理屋もよく知っていた。

しかし酒席をともにしたい相手ではなかった。増田も同じ思いを抱いているはずだと、鈴木は思っている。

さりとて、八人しかいない定町廻同輩からの招きを断るのは、はばかられた。

いぶかしく思いつつ料理屋に顔を出したら、日本橋青物町の雑穀問屋あるじ、遠州屋撰衛門《せんえもん》が増田と向かい合わせに座っていた。

定町廻同心八人は、だれもが数軒の「割符《さきふ》」を持っていた。格別の便宜を図る代わりに、月《つき》極《ぎ》めで手当てをもらう同心の金づるである。割符は財布にかけた同心たちの符丁だ。

遠州屋が増田の割符であることは、鈴木も知っていた。

当り障りのない新年のあいさつを交わしたあと、増田が用向きを話し始めた。

「稲荷町は鈴木氏《うじ》の受け持ちでござるな」

「いかにも」

「池田屋と申す仏具卸をご存知か」

増田は、池田屋が鈴木の割符かと問うていた。仲間の割符に手をつけないのは、定町廻の掟である。

池田屋は鈴木の割符だった。

しかしあるじの吾助は、月に二両の手当てを払うとき、かならずひとこと嫌味を口にした。おりがあれば絶縁してもいいと考えているが、仏具屋は商い柄、おどろくほど各家の内証《ないしょう》に通じている。その耳の大きさが鈴木の役目に役立つことで、手当てに見合った便宜を図ってきた。

酒席の相手が増田でなければ、鈴木は池田屋が割符の一軒だと認めただろう。

しかし増田の問い方には、さげすみの調子が含まれていた。

同心たちは日本橋、尾張町、蔵前の老舗《しにせ》を割符にすることで見栄を競っている。卸とはいっても下町の仏具屋では、仲間内で幅が利かない。

「わしは仏具屋などと付き合ってはおらぬ」

鈴木は胸を反らして言い放った。

「ならば縄を打つにおいて、鈴木氏に遠慮は無用でござるな」

「縄を打つとは……その池田屋なる者が、なにか不始末をしでかしたということか」

「いかにも」

増田が薄笑いを浮かべた。

「ここにおる遠州屋より、池田屋が仕事場において、博打に及んだとの訴えがあってのことでござる」

増田のあごが突き出ていた。

池田屋は鈴木の割符であると同時に、徳三の旦那でもあった。

七草の朝、鈴木から呼び出しを受けた徳三は、急ぎ八丁堀の組屋敷に出向いた。

「池田屋が去年の暮れに、店の仕事場において不届きな振舞いに及んでおる」

鈴木は詳しいわけを聞かせぬまま、稲荷町の自身番小屋に召し出せと指図した。

「ですが鈴木様、池田屋さんは鈴木様の割符じゃありやせんか」

わけの分からない徳三は、指図を素直には聞き入れなかった。

「あの男はわしに隠れて、仕事場で博打を開きおった」

鈴木の顔がゆがんでいた。

博打を咎めてのことではない。

抜け駆けして、ひとりで儲けようとしたことへの怒りから、鈴木の顔がゆがんでいたのだ。

わけを聞かされても、徳三は気乗りがしなかった。十手を預かりながらも、徳三も賭場に出入りしていたし、池田屋にもそのことは知られていたからだ。

徳三は池田屋に追従《ついしょう》を言いながら、向こう打《ぶ》ちのことを訊《たず》ねた。

そして、安治の名前を池田屋から聞き込んだ。だれかを咎人に仕立てなければ、おさまりがつかないとわきまえていた徳三は、渡りに船とばかりに安治を捕えた。

が、本気で安治を責めたりしたら、池田屋の一件が露見してしまう。鈴木の手前、番小屋に留め置いたものの、縄も打たずに放っておいた。

今朝方、鈴木が番小屋に顔を出した。

鈴木にも、池田屋を咎め立てする気はなかった。しかし徳三のやり方は、余りに手ぬるく映った。

「安治の宿を家捜ししてこい」

なにを見つけろとも指図せぬまま、徳三と手下ふたりの尻を叩いた。

「いつまで家捜しを続けるんですか」

土間に立つみのぶが声を尖らせた。

「うちのひとがなにをしたのか、それだけでも聞かせてくださいな」

みのぶが徳三に詰め寄った。

母親の剣幕に、さくらが姉にしがみついた。

「御用の筋だ、わけはいえねえ」

徳三の口調は相変わらずぶっきらぼうだ。しかし言い終わると、掻巻を着たままのつばきの肩に手をおいた。

「今日の日暮れまでには、ここにけえれるかも知れねえ」

徳三はあごをしゃくり、半吉と幸助に引き上げることを伝えた。

土間で震えながらも、つばきの顔には明るさが戻っていた。

二十一

増田に訴え出た遠州屋は、昨年暮れに池田屋が催した「向こう打ち」の客だった。

商いも町も異なるふたりは、さほどに親しい間柄ではなかった。が、ともに橋場の金蔵の賭場で遊ぶ客である。

そのかかわりで、池田屋は向こう打ちに誘い入れた。

素人の賭場なら稼ぎどきだと考えた遠州屋は、いつもの倍の五十両をふところに忍ばせて池田屋に出向いた。

ところが目論見は大外れだった。

賭場こそ池田屋の仕事場だったものの、盆を仕切ったのは金蔵の手の者である。しかも金蔵は、一割五分のテラ銭に加えて、池田屋の儲けからも割り前を取る約定を結んでいた。

丁半が釣り合わない場では、池田屋が足りない駒を引き受けた。そして勝負のほとんどで池田屋が勝った。

壺振りは金蔵の配下である。どれほど池田屋が勝とうとも、正面から文句をつける者はいなかった。

遠州屋は五十両をそっくり負けたが、その場はおとなしく引き下がった。壺がいかさまだと言い立てるだけの、確かなあかしがなかったからだ。

遠州屋の胸の奥底では、暮れのどん詰まりで、五十両もの大金を失った痛手と、素人の賭場に負けた悔しさとが重なり合った。

正月四日、非番の増田を組屋敷にたずねた遠州屋は、向こう打ちの一件を話した。

博打は天下のご法度である。

よりにもよって定町廻に話したのは、割符の気安さと、正月の酒が入った気のゆるみからだった。

増田は聞き逃さなかった。

「そのほう、博打に及んだのか」

同心がいきなり居丈高な物言いになった。

遠州屋はうろたえたが、口にしたことを引っ込めることはできない。畳に両手をついて平謝りした。

「いや、聞き捨てにはできぬ」

増田の目が光っていた。あたかも獲物を見つけた鷹のように、鋭い目つきとなっていた。

「なにひとつ省かず、有《あ》り体《てい》に話せ」

増田の声は甲高い。それに尖りが加わっていた。

恐れをなした遠州屋は、池田屋の在所から商いの様子、店の大きさまでを、知り得る限りに吐き出した。

稲荷町と聞いて、増田が身を乗り出した。

「池田屋には、旦那がついておるのか」

旦那とは、便宜を図る同心のことである。

「鈴木様とおっしゃる、定町廻様の割符と聞いた覚えがございます」

「うむ……」

増田が口元をゆるめた。

「そのほう、いかほど負けたのだ」

「五十両でございます」

「一夜《ひとよ》の遊びに五十両も遣うとは、豪気なもんだの」

嫌味を言いつつも、増田は両の目元を崩していた。

「わしが半金を取り戻したとすれば、そのほうはどうするかの」

問いかける増田の目は、もう笑っていない。

遠州屋は言われたことを、懸命に謎解きしたようだ。

「戻りましたなら、その半金の十二両二分を増田様にお遣いいただきたく存じます」

「是非にというのか」

「なにとぞお受け取り願いますように」

遠州屋が畳にひたいを押しつけた。

「そうまで頼まれれば、むげに断ることもできぬわの」

「お受け取りくださりますので……」

「是非にと頼まれれば仕方もあるまい」

見え透いたやり取りのあと、増田は鈴木を酒席に招いた。

池田屋とはかかわりはない、と鈴木は白を切った。が、博打を口実に召し捕ると脅しをかけられて、鈴木の振舞いが変わった。

「稲荷町はわしの持ち場だ。そのような不埒《ふらち》な振舞いは、見逃すわけに参らぬ」

言ってから、鈴木は遠州屋を睨みつけた。

「池田屋に仕置きするは何ら異存はないが、その場に居合わせたそのほうも罪は免れん。増田氏の手前、縄を打つことは控えるが、いかなる存念あって訴え出たのだ」

鈴木が声を荒《あら》らげた。

「鈴木氏の腹立ちは、もっともでござる」

増田はまるで、怒る配下の者をなだめる上司のような調子だった。

「博打にかかわった者をひとり残らず召し捕ったとしても、さしてご政道に寄与するわけでもござらん」

増田は背筋を伸ばして、鈴木の目を正面から見詰めた。

「鈴木氏に尽力いただくことになるが、池田屋なる者から遠州屋が負けた半金の、二十五両を取り立てていただきたい。それですべてを水に流し、遠州屋も口をつぐむということでいかがかの」

鈴木はしばらく返事をしなかった。

増田も口を閉じた。そのさまは、鈴木に思案する間を与えているかのようだ。

遠州屋は同心ふたりの鞘当《さやあ》てから身を隔てていたいらしく、畳に目を落として口を閉じ合わせていた。

「半金返しであれば、両成敗で妥当な落としどころでござろう」

鈴木が呑んで落着した。

しかし増田にやり込められて腹の虫がおさまらない鈴木は、下男を徳三の元に差し向けた。

そして屋敷に顔を出した徳三に、池田屋吾助の召し出しを命じた。

徳三は大事な客を案内するようにして、池田屋を自身番小屋に連れてきた。

目明しと小屋の番人すべてを外に追い払ったのちに、鈴木は吾助に半金戻しを迫った。

「あれはまっとうな勝負です。負けた遠州屋の言い分など、聞く気は毛頭ありません」

池田屋が気色ばんだ。

「ならば貴様を引っ立てるまでだ」

鈴木は本気で腹を立てていた。その裏には、増田にしてやられた怒りが沸き立っていたからだろう。

博打の罪で縄を打たれたとなれば、商いはその場で潰れてしまう。定町廻同心から建前をふりかざして責められれば、池田屋に勝ち目はなかった。

それでも池田屋は、半金を返すにおいては散々に毒づいた。言い募ったのは、遠州屋への悪口である。しかし口調は、明らかに鈴木をも責めていた。

鈴木は一両のカネも手にできぬまま、ことを収めた。

それだけに深い怒りが残った。

そのうっぷん晴らしの矛先が、賭場造りを手伝った安治に向けられた。

徳三は安治を番小屋に引っ立ててきた。

しかし余り強く罪を責め立てると、安治の口から吾助の名が出てしまう。そうなると、せっかく収まった話が、またもや振出しに戻ることになるのだ。

鈴木の手前、安治を捕えてみたものの、さしたる詮議もせずに番小屋奥の揚屋《あがりや》に留め置いた。

それが鈴木の癇《かん》にさわった。

だれかを存分に懲らしめないことには、鈴木は収まらなかった。

賭場を造ったときの道具でも見つかれば、そのことを理由にして敲《たた》きができる。それを狙って家捜しを命じた。

番小屋の火鉢に手をかざしながら、鈴木は徳三たちの帰りを待っていた。

敲きのムチは組屋敷から持参している。

捕えた安治を増田に見立てて、思いっきり敲く気でいた。

火鉢の五徳に乗った鉄瓶が沸き立っていた。

強く吹き出る湯気は、鈴木の暗い怒りをあらわしているようだ。

「なにをぼんやり座っておるのか」

番小屋の親爺を鈴木が叱りつけた。

「おもてに出て、徳三の帰りを見張ってろ」

親爺は返事もせずに腰を上げた。外に出るとき、戸をきちんと閉めなかった。

隙間風が番小屋に流れ込んできた。

「戸をしっかり閉めろ」

鈴木が怒鳴り声をあげた。

外に出ていた親爺が、番小屋の戸を一杯に開いた。

「戻ってきやしたぜ」

親爺の物言いは、外の木枯らしよりも冷たかった。

二十二

徳三は手ぶらで帰ってきた。

番小屋に入るなり、怒りで燃え立った鈴木の目に射抜かれた。しかし徳三は、そうなることを承知していたようだ。

「畳までひっぺがしやしたが、なにも出てきやせんでした」

ぬけぬけと偽りを伝えた。

「なにも出てこぬとは、おまえはなにを探したのだ」

鈴木の口調は、徳三の言い分に信をおいていないものだった。

「池田屋の仕事場に手を加えたときに使った、玄能《げんのう》やらのこぎりやらの、でえく道具でさ」

徳三は顔色も変えずに言い放った。

その口ぶりが気に食わないらしく、鈴木が徳三に詰め寄った。

「大工職人が、宿になにひとつ道具を置いていなかったと言うつもりか」

「つもりもなにも……ほんとうに釘一本見つかりやせん。そうだな？」

徳三に問われて、半吉と幸助が大きくうなずいた。

「安治の野郎は、道具箱を棟梁の宿に預けてあるそうなんで」

「それゆえ宿には、なにひとつなかったと申すのだな」

徳三は同心の目を見ながら、そうだと答えた。聞き分けのわるいこどもに、道理を言い聞かせるような徳三の目だった。

鈴木は得心する代わりに、番小屋の親爺を呼びつけた。

「ここに大工道具の備えはあるか」

「揚屋の錠前と格子を修繕するぐれえのものなら、納戸にしまってありやすが」

「すぐさまここに持ってこい」

言いつけた鈴木の目が定まっていない。

物の怪《け》にのりうつられたような同心の目を見て、幸助が大きな身体をぶるるっと震わせた。

「鈴木様……鈴木様……」

同心の様子が尋常ではないことを案じて、徳三が二度呼びかけた。

「繰り返さずとも聞こえておる」

徳三を見た鈴木の目は、まだ定まってはいなかった。

「でえじょうぶでやすか？」

「大丈夫かとは、わしに訊いておるのか」

「なんだか、様子がよろしくねえようにめえやすが」

「余計なことを訊かずともよい」

鈴木が徳三の口を封じたとき、親爺が道具箱のようなものを抱えて戻ってきた。

同心に開けろと示されて、親爺は箱のふたを取った。

なかには玄能に錐《きり》、それに刃の大きさが異なる鑿《のみ》が二本収まっていた。

鈴木は箱から玄能を取り出した。

「安治なる者を、これに連れてこい」

親爺も鈴木の様子が尋常ではないと感じているらしく、指図されても、動いたものかどうかと迷っていた。

「とっつあん、おれも付き合うぜ」

徳三が助け舟を出した。

指図に従わなければ、さらに厄介ごとが起きそうに思えたからだろう。

それでも親爺は、鍵の束を手に取るのをためらった。

「おれがついてるからよう。滅多な真似はさせねえから、しんぺえいらねえ」

親爺に耳打ちしてから、ふたりで揚屋に向かった。

番小屋奥の揚屋で、ガチャガチャッと錠前の外れる音がした。その音を聞いて、鈴木は組屋敷から持参してきたムチを手に取った。

孟宗竹を細く切り裂いた、竹ムチである。長さは三尺で、竹の表面は漆仕上げだ。

右手でしっかり握った鈴木は、頭上から思いっきり振り下ろした。

竹がしなり、ひゅうっと音を発した。

徳三が安治を連れて戻ってきたときも、鈴木はまだムチで空《くう》を切っていた。

揚屋から連れ出された安治は、鈴木の膝元の土間に座らされた。徳三が安治のあたまを押さえつけて、顔を伏せさせた。

火の気がなにもない真冬の土間は、土が固く凍り付いている。親爺はむしろを広げて、安治に敷けと伝えた。

それには鈴木も文句をつけなかった。

「浅草並木町の大工安治とは、そのほうのことであるな。おもてを上げて返答せい」

顔を上げた安治は、きっぱりした声で返事をした。ひと晩揚屋に留め置かれていたが、声も顔つきもしっかりしていた。

「そのほうは稲荷町の仏具屋、池田屋吾助を知っておろうが」

「知りやせん」

間をおかずに安治が答えた。

「知らぬだとう?」

鈴木は語尾を上げて、安治を見下ろした。

「貴様が池田屋の仕事場において、博打場普請の手伝いをなしたことは、とうに調べがついておる」

ムチを右手に持ったまま、鈴木は左手に握った玄能を安治の鼻先に突きつけた。

「これは池田屋の仕事場から、わしの手の者が見つけて持ち帰ってきた玄能だ。柄《え》には貴様の手の跡が、はっきりとついておる。これでも、池田屋を知らぬと言い張るか」

見たこともない玄能を示された安治は、身に覚えのない道具だと答えた。

「半吉に幸助……これに参れ」

鈴木が徳三の手下を呼びつけた。ふたりは鈴木の前で、背筋をぴんと伸ばして立った。

「これはおまえたちふたりが、池田屋から持ち帰った玄能に相違ないか」

いきなり問われた半吉と幸助は、途方に暮れて徳三を見た。徳三は安治の背後に立ったまま、目元を曇らせながら小さくうなずいた。

「あっしが池田屋から持ってきた玄能に、間違いありやせん」

半吉がよどみなく答えた。

となりの幸助は、大きな身体を折り曲げるようにして、半吉の顔をのぞき込んだ。

「道具の柄には、安治の手のあとがついていたそうだが、それにも間違いはないか」

「間違いありやせん。あっしがこの目で、しっかりと確かめやしたから」

「おれはそんな玄能、知らねえよう」

幸助が間延びした声で文句をつけたが、だれも取り合わなかった。

「下がってよい」

鈴木はムチを振って、半吉と幸助を番小屋の隅に追いやった。

幸助が小声でぶつぶつ言っているが、半吉は知らぬ顔である。番小屋の親爺に強い目で睨まれて、半吉はぷいっとそっぽを向いた。

「博打は遊んだ者のみならず、それを手助けした者も同罪である」

鈴木は竹ムチを安治の目の前に突き立てた。

「本来ならば詮議のうえ小伝馬町《こでんまちょう》送りの沙汰であるが、殊勝にも罪を認めたことを慈悲として、五十敲きで放免する」

玄能も、安治が罪を認めた云々も、すべてが鈴木のひとり芝居だった。しかし奉行所同心は、この場には鈴木のみである。

鈴木に雇われた身の徳三は、口を閉じて見ているしかなかった。

「わしのムチはいささかきついぞ」

安治の背後に回った鈴木は、三尺の竹ムチを背中めがけて振り下ろした。

安治は紬《つむぎ》の長着一枚である。鈴木のムチが、まともに安治の背中に食らいついた。


おとうちゃんが帰ってくる……。

目明しにそれを聞かされたつばきは、徳三たちのあとを追って番小屋までついてきた。が、なかには入ることができない。

木綿のあわせの上に綿入れ一枚だけを着たつばきは、両手をこすりあわせながら番小屋の外に立っていた。

じっとしていると、足元から凍えが身体にまとわりついてくる。つばきはその場で足踏みを始めた。

履いているのは安物の駒下駄である。

固く凍った地べたに下駄の歯が当たり、カタカタとせわしない音を立てた。何度も足踏みを繰り返すうちに、鼻緒がゆるんできた。

つばきはまだ自分では鼻緒がすげられない。仕方なく、足踏みをやめた。

下駄の音が消えたら、番小屋の中から音が聞こえてきた。

びゅうっという不気味な音に続いて、身体を叩く乾いた音がした。

うっ……。

苦しそうなうめき声を聞いて、つばきが棒立ちになった。うめき声しか聞こえないが、その声の主を聞き違えるわけがなかった。

「おとうちゃあああん……」

思わず高い声が出た。

バシッ、バシッ。

身体を叩く音のあと、安治がうめき声を漏らした。つばきは番小屋の腰高障子戸に耳をくっつけて、父親の漏らす声を聞こうとした。

うめき声が次第に弱々しくなっている。

番小屋のなかでなにがなされているか、つばきには分からない。分からないが、父親が痛めつけられているのを、肌身に感じた。

「おとうちゃん、おとうちゃああん……」

つばきが泣き声で父を呼んだ。

番小屋の戸が開かれて、親爺が出てきた。おとといの夕暮れどきに、つばきの肩を抱いてくれた親爺である。

「もうじき、ちゃんが出てくるからよう。泣いちゃあなんねえ」

親爺がつばきのあたまを撫でた。

その手は、おとといよりもさらにしわがよっていた。

二十三

自身番小屋から帰された安治は、二日間は動けなかった。

竹ムチで敲かれた身体の痛みがひどく、仰向けになれない。眠りに誘い込まれてつい背中を下にすると、身体に激痛が走って飛び起きる羽目になる。

二晩通しで、安治はうなされた。

つばきは夜通しで、父親の世話をしようとした。しかしこどもは眠りを我慢できない。浅草寺が四ツ（午後十時）の鐘を打つころには、居眠りを始めた。

二日間ほとんど寝ずに看病したのは、みのぶだった。つわりが一向によくならず、みのぶはいまだに寝て過ごしている。

ところが安治が倒れ込むようにして帰ってきてからは、苦しそうな顔も見せずに亭主の世話をした。

みのぶも苦しいはずなのに、生き生きと立ち働いた。

おかあちゃん、すごくうれしそう……。

つばきには母親の様子が不思議だった。安治が苦しんでいるのに、みのぶは妙に生き生きとしているからだ。

おとうちゃんが苦しいのを、おかあちゃんはよろこんでいる……。

わけが分からないつばきは、母親を恨んだ。翌朝、久々に晴れた井戸端で洗い物の手伝いをするまでは、つばきはみのぶと口もきかなかった。

「こんな寒い日に洗い物かい……つばきちゃんはえらいねえ」

話しかけてきたのは別棟に暮らす船頭の女房、おてるである。

「つばきちゃんが洗い物をするのは、今日に限ったことじゃないよ」

薄い壁一枚隔てた隣の、担ぎ売りの女房が声を大きくした。

「この子のおっかさんは、つわりだからさ。去年からずっと、つばきちゃんが洗い物をしてるんだよ」

「棟が違うもんだから、あたしゃあちっとも知らなかったよ」

おてるが洗い物の手を止めた。

「いまでもおっかさんは寝てるのかい？」

「おとうちゃんのそばについてる」

つばきがなにを言ってるのか、おてるには呑み込めなかったようだ。さらに問いかけようとしたら、担ぎ売りの女房が、つばきの言ったことを補い始めた。

「昨日の夕方から、この子の父親はうなされっぱなしなんだよ。そんなわけだから、いまはみのぶさんが付きっきりで、亭主の面倒を見ているわけさ」

「そういったって、つわりで寝込んでるんじゃないのかい」

「あんたもにぶいねえ。惚れた亭主の看病なら、つわりぐらい、どっかへ飛んでっちゃうに決まってるじゃないか」

「あらいやだ……そういやあ、あたしにもそんな時分があったねえ……」

長屋の女房ふたりが、遠慮のない話で笑い転げた。

そうか。おかあちゃんは、おとうちゃんの世話ができるから嬉しそうなんだ……。

わけがやっと呑み込めたつばきは、母親を見直した。


一月十一日は鏡開きである。

この朝から、安治は床を離れることができた。

「鏡餅を持ってきねえ」

起き上がった安治が、最初に口にした言葉がこれだった。

貧乏所帯でも、安治は縁起ごとは欠かさずに祝ってきた。正月飾りもそのひとつだ。

去年の暮れは、思いがけない池田屋からの仕事を受けて、三両の手間賃が入った。

それのせいで五十敲きの罰を受けたが、手間賃をもらったときは大喜びした。溜まっていた払いを済ませたあと、安治は浅草寺仲見世《なかみせ》の餅屋で、三寸の鏡餅を買ってきた。

みのぶに持ってこさせたのは、その鏡餅である。所帯道具のほとんどない暮らしには、立派過ぎる鏡餅だった。

方々にひび割れができており、緑色やら青色やらのかびが生えている。

不気味なかびの色を見て、つばきがうっと息を呑んだ。

「おっかさんから庖丁をもらってこい」

「おとうちゃん……このお餅を食べるの？」

「あたりめえじゃねえか。こいつを手で割って、欠餅《かきもち》にして祝うのよ。いいから庖丁をもらってきな」

つばきが立ち上がろうとしたら、みのぶのほうが先に庖丁を手にして寄ってきた。つわりのことはすっかり忘れているらしく、顔は笑っていた。

庖丁を受け取った安治は、器用な手つきでかびを削《そ》ぎ落とした。敲きの痛みはすっかり消えたようだった。

つばきとさくらは、初めて見る安治の手さばきに見とれた。かびが削り落とされると、餅のひび割れがはっきり分かった。

「鏡餅には、刃物を入れちゃあなんねえ。こうやって……」

安治が力を込めて、ひび割れた餅をふたつに割ろうとした。

手先に力を込めると、まだ身体の奥底にひそむ痛みの虫が目覚めるらしい。ふたつに割れる前に、安治は鏡餅を取り落とした。

「だいじょうぶなの……無理しないで」

みのぶが亭主を案じて漏らした声が、なんともやさしい。

おかあちゃんは、ほんとうにおとうちゃんが好きなんだ。

つばきはわけもなく嬉しくなり、ふたおやの顔を見比べた。

みのぶに無理をするなといわれたが、鏡餅は安治が最後まで割った。小片になった餅を油で揚げれば欠餅の出来上がりだが、あいにく油がなかった。

「お隣で借りてこようかしら」

「油は安いもんじゃねえ。気安く借りるのはやめときねえ」

ふたりがこんな話をしているとき、戸の外にひとが立った。

「へえってもいいかい」

伸助の声だった。

安治の顔が曇った。

「どうしよう……取り込み中だといって、帰ってもらいますか？」

みのぶが小声で問いかけた。

それが聞こえたわけではないだろうが、伸助は勝手に戸を開いて入ってきた。

角樽《つのだる》を手にさげていた。

「そろそろ起き上がれるころだと見当をつけてきたんだが……どうやら、でえじょうぶらしいな」

伸助は板の間に角樽を置いた。

「こいつはうちの親分からの見舞いの酒だ。受け取ってくんねえ」

吾妻橋たもとの、伊丹屋の角樽である。

伊丹屋が扱うのは、灘《なだ》からの下り酒だ。外と変わらないほどに寒い部屋だが、それでも酒の香りが漂い出ていた。

「親分によろしく礼を言ってくだせえ」

六畳間に座ったまま、安治が見舞いの礼を口にした。

「ほかにも、池田屋の旦那からの言付かりものがあるんでえ。すまねえが、ここまで取りにきてくんねえな」

伸助に手招きされて、安治が億劫そうに立ち上がった。近寄ると、伸助はふところから祝儀袋を取り出した。

「一分金で二両へえってる」

伸助が声をひそめて話し始めた。

「池田屋の旦那は、おめえが知らねえと言い張ったことを、てえそう喜んでた。二両はその礼だ、遠慮しねえで受け取りねえ」

祝儀袋を差し出す伸助の目は、このところ見せたことがないほどにやさしかった。

「うちの親分も、おめえの口の固さを喜んでなさってよう……身体の養生をしろてえんで、二月の末までは利息を待ってくださるそうだ。池田屋さんのゼニでうめえものでも食って、しっかり養生してくんな」

これだけ言うと、つばきとさくらに駄菓子を置いて帰って行った。

酒の香りが、板の間で揺れていた。

二十四

十五日の左義長を過ぎて、安治は仕事に通い始めた。

背中の傷もすっかり癒えていた。

そして棟梁の耳には、敲きの一件は届いていなかったことで、安治は気持ちよく仕事始めを迎えることができた。

伸助が届けてきた池田屋からの二両は、暮らしに大きな恵みとなった。

節季の払いは去年暮れに、きれいにできていた。そこに思いがけない二両が手に入ったのだ。

「こどもの着るものを、買ってやってもいいかしら」

安治に問いかけるみのぶの声が弾んでいた。

「好きにすりゃあいいが、おめえもなにか買ってきねえ」

「あたしは何枚も着るものがあるから。それより安さんの股引も、新しいのを一枚買いましょう」

一月十六日の昼下がりに、みのぶは大きな腹を抱えつつ、つばきとさくらを連れて買い物に出かけた。行った先は、浅草寺仲見世を突き当たった角の古着屋である。

太物を買っても、いまのみのぶには縫い物ができない。寸法の合った古着なら、すぐにもこどもに着せてやれる。

つばきもさくらも、古着屋には入ったことがなかった。店一杯に吊るされた色とりどりの古着を見て、こどもは気を高ぶらせた。

「おまえたちの好きな柄を選んでいいから」

みのぶに言われて、ふたりは戸惑った。

好きな着物を選べるなどとは、考えてもみなかったからだ。嬉しいはずなのに、途方に暮れたさくらが泣き顔になった。

「どうしたのよ……おっかさんが、なにかいけないことを言ったの？」

みのぶには分からないようだが、つばきには妹の思いが手に取るように伝わってきた。

つばきは自分の着物を選ぶのをやめて、妹に似合いそうな柄物を探した。

赤地の木綿に、黄色の細い格子柄が染め抜かれたあわせが、高いところから吊るされていた。

さくらには大き過ぎるように見えたが、縫い上げすれば着られそうだ。

つばきは店の小僧に頼んで、格子柄の古着をおろしてもらった。

「これを着てごらん」

案の定、丈が長過ぎた。

しかし赤地のあわせは、色白のさくらによく似合った。さくらもすっかり気に入った様子である。

「これをさくらに買ってやって」

つばきが選んだ古着は思いのほか上物で、一着で二朱（六百二十五文）もした。安治の仕事着が二着も買えるほどの高値である。

値を聞いてみのぶが渋った。

その母親の顔色を見て、さくらがまた泣き顔に戻っていた。

「おかあちゃん……」

つばきは母親の袖を引いて店の外に出た。

「あたいはいらないから、さくらにあれを買ってやって」

「こどものくせに、そんな気を回すんじゃないの」

みのぶが声を尖らせた。

「いいわよ。さくらにはあれを買うから、おまえも好きなものを選びなさい」

こどもの尻を叩き、みのぶはつばきを店に戻した。

二朱がどれほど高値なのかは、つばきには分からない。が、母親が見せた顔から、およその察しはついた。

つばきは本気で、自分の着物はいらないと思った。が、なにか買わないと、母親に叱られそうな気がした。

安いもの、安いもの……。

値札も読めないのに、つばきは安そうなものを求めて店の中を歩き回った。

土間の隅に、何枚かの綿入れが積み重ねられていた。どれも色味《いろみ》が汚れて見えたし、品物の置き方が雑である。

これなら安そうだと見当をつけたつばきは、なかでも一番見栄えのわるい綿入れを選び出した。

色味は暗かったが、丈はつばきにぴたりと合っている。綿の入り具合もわるくなかった。

「あたい、これが欲しい」

つばきは綿入れを店主に差し出した。

「おまいさんが選んだのかい？」

こどもに綿入れを差し出されて、店主の顔には驚きの色が浮かんでいた。

「いけないの？」

なにかわるいことをした気がして、つばきが声を曇らせた。

「いいや、いけなくはないさ」

ふたりがやり取りしているところに、みのぶが近寄った。

「この綿入れを欲しいてえんだが、売ってもいいかね」

「それって、お高いんですか」

さくらの古着で懲りたらしく、みのぶは値段しか問わなかった。

「いいや、百文だ」

値を聞かされて、みのぶから安堵の吐息がこぼれ出た。

「こどもが自分で見立てたらしいが、おまいさんが知恵をつけたわけじゃあないのかい」

「いいえ。どうかしたんですか」

「この百文の綿入れは、小正月の目玉にとっておいた品だ。それを迷わず見つけ出すとは、末恐ろしいこどもだよ」

店主は心底から感心していた。


さくらのあわせは、みのぶが自分の手で縫い上げした。

つばきが選んだ綿入れは、ふくらはぎが隠れるほどの長さで、そのまま着られた。

一月十七日の朝四ツ。

井戸端に冬の日が届き始めたころ、つばきとさくらは前日に買った古着を着て、長屋の女房連中の前に立った。

「おとうちゃんが買ってくれた」

つばきの物言いが誇らしげだった。

「そうかい、よかったじゃないのさ」

いつもなら、なにかと話しかけてくれる女たちである。ところが古着を見るなり、だれもがほとんど口をきかなくなった。

こどもふたりは、思いも寄らない女房たちの振舞いに、あとの言葉が続かなかった。

それでも新しい着物が嬉しくて、つばきとさくらは飛び跳ねながら長屋の木戸から出て行った。

十八日も底冷えがきつかったが、朝から気持ちよく晴れた。

四ツを過ぎると、長屋のこどもは吾妻橋たもとの船着場に集まってくる。そして、大川端で鬼ごっこをするのが、決まりのようなものだった。

朝のうちに洗い物を済ませたつばきは、さくらと一緒に船着場に向かった。

昨日までは先に集まっているこどもが、つばきとさくらを迎えてくれた。しかしこの朝は、七人のこどもが手をつなぎ、ふたりが桟橋に入るのをさえぎった。

「おまえのとうちゃん、ひゃくたたき」

一番年かさの男の子が、調子をつけて囃《はや》し立てた。残りの六人があとに続いた。

「おまえのとうちゃん、ひゃくたたき」

「いっしょにあそんでやらないよう」

手をつないだまま、こども七人がつばきとさくらの元に詰め寄ってきた。

怯えたさくらの顔色が真っ白だ。

「なんでそんな意地悪するのよ」

つばきが食ってかかった。

しかしこどもたちは手を握り合ったまま、ずんずんとつばきとさくらを追い立てた。

なにごとかと、通りを行き交うおとなが足を止めた。見物人ができたことで、七人のこどもが勢いづいた。

「おまえのとうちゃん、ひゃくたたき」

「いっしょにあそんでやらないよう」

やらないようで、こどもが一斉に右足を蹴り上げた。

見物人たちは、手をつないだこどもをたしなめるでもなく、笑いながら様子を見ている。

つばきが立ち向かおうとしたら、さらに大きな声で囃し立てた。

さくらが泣き出した。

「さくらのばか」

つばきが妹を叱りつけた。

「こんなとき、泣いたりしたらだめなんだから……おねえちゃんのいうこと、ちゃんと聞こえた？」

さくらは泣きながらうなずいた。

「泣いたらだめだって」

つばきが妹の肩を強くつかんだ。

こどもたちは囃し立てるのをやめない。

つばきは妹の手を握り、雷御門に向かって歩き始めた。

いつもより、ゆっくりと歩いた。

早足にしたら、意地悪に負けたと思われそうだったからだ。

この日限り、つばきは二度と船着場には遊びに行かなかった。

二十五

三月に入るまでは、安治一家は比較的安穏に暮らすことができた。

梅が咲き、桜のつぼみが膨らむころまでは、江戸は雨が少ない。雨さえ降らなければ、寒かろうが暑かろうが、大工仕事ははかどる。

手間賃もそれなりに入ってきた。

しかも暮らしをきつくする唯一の障《さわ》り、賭場の借金取立てがなかった。

まともに働いて利払いがなければ、暮らしにはなにひとつ問題はない。それだけのカネを安治は稼いでいた。

一月、二月のふた月にわたり、伸助から追い立てられることのない、ゆるやかな暮らしを味わった。

五日詰めて働けば、小判一両もの稼ぎである。旬日ごとに、安治はずしりと重たい銀を受け取って帰ってきた。

長らく忘れていた、カネに追われない暮らしが手に入ったのだ。

つわりに苦しみながらも、みのぶは元気に家事をこなした。母親が明るく笑ってさえいれば、こどもはのびのびとしていられる。

一月十八日の出来事以来、つばきとさくらは長屋のこどもとは遊ばなくなった。

それでも母親が元気ゆえ、こどもふたりは家の中にいることが苦ではなかった。

「どうしておもてで遊ばないの？」

みのぶに問われても、つばきは本当のわけを言わず、母親にまとわりついて返事をごまかした。みのぶはそれ以上に問い質すことはせず、こどもの好きにさせた。


二月四日は、赤穂浪士が切腹をした忌日《きにち》である。いまから六十七年前の元禄《げんろく》十六（一七〇三）年二月四日に、細川家ほか三家に預けられていた赤穂浪士全員に、切腹の沙汰が下された。

以来、高輪泉岳寺《たかなわせんがくじ》において二月四日に法要が営まれている。

三日午後からどんよりと曇っていた空が、四日の朝から降り始めた。

安治は雨を見越して、降ったら仕事休みにする旨を棟梁に伝えてあった。

「どうでえ、みのぶ。今日は高輪まで足を延ばして、泉岳寺詣でをしようじゃねえか」

「うれしい、行きましょう」

みのぶは大喜びした。

家族そろっての外出など、取立てに追われてできないできたからだ。

つばきももちろん喜んだ。

出かけられるのも嬉しかったが、父親と朝から夜まで一緒にいられることが、さらに大きな喜びだった。

四人そろって雨支度で長屋の木戸を出るとき、船頭の女房おてると行き違った。棟が離れていることで、みのぶも安治もおてるをよく知らなかった。が、つばきは何度か井戸端で一緒になったことがあった。

「おばちゃん、おはよう」

つばきから声をかけた。

「どうしたんだよ、こんな雨降りに」

「おとうちゃんとおかあちゃんが、高輪に連れて行ってくれる」

「高輪だって？」

おてるはこどもからみのぶに目を移した。

みのぶが軽い会釈をした。

「いつもこどもがお世話をかけてます」

当たり障りのないあいさつをしたが、おてるは口をきかず、すっと通り過ぎた。

「なんでえ、おんなじ裏店に暮らしてるてえのに、愛想のねえばあさんだぜ」

「だめよ、安さん。まだ聞こえるから」

ぶつくさ言う安治の合羽《かっぱ》の袖を引き、みのぶが急ぎ足で木戸を出た。小さな番傘をさした、こどもふたりがあとに続いた。

雨だというのに、高輪泉岳寺の人出は凄まじかった。江戸中からひとが押し寄せている。切腹から六十年以上も過ぎているというのに、赤穂浪士の人気は一向に衰えていない。すぐに熱くなったあと、あっという間に冷めてしまう飽きっぽい江戸っ子には、めずらしいことだった。

「蕎麦を食ってけえろうじゃねえか」

並木町を出てから、安治たち四人はなにも口にしていない。泉岳寺門前町には蕎麦屋が軒を連ねていた。

「あたし、大丈夫かなあ」

みのぶが心配そうな声を出した。

つわりが始まってから、みのぶは蕎麦を茹でる香りに我慢ができなくなっていた。

「おめえが茹でるわけじゃねえ。蕎麦を食うだけなら平気だろうよ」

雨で身体が冷えていた安治は、蕎麦屋で熱燗をやりたかった。不安顔のみのぶを引き連れて、間口の大きな蕎麦屋に入った。

寒さがつらいのはだれもが同じらしく、店は客であふれ返っていた。

「いらっしゃいまし」

たすき姿の女が安治一家に声をかけた。

「蕎麦と熱燗とをやりてえんだが、どうにかなるかい」

女はこどもふたりに笑いかけてから、店の奥に入って行った。そしてさほど間をおかずに戻ってくると、先に立って案内した。

座敷の一番奥に、衝立《ついたて》仕切りで四人の場所が調えられていた。

「助かったよ、ねえさん。少ねえが受け取ってくんねえ」

安治が銀の小粒ひと粒を握らせた。

「ありがとうございます」

女は半端な遠慮をせず、祝儀を気持ちよく受け取った。

つばきは安治と女のやり取りに見とれた。父親の祝儀の渡し方も、それを受け取る女も、このうえなく粋に見えたからだ。

こどもには、蕎麦の味はよく分からなかった。しかし店の女のきびきびした働きぶりは、つばきのこころに深く刻まれた。

母親が吾妻橋で働く姿を見たとき、つばきはみのぶに憧れた。

いまもまた、蕎麦屋で働く女の立ち姿に見とれた。

あたいもあんなふうに働きたい……。

おとなになったらなにがしたいか、泉岳寺門前町でつばきははっきりと定めた。

明和七（一七七〇）年の江戸は、六月七日に梅雨入りした。

雨が降ると安治の仕事は休みである。

米作りには欠かせない天からの水だが、大工仕事には仇《かたき》も同然のいやな相手だ。

安治の実入りは、出づら一貫文の手間賃だけである。出づらであるゆえ、休めば一文の収入もなくなってしまう。

雨で遅れた仕事は、どこかで取り返さなければならない。それでなくても五月、六月は日の入りが遅く、他の月に比べれば何割増しかで長く働いていた。

それに加えて、雨で流れた仕事が追い討ちをかけてくるのだ。降り込められての仕事休みは、本来なら格好の骨休めだろう。

しかし賭場の借金の利息払いに追われる安治は、雨には真綿で首を絞められるような思いを抱いた。

一月、二月と楽に暮らしただけに、三月からのきつさが身に染みた。

降りやまない雨を見詰めて、安治がため息をついていたとき。断りもなく障子戸を開いて、伸助が入ってきた。

「のんびり休んでいるところをわるいがよう、明日の払いはでえじょうぶだろうな」

利払いを翌日に控えて、伸助は催促にあらわれたのだ。

四日続けて仕事に出ておらず、手間賃は一貫文しか入るあてがなかった。それが分かっているだけに、伸助はなんとか算段しろと脅しにきたのだろう。

「今日のうちに、なんとか手立てをかんげえたほうがよくねえか」

伸助は、そのとき板の間に座っていたつばきのあたまを、ぐりぐりっと強く撫でた。

つばきはその手を払いのけた。

「おじちゃん、だいっきらい」

いつになく、つばきの語調が強かった。

伸助が顔色を変えてつばきを睨みつけた。

「おじちゃんなんか、ここにこないで海でタコと遊べばいいのに」

「なんでえ、タコとは」

伸助の物言いが、こども相手のものではなくなっていた。

つばきは素早く土間に飛び降りた。

外は相変わらずの小雨である。障子戸のわきに立ったつばきは、伸助に向かってあかんべえをした。

「おじちゃんの指は八本しかないもん。タコとおんなじ」

言い捨てて、つばきは外に飛び出した。

伸助は本気で怒り、つばきを追って土間から飛び出した。

つばきは裸足で駆けた。

長屋を出て大川と反対に走ると、小さな田んぼが残っている。そのあぜ道をつばきは走った。

伸助があとを追っている。

「おじちゃんなんか、タコとおんなじ」

逃げるつばきは、胸のうちで同じ言葉を繰り返していた。

二十六

朝方はあれだけ気持ちよく晴れていたのに、いつの間にか雨が落ちていた。弐蔵の宿の屋根を打つ雨音が、つばきの物思いを途切れさせた。

いま長火鉢の向こう側に座っているのは、まぎれもなく伸助だ。それがあかしに、伸助の両手の小指が欠けている。

その伸助が弐蔵を名乗っていた。

つばきに指を見詰められて、弐蔵は火鉢に載せた手を引っ込めた。

「そういやよう、つばき坊よ……」

弐蔵がふっと目を和ませた。

「さっきも言ったが、おめえにいやなことを言われて、おれは本気になっておめえを追っかけたことがある」

手下に向かって、弐蔵がキセルを持つような仕種《しぐさ》を見せた。さきほどまで使っていたキセルは、脂《やに》が詰まって吸いにくいらしい。すかさず、つばきの後ろに控えた若い者が、キセルと煙草盆とを弐蔵の膝元に運んだ。

「たしか梅雨どきだったと思うが……並木町の裏のあぜ道で、逃げるおめえを追い回した。どうでえ、覚えてるかよ」

刻み煙草を詰めながら、上目遣いにつばきを見た。

覚えているもなにも、つばきはまさにそのことを思い返していたところである。

おじちゃんなんか、タコとおんなじ。

十九年前の梅雨の日に、胸のうちで繰り返し叫んだ言葉を、つばきはひとことも間違えずに思い出せた。

しかしそのことは口にせず、黙って弐蔵を見詰め返した。いまなにか口にしたら、厄介ごとをぶり返しそうだと思ったからだ。

返事をしないつばきを見ながら、弐蔵はうまそうに煙草を吹かした。一服吸い終わると、弐蔵は目つきを鋭くした。

昔話を懐かしむような顔が消えて、閻魔堂の弐蔵に戻っていた。

「おめえがここで始めようてえ弁当屋だが、今戸の芳三郎さんは、そのことを知っていなさるのか」

粘り気のある、相手を値踏みするような目つきで、弐蔵が問いかけてきた。

「もちろんお聞かせしました」

つばきは即座に言い切った。

さきほど芳三郎の名を聞いたとき、弐蔵はうろたえた。それをつばきは見ている。

つばきは芳三郎とじかに、深川の商いを話したわけではなかった。が、代貸の源七からは、商い始めの日が決まったらかならず教えろと言われている。

芳三郎に聞かせたというのは、あながち嘘とも言えなかった。

「おめえから聞かされて、芳三郎さんは、なんと言われたんでえ」

弐蔵がさらに突っ込んできた。

渡世人ならではの、隙のない目つきである。迂闊《うかつ》な嘘をつくと、たちどころに見破りそうな鋭さを帯びている。

つばきは、ひといき置いてから口を開いた。

「商い始めの日が決まったら、かならず教えろと言われました」

源七が口にした言葉だが、これも嘘ではない。つばきの言ったことのなかに、弐蔵はまことの匂いをかぎつけたようだ。

恵比須の芳三郎と閻魔堂の弐蔵では、渡世人としての器量も格もまるで異なる。

弐蔵の顔が利くのは、門前仲町界隈に限られている。宿の裏手を流れる仙台堀川を渡れば、そこはすでに別の渡世人の縄張りだった。

恵比須の芳三郎は、江戸の北すべてを仕切る貸元である。大川に架かる吾妻橋を西へ渡ったたもとから北側全部が、芳三郎の配下にあった。

武蔵がまだ伸助を名乗っていたころに仕えた親分、橋場の金蔵も芳三郎には一目置いていた。その金蔵はすでに逝ったが、芳三郎は達者である。しかもいまでもまだ、年ごとに縄張りが広がっている貸元だ。

つばきは芳三郎の力がどれほどのものか、たしかには知らない。

武蔵は知り尽くしていた。

「もう一度訊くが、芳三郎さんは、おめえの商い始めには顔を出されるてえのか」

長火鉢の向こう側から、武蔵が身を乗り出してきた。つばきを見る目が据わっている。

「それは分かりません。日が決まったら教えろと言われただけですから」

「それをおれは訊いてるんだ」

武蔵がさらに身を乗り出した。つばきの顔と五寸（十五センチ）も離れてはいなかった。

「日が決まったらおせえろと言ったんだな」

「はい」

つばきの返事は短いものだった。

武蔵が黙り込んだ。

部屋から物音が消えて、屋根を打つ雨音がはっきりと聞こえた。

「あっちへ行ってろ」

武蔵が手下を部屋から追い払った。

「そこのふすまを閉めてくれ」

若い者は、ふすまを開け放したままで出て行っていた。武蔵を守るための、渡世人の作法である。そのふすまを武蔵は閉めさせた。

「もっと火鉢のそばに寄りねえ」

武蔵に手招きされて、つばきは素直に従った。武蔵の顔つきが引き締まっていた。

「おれたちの稼業じゃあ、相手が意味を取り違えるような、余計な物言いはしねえ。できねえと組のあたまがいやあ、そいつはなにがあってもできねえてえことだ」

武蔵の物言いがまるで違っていた。見下すような色が失せて、つばきを同格の者として話していた。

「今戸の貸元が、商い始めの日をおせえろというのは、愛想で言ったことじゃねえ。おめえの後見に立つということを口にされたんだ。これがなんのことか分かるか」

「分かりません」

つばきは武蔵から目を外さずに答えた。

「今戸の貸元は、かならず店開きには顔を出す。貸元がこれねえときには、でけえ木札を持った代貸を名代《みょうだい》で遣《よこ》されるだろうよ」

「………」

「祝いのためだけじゃねえ。地回り連中に……ここの地回りはおれだが……その店には手出しをするなと触れるのよ。そんなことができるのは、江戸でも芝と浜町と今戸の、三人の貸元だけだ。芳三郎さんは、それだけの大きなひとてえことだ」

口を閉じた弐蔵は、もう一度キセルを手に取った。長火鉢で火をつけると、ふうっと深く吸い込んだ。煙草を吸いながら、あとの言葉を思案しているようだった。

煙がつばきのほうに流れてきた。目に染みたが、手で追い払うこともせずに弐蔵を見続けた。吸い終わった弐蔵は、思案が定まったような目をつばきに戻した。

「おめえはガキの時分から、どこか飛び抜けたところがあったが、今戸の貸元が来られると聞いて合点がいったぜ」

「どういうことですか」

つばきが初めて問いかけた。

「おめえに土地を貸した豊国屋なんぞは、どんだけ身代がでけえと言っても、おれの屁一発で吹っ飛ばせる」

弐蔵が目元を崩すと、凄味が消えた。つばきがこどものころ、小遣いや駄菓子をくれたときの顔と同じに見えた。

つばきも釣り込まれて笑みを浮かべた。

入れ替わるように、弐蔵が顔を引き締めた。

「だがよう、つばき坊……商人《あきんど》てえのは、おれたちが蒼ざめるようなわるさも、平気でやる連中だ。なかでも豊国屋は、したたかなことで通ってる」

「そうですね」

店で見せた振舞いの数々を思い出し、つばきは気のこもった相槌を打った。

「そいつが土地を貸したてえのも、今戸の貸元が後見に立つてえのも、もとはおめえの持つ底知れねえ強さが引き寄せたことだ。これは真似しようにもできねえ、持って生まれた星の強さてえやつよ」

「あたしには分かりません。いままでそんなこと、考えたこともありませんから」

「だったら、たったいまから、そのことをわきまえときな。おれも最初はぺろりと半端な口を利いたが、おめえの弁当屋は当たるだろうよ」

弐蔵は、本気でそう思い始めたようだった。つばきは思わず背筋を伸ばした。

「いずれ今戸のほうから、おれのところに仁義を通してこられるだろうが、おめえの始めるだいこんに手出しはしねえ。しっかりやんねえ」

弐蔵は手を振って、話の終わりだと告げた。

「ありがとうございます」

つばきは礼を言って立ち上がった。

「昔なじみのおめえのことだ。おれで役に立つことがあったら、遠慮はいらねえぜ」

「ありがとう、伸助おじさん……」

「伸助じゃねえ」

弐蔵が口を尖らせたが、目は笑っていた。

「頼むからよう、わけえもんの前だけでも、伸助おじさんはやめてくれ」

「しっかりわきまえておきます」

ふすまを開けて廊下に出ると、玄関わきでさきほどの若い者が張り番をしていた。ひとりで部屋から出たつばきを見て、若い者の顔に戸惑いの色が浮かんだ。

「おい、やっこ」

弐蔵の声を聞くと、若い者がふすまの前に駆け寄った。

「お客さんがけえる。番傘を用意しろ」

「がってんでさ」

つばきがここにきたときには、気持ちのよい五月晴れだった。いまは本降りである。

つばきは組の傘を借りて、普請場への道を戻り始めた。雨脚が強く、地べたで跳ね返った雨が足袋に飛び散っている。

つばきは気にせずに足を運んだ。

さきほど弐蔵から聞かされた、星の強さ云々があたまのなかを駆け回っている。

たしかにあたしには、強い星がついているのかも知れない……。

雨の道を歩きながら、つばきはまた昔を思い返し始めていた。

二十七

明和九（一七七二）年の江戸は、生暖かい風の吹く元旦を迎えた。

「こうぬるくちゃあ、正月らしくねえ」

屠蘇《とそ》を祝いながら、安治がぼそっとつぶやいた。

「そうだけど、あたたかくていいお正月じゃないの。この天気なら、こどもたちも外で遊べるし……」

みのぶの手元に置かれた、雑煮の椀がひとつ増えていた。二年前の明和七年に授かった三人目も、つばき、さくらに続いて女児である。

生まれた季節に合わせて、安治はかえでと名づけた。

「かえでもおもちを食べるから」

数え三歳の正月を迎えたかえでは、すでに達者な口がきけていた。雑煮の餅を焼くのは、九歳になったつばきの役目である。

「さくらはおもち、幾つ食べるの？」

「みっつ」

姉のあとをついて歩くだけだったさくらも、七歳になっている。下に妹ができたことで、さくらは日ごとに自分の考えをはっきり口にするようになっていた。

「ほんとうにみっつも食べられるの？」

火鉢の炭火で焼いている餅を返しながら、つばきがさくらに確かめた。

「あたい、みっつ食べるから」

さくらが強い調子で返事をした。

賭場の借金の元金は三両減っただけで、相変わらず利息の払いに追われている。そんな暮しのなかでも、こども三人は確かな歩みで育っていた。

元旦は、綿入れを脱ぎたくなるほどの陽気で日暮れを迎えた。二日、三日も同じような上天気が続き、こどもたちにはなによりの三が日となった。

七草から寒《かん》がぶり返した。

真冬とも思えない暖かな日が続いたことで、安治は肌着を着ずに、木綿のあわせ一枚で過ごしていた。いきなりの冷え込みに身体がついて行けず、七草の昼過ぎから熱を出した。

十日に伸助が顔を出したときも、安治はまだ寝込んでいた。

「なんでえ、正月早々から」

伸助は羽子板三枚を手にしていた。

「暮れの売れ残りだがよう、こどもにはどうてえことはねえだろう」

伸助がこども三人を手招きした。

安治の床が上げられず、こどもたちは七草以来、部屋の隅で小さく固まって過ごしていた。

お年玉代わりに羽子板をもらった三人は、目をキラキラさせて表に飛び出した。

安治にもみのぶにも、伸助は嬉しい客ではなかった。が、こどもが羽子板をもらった手前、無愛想な顔もしていられない。

土間におりたみのぶは、茶をいれようとしてへっついの種火をかき回した。

「おれのことなら、うっちゃっといてくんねえ。それより安治、ちょいと起きて付き合いねえな」

伸助があごをしゃくった。

まだ熱が下がっておらず、安治は起きるのが億劫だった。それでも起きて身支度を始めたのは、伸助が妙に上機嫌だったからだ。

三日ぶりに表に出た安治は、まだ身体が本調子ではなかった。大川を渡る木枯らしを浴びて、ぶるるっと身体を震わせた。

「でえじょうぶかよ」

寒空の中に自分で引っ張り出しておきながら、伸助は本気で案じている口調だ。

「遠くまで行くのはつれえ」

綿入れの前を閉じ合わせた安治が、愛想なしの声で答えた。

「おめえにもわるい話じゃねえんだ。いやそうな声を出してねえで、その先のうなぎ屋まで付き合いねえ」

安治の物言いに腹を立てることもせず、大川端のうなぎ屋に入った。まだ四ツ半（午前十一時）で、店は開いていなかった。

二間間口の小さな店である。通りに面した土間では、火熾《ひおこ》しをするあるじが、せわしなく団扇《うちわ》を使っていた。

「二階に上がるぜ」

伸助は案内も待たずに、二階座敷に上がり込んだ。顔の利く店らしく、間をおかずに店の女房が顔を出した。

「寒くてしゃあねえからよう、取りあえず熱いのを二本つけてくれ」

「まだ火熾しがすんでいないものですから、うなぎは少々ひまがかかりますが」

愛想笑いを浮かべつつも、女房の目は笑っていなかった。伸助は構わず、白焼きと蒲焼の誂《あつら》えを言いつけた。

湯は沸いていたらしく、燗酒と新香は待たされずに出てきた。

「熱いのがへえりゃあ、身体の震えもおさまるだろうよ」

伸助が安治の盃に注いだ。先に相手に酌をするのは、伸助が上機嫌のときである。

安治は黙って酌を受けた。

手酌でおのれの盃を満たした伸助は、ぐいっとあおって話に入った。

「うちの代貸が身体を壊してよう、組を抜けることになった」

後釜には伸助をと、代貸が名指しした。上機嫌のわけはこれだった。

「これからのおめえをどうするかは、おれの仕切りでどうにでもなる。どうでえ安治、わるい話じゃねえだろうがよ」

どうにでもなるとは言っても、利息が安くなるわけではない。が、雨続きで手間賃の実入りがわるいときには、待ってもらえるかもしれないと安治は思った。

胸のうちを見透かしたように、伸助が笑いかけてきた。

「そのうち折りを見て、親分におれから話してやるぜ」

「話すって、なにを？」

「おめえの借金棒引きに決まってるじゃねえか。たけえ利息を払い続けたんだ、そろそろ帳消しにしてもいいだろうさ」

代貸に名指しをされたのがよほどに嬉しかったらしく、伸助の口が滑らかに動いた。

「ほんとうかよ、それは」

安治が思わず身を乗り出した。が、安治が口にしたことを聞いて、伸助は目つきを鋭く尖らせた。

「渡世人相手に、うたぐるようなことを言うんじゃねえ」

「………」

「おれがやると言ったら、そいつはやるてえことだ。二度とおれに、ほんとうかなどと言うんじゃねえぜ」

いきなり伸助の顔つきが変わるのを、安治は何度も見てきた。このときほどの、凄味のある物言いを聞くのは初めてだった。

「すまねえ。おれがわるかった」

伸助は相手の詫びを受け入れた。それでもしばらくはきつい顔を引きずっていたが、三本目の燗酒が運ばれたときには、元の上機嫌に戻っていた。

「ことによると、今年のおめえは今まで以上に忙しくなるぜ」

出し抜けに言われて、安治はわけが分からなかった。

「うちの親分は滅法な易者好きでよう、正月早々に今年の運気をみてもらったのよ」

伸助が仕える橋場の金蔵は、押上《おしあげ》村の易者を頼りにしていた。骨占いが得手《えて》の易者は、正月三日に牛の骨を焼いて、今年一年の金蔵の運気を占った。

「二月に入ると、方々で大火事が起きると出ておる。夏の終わりには、途方もなく大きな野分が吹く。手を出すなら材木がよろしい」

これが易者の見立てだった。

「親分はすっかりその気でよう。ここ二、三日は、深川を歩き回ってるぜ」

安治が忙しくなるかもしれないというのも、易者の見立てに基づくことだった。

たかが易者のたわごとじゃねえか……。

安治は胸のうちで笑った。が、伸助にそれを言うと、また話がこじれそうな気がした。

「ありがてえ見立てを聞かせてもらった」

安治は当たり障りのない返事をして、伸助の機嫌をとった。

易者は図星を言い当てていた。

二十八

明和九年の二月は、三日に小雨が降っただけで、あとは月末まで晴天が続いた。

冬場は空気が乾いている。そこに雨なし天気が重なり、二月の江戸の町はカラカラに乾いていた。

二月二十九日も朝から晴れた。

加えて寒の戻りがきつく、方々のどぶに氷が張るほどに冷え込んだ。

「唇がカサカサになるぐれえに乾いているからよう。火の用心だけは頼んだぜ」

みのぶとこどもに言い置いて、安治は日本橋駿河町の普請場に出た。

道具箱は、普請場の掘建て小屋にしまってある。みのぶが調えた弁当だけをさげて、安治は御蔵大通りを浅草橋へと向かった。

伸助はうなぎ屋で口にしたことを二月初めから行いに移し、利息の取立てを見合わせ始めた。元金が帳消しになるかどうかは、まだ分からない。しかし利息の取立てがなかったことで、暮らしは大いに楽になった。

カネに追われなくなったみのぶは、毎日の弁当作りに精を出している。梅干の握り飯に佃煮か新香だけだった弁当が、二月中旬からは菜《さい》がかならず三品はつくようになった。握り飯も手が込んでおり、味噌を塗って炭火で炙《あぶ》ったものだったりする。

職人は昼飯がなによりの楽しみである。

日替わりで菜の異なる安治の弁当は、他の職人からうらやましがられた。

この日もみのぶは、朝早くから手の込んだ弁当をこしらえていた。出がけに火の用心を言いつけたのは、へっついと七輪に火が残っていたからだ。

道具箱を担ぐことなく普請場に向かった安治は、五ツ過ぎには駿河町に着いた。

普請は駿河町の瀬戸物問屋、鷹田《たかだ》屋の納戸増築である。晴天続きで仕事がはかどり、段取りよりも三日早く左官が入ることになった。

安治が鷹田屋の納戸に顔を出したときには、左官の親方が待っていた。引き連れてきた手元の三人は、焚き火の支度を始めるところだった。

「おはよう、安治さん。今朝はまたばかに冷えるねえ」

仕事を回してくれる安治に、左官は愛想のいい朝のあいさつをした。

「寒くてやってられねえから、焚き火の支度をさせてたところだ。構わねえかい？」

往来での焚き火はご法度だが、敷地の中は別である。吹きさらしの普請場では、職人たちが暖をとったり湯を沸かしたりする、焚き火は欠かせない。

種火はすでに鷹田屋の女中が運んできていた。火の用心の水桶も、充分な数が用意されている。

足を急がせて並木町から歩いているときは分からなかったが、普請場に着いたいまは、厚手の半纏を突き抜けてくる寒さを感じた。

安治は左官にうなずいた。

「周りには幾らも材木が積んである。くれぐれも火の粉には用心してくれ」

「がってんだ」

先刻承知の左官は、威勢のいい返事をした。

普請場で出る木っ端や枯れ枝、剝がされた壁板などを投げ込んで、焚き火が始まった。

燃やすものには事欠かない普請場である。左官の手元ひとりを番につけて、昼飯まで火が途切れることはなかった。

鷹田屋の庭は百坪を超える広さである。庭木も多く、下男が掃き集めた落ち葉が小山を築いている。

焚き火番は落ち葉も燃やし、宿から持ち込んだ芋を幾つも投げ入れていた。

その芋が、昼飯のころに焼き上がった。普請場の職人たちは、落ち葉の焚き火を囲んで、飯と焼き芋とを楽しんでいた。

乾き切った風が、鷹田屋の庭を吹き渡っている。何枚かの落ち葉が、くすぶりながら風に舞い上げられた。

「芋ばっかり食ってねえで、しっかり見張ってろよ」

左官が焚き火番を叱った。が、枯れ葉に火がついているわけではなく、叱り方ものんびりしていた。

手元の小僧が葉を追って駆け出したとき。

日本橋たもとの半鐘が、間延びした打たれ方で鳴り始めた。

カーン、カーン、カーン……。

この打たれ方だと、火元は相当に遠くだ。

弁当を食べ終わった職人たちが顔を見合わせたが、半鐘の鳴り方を聞いて立ち上がる者はいなかった。

ところが、半鐘はいつまでたっても鳴り止まない。普請場を預かる安治は、様子を見に表通りに出た。鷹田屋の敷地内では事情がつかめなかったからだ。

通りに出ると半鐘の聞こえ方が大きくなったが、鐘は同じ調子で打たれている。通りを行き来する者にも、格別あわてた様子はなかった。

それでも安治は、一月十日に伸助から聞かされた易者の見立てを思い出して、いやな胸騒ぎを覚えた。

すぐさま鷹田屋に取って返した。

「親方、すまねえが焚き火はここまでにしてくれ」

「どうした安さん。火元は遠くだろうに」

昼になっても凍えは相変わらずきつい。焚き火がなくなるのを左官は渋った。

「なんだか、胸のあたりがざわざわして落ち着かねえんだ。おれはひとっ走り半鐘下まで行って、様子をたしかめてくる。親方は、火の始末をしっかり見届けてくれ」

安治の差し迫った物言いを聞いて、左官もすぐさま従った。江戸に暮らす者は、だれもがなにより火事を恐れていた。

ふたたび通りに出た安治は、日本橋たもとまでの三町を、思いっきり駆けた。ひたすら走ることで、あたまのなかで騒いでいる不安を打ち消そうとした。

月末で、そして昼休みのあとである。

大通りは昼飯を終えて動き始めた人や大八車などでごった返していた。しかしそれは、月末にはつき物の込み方である。半鐘が鳴っていても、浮き足だっている様子ではなかった。

半鐘の梯子《はしご》下には、日本橋各町の鳶のかしらが集まっていた。駿河町のかしら東吾郎《とうごろう》を見つけた安治は、近寄ってあたまをさげた。

「なにかありやしたんで？」

鷹田屋の納屋普請を仕切っている安治の顔を、東吾郎は覚えていたようだ。

「様子がよく分からねえんだ」

安治を鳶の群れから引き離し、小声で見当を聞かせた。

「火の見番は、芝の先の麻布《あざぶ》から目黒のあたりじゃねえかと言ってるが、少しずつ煙の勢いが強くなってるらしい」

「燃え広がってるでえことですかい」

東吾郎は苦々しげな顔でうなずいた。

「お店《たな》の旦那には、どう話しやしょう」

「おめえさん、今日も鷹田屋さんかい？」

「その通りでさ」

「あと四半刻ばかり様子見をしようと、いまも話し合ってたところだが……」

東吾郎の物言いは、鳶のかしららしくもない、歯切れのわるいものだった。

それだけ見当がつけにくく、しかも先行きに不安を抱えていたのかもしれない。

「雨なし続きに加えて、いやな風が吹き始めた。もしもいけねえようなら、うちの若いのを使いに出す。それをあんたから旦那に話してくれ」

「がってんだ」

返事は威勢よかったが、安治はさらに不安を覚えた。いっときでも早く東吾郎の見立てを伝えようとして、安治は来たときと同じように目一杯に駆けた。

鷹田屋に戻りつくなり、一番番頭に東吾郎の言伝《ことづて》を伝えた。

「かしらがそう言いなすったのか」

聞き終えた番頭は、安治とともに庭に出た。右手の人差し指を口に含んだあと、濡れた指を突き立てた。風の具合を感じ取ろうとしているのだ。

「北風が強くなっているようだ」

火の見番の見当が当たっているとすれば、火元は麻布から目黒のあたりで、日本橋は風下だった。

番頭と安治とが、ともに憂いを抱えた目を見交わした。その目は、ふたりが同じことを案じていると示していた。

いまから百十五年前の、明暦《めいれき》三（一六五七）年一月十八日に起きた、明暦の大火のことである。

本郷丸山本妙寺から出火したあとは、折りからの風にあおられて、江戸中を焼き尽くした。江戸城の天守閣も本丸御殿も、この火事で焼け落ちた。

火が鎮まったのは、出火から二日後の、二十日朝のことである。

この火事で、江戸の町の大半が焼け落ちた。日本橋も火から逃げることはできず、当時すでにこの地で商いをしていた鷹田屋も、焼け残ったのは蔵ひとつだけだった。

明暦の大火は、番頭にも安治にも、生まれるよりも、遥か前の火事だ。が、見てはいなくても、惨事のほどは多くのひとの口から聞いていた。

鷹田屋差配の番頭も、普請場を預かる安治も、大火事の怖さはわきまえている。

明暦の大火は、真冬一月十八日。

いまは二月二十九日でひと月遅いが、冬には変わりがない。しかも明暦の大火と同じく、雨なしが続いて町は乾き切っていた。

「風がまた強くなっているようだ」

風見をした番頭の顔つきが、一段とこわばっていた。

「うちだけが備えを始めても、どうなるものでもないが、とにかく旦那様にお伝えしてくる。あたしが戻ってくるまで、庭から出ないでいてくれ」

「ことがはっきりするまでは、仕事の手を止めて始末を始めやすが、構いやせんね」

「始末とはどういうことだ」

「仕掛かり途中の柱や板を片付けて、いつでも運び出せる備えを始めるてえことでさ」

番頭からすぐには返事が出なかった。

片付けなど、縁起でもないと思ったのかもしれない。しかし風も半鐘もやんでいない。好都合な成り行きを思い描きたくても、周りの様子は一歩ずつ、わるいほうへと歩んでいるようだった。

「あんたの言うことも分かるが、奉公人たちへの手前もある。ほどほどのところで按配《あんばい》してくれ」

奥に向かう一番番頭の足取りは重たかった。

番頭を見送った安治は、左官と大工を呼び集めた。

「火元は麻布の先らしいが、もしもに備えて始末を始める。仕掛かり途中のままでいいから、とりあえず片付けを始めてくれ」

職人が仕事の手を途中で止めるのは、尋常なことではない。安治は言葉を選んで話したが、職人たちは勝手な思惑をささやき合った。

番頭が戻ってこないうちに、半鐘の鳴り方が変わった。

カンカン、カンカン。

短い二連打を打ち始めた。

壁板を庭の隅に重ねていた大工たちが、動きを止めた。

「火が燃え広がってるんじゃねえか」

「ちげえねえ」

ひそひそとささやき合っていた大工の声が、いまでは周りをはばからなくなっていた。

「いまごろおめえの女房は、しんぺえでしゃがみ込んでるんじゃねえか」

いつもは笑ってすませる軽口だが、いまはだれもが顔を引きつらせた。

「安さんよう……」

大工のひとりが、安治に尖った声をぶつけてきた。

「おれは女房がしんぺえだ。今日はこのままけえらせてもらうぜ」

ひとりが詰め寄ると、残りの職人たちも片付けを捨てた。

「いま番頭さんがここにくる。それまでは、勝手なことは許さねえぜ」

安治が小枝を振って押しとどめた。

「安治さん、番頭さんがきました」

左官の手元が奥のほうを指差した。

一番番頭が、雪駄を引きずるようにして歩いてきた。

そのとき。

半鐘が、短い連打の擂半《すりばん》に変わった。

二十九

日本橋にいる安治は知らなかったが、目黒行人坂《ぎょうにんざか》では凄まじい勢いで火が燃え広がっていた。

出火したのは、二月二十九日の九ツ（正午）過ぎ。鷹田屋の庭で、安治たちが昼飯と、焼き上がった芋を味わっていたころだ。

火元は目黒行人坂の大円寺である。

のちに下手人が捕らえられて、浅草で火刑《ひあぶり》に処せられることになるが、この火事は放火《ひつけ》だった。

高台に建つ大円寺の周りは、多くが田畑でそれほど民家は建ち並んではいなかった。しかも寺の境内は広く、火消しの水にも恵まれていた。

尋常なときであれば、たとえ放火で燃え上がったとしても、寺の僧侶たちで消し止めることができただろう。

ところが江戸中がカラカラに乾いており、それは朱引内《しゅびきうち》（江戸御府内）の外側にある目黒といえども同じだった。

水気の失せた寺の材木は、あっという間に火勢を広げた。

バチバチッと火の粉が弾け飛び、境内の木々に飛び火した。木の多くは、脂をたっぷり含んだ、乾いた松である。

寺が燃えて風が起こった。

風は火の粉を飛ばし、火の粉は松枝の高い所に飛び散った。松のわきには杉も植えられていた。

松よりはるかに背の高い杉も、根元からではなく、てっぺんに近い枝から燃え始めた。目通り（木の直径）四尺（約一メートル三十センチ）、高さ十丈（約三十メートル）の杉が、次々に燃え上がった。

ここに至り、大円寺の僧侶たちには、なすすべがなくなった。寺と木立とが燃え盛るのを、ただ呆然と見ているしかなかった。

わるいことに、大円寺は高台に建っていた。しかも火が強い風を生じさせた。

杉と松は、火の粉を寺の四方に撒き散らした。脂を含んだ火の粉は、運ばれる風のなかでも消えなかった。

出火して四半刻（三十分）も経たぬうちに、大円寺から北の渋谷村と青山、東の白金《しろがね》村、それに西の目黒村や祐天寺に飛び火した。

いずれも御府内である。

大円寺の北に当たる渋谷村から青山にかけては、町家と大名屋敷とが軒を接して建ち並んでいた。

大名屋敷は、どこも数千坪の広大な敷地を持っていたが、町家の多くは長屋である。

火は初めに長屋に襲いかかった。

どの棟も、杉を用いた安普請である。しかも長屋は、軒先がくっつき合うようにして、群れになって建てられている。

ひとたび燃え上がると、天水桶の水や、竜吐水《りゅうどすい》が吐き出す弱い水では、なんの役にも立たなかった。

火は火を呼び集め、風をも味方につけて、先へ先へと進んだ。勢いを食い止める水の邪魔がない火は、進むにつれて凶暴さを増した。

広い大名屋敷は、本来なら火勢を殺《そ》ぐ役目を果たした。が、桁違いの勢いを得ている火は、あっさりと大名屋敷をも餌食《えじき》にした。

東に進む火勢は、高輪、三田、芝田町《しばたまち》、麻布の町々を嘗め尽くしたあと、風に乗って向きを北に変えた。

真っすぐに進めば江戸城である。

城を警護する形で建ち並んだ大名上屋敷の多くは、独自の火消しを備えていた。

家名にかけて火消しに当たる武家たちは、襲いかかる火を見ても、怯むことなく立ち向かった。その姿を見て、町火消しの連中も燃え盛る火のなかに飛び込んで行った。

まだ燃えていない家の屋根に上り、屋根瓦を剥がした。家を壊し、そこで火を食い止めようとして、命がけの火消しに当たった。

が、火は火消しをあざわらうかのように、やすやすと壊した家を乗り越えた。

猛火は、通りを逃げまどう人々にも、炎の舌を伸ばした。

家財道具を抱えて逃げる者を、火の長い腕が鷲づかみにした。

こどもを抱きかかえて逃げる母子。

足の不自由な老婆。

親からはぐれて、泣き叫ぶこども。

弱い者が、次々に絡め取られていった。

荒れ狂う火は、町を根こそぎ食い物にして、さらに勢いを増した。


八ツ半（午後三時）になると、日本橋駿河町にも火の粉が飛んでくるようになった。

そして広い本通りが、人と車で身動きできないほどに埋まっていた。多くは芝や三田、麻布などから逃げてきた者である。

火にあぶられた顔は黒くすすけており、髪はちりちりに焦げている者がほとんどだった。

「早く逃げないと、焼き殺されるぞ」

「手ぶらで逃げねえと、火に追いつかれちまうぜ」

逃げてきた連中は、まだ日本橋を離れようとしない者に、大声で怖さを伝えた。

それを聞いた大店の奉公人たちは、怯えながらも、あるじや番頭の指図に従って、火事の備えに立ち働いていた。

それは鷹田屋でも同じだった。

焦げた臭いを含んだ風が、西のほうから鷹田屋の庭に流れ込んできた。

明暦の大火を知っている鷹田屋は、壁の厚さが一尺五寸もある蔵を三棟構えていた。火はまだ日本橋を襲ってはいないが、奉公人のだれもが、この火事を無事にやりすごせるとは思っていなかった。

「一番蔵には、奥の物をしまうんだ」

声を張り上げて指図しているのは、一番番頭の菊蔵《きくぞう》である。いつもの火事騒ぎなら真っ先に駆けつける町内鳶が、いまはひとりもいなかった。

鳶たちは、世話になっている大店を守るよりも、いまは町を守ることに力と技とを集めていた。

「安さん、おれはけえるぜ」

「おれもけえる」

鷹田屋の奉公人が、蔵に売り物やら家財道具やらをしまい始めたのを見て、大工職人たちは道具箱を肩に担いだ。

「おめえたちは、お施主さんを見捨てようてえのか」

安治はわざと低い声で職人たちに話しかけた。大きな声を出したら、番頭の耳に届きそうだったからだ。

「ばか言ってんじゃねえ」

いつもは安治の指図に従う職人が、血相を変えて嚙み付いた。

「鷹田屋だって、いまは逃げ出す算段の真っ最中だ。ここまで義理を果たしゃあ、御《おん》の字じゃねえか」

「その通りだぜ」

別の職人が道具箱を担いだまま、安治の鼻先にまで詰め寄った。

「いっときでも早くけえって、女房とガキとを連れて逃げるのがおれの仕事だ。残るてえなら、あんたがひとりで残りゃあいい」

「無事に生き延びたら、また逢おうぜ」

職人たちは、てんでに捨て台詞《ぜりふ》を投げつけて鷹田屋から出て行った。残ったのは安治と、左官の親方に手元小僧三人である。

奉公人に指図をしながら様子を見ていた菊蔵が、安治のそばに寄ってきた。

「ここまで手伝ってもらえれば充分だ。あんた方も早く宿に帰ってくれ」

「そいつあ勘弁願いやす」

安治はきっぱりと断った。

「あっしの棟梁は、お施主さんが困ってるのを見捨てる男じゃありやせん。なにができるか分かりやせんが、番頭さんたちが逃げ出すまでは、ここに残らせてもらいやす」

安治の物言いに迷いはなかった。

「気持ちはありがたいが、これは尋常な火事じゃない。それにあんたには、女房もこどももいるだろうが」

「もちろんおりやす」

「だったら、なおさらのこと、すぐにも帰ってあげなさい。ここの始末は、あたしの差配でなんとでもする」

番頭が安治の肩を強く押した。

「番頭さんにご家族は？」

「もちろんいるが、それとこれとは話が別だ。あたしは鷹田屋の奉公人だが、あんた方は違う」

番頭と安治が押し問答をしているとき、鷹田屋のあるじが寄ってきた。

「わきで聞かせてもらったが、菊蔵が申し上げた通りだ」

鷹田屋のあるじは、刺子半纏を着ていた。

「火の手はまぬがれないだろうが、うちは丸ごと焼け落ちたとしても、身代がどうこうなることはない」

騒動の真っ只中だというのに、安治を見るあるじの目は落ち着いていた。

「普請をしなおすときには、あんたの力を借りることになる。そのためにも、ぜひとも無事でいてもらいたい……」

驚いたことに、鷹田屋のあるじが安治にあたまを下げた。

安治は深く一礼してから鷹田屋を出た。

「お互い、無事に乗り切ろうぜ」

「安さんもお達者で」

左官は小僧を連れて、日本橋のほうに歩き出した。その姿を見て、安治は左官の宿を思い出した。

芝口橋たもとの、三十間堀町八丁目。

すでに火はまわり、焼け出された人々が、町を捨て日本橋に向かって逃げ出してきている。

左官の親方は、それを承知で残っていたのか……。

そのことに思い当たった安治は、人込みにまぎれて姿が見えなくなった方向に、深々とあたまを下げた。

その安治に、逃げてくる男がぶつかった。

三十

浅草界隈で最初の半鐘を鳴らしたのは、吾妻橋たもとの火の見やぐらだ。日本橋たもとが打ち始めてから、さほどに間をおかないときだった。

カンカン。カンカン。

吾妻橋の半鐘は、いきなり二連打を打った。日本橋がまだ、間延びした三連打を打っていたときに、である。


半鐘打ちの潮吉《ちょうきち》は、四代続く火消しだ。

二代目は、明暦の火事をいち早く見つけて擂半を鳴らした。

潮吉は二年前に亡くなった父親の音吉《おときち》から、その話を何度も聞かされていた。

「たちのわるい火事は、煙が地べたから湧き上がるように立ち上るもんだ」

音吉は、潮吉がまだ七歳のこども時分から、真冬の火の見やぐらに登らせた。

「白い煙なら、どんだけ多くても、それほどしんぺえはいらねえ。やっけえなのは、ねずみ色と黒とが重なりあったようなやつだ。これを見つけたら、火元が遠くに見えても、二連打を打つんだ」

音吉は煙の見分け方を教えるかたわらで、遠くを見る目を鍛えさせた。非番の日ごとに、潮吉を連れて永代橋に出かけた。

そして品川から上ってくる船を見詰めさせて、積荷や船乗りの数を当てさせた。

三年目には、潮吉の目は父親を超えていた。

十五歳の正月から、潮吉は父親と一緒に火の見を始めた。一年後には、三日に一度はひとりで火の見ができるまでに鍛えられていた。

いまから六年前の明和三（一七六六）年。

今日と同じ二月二十九日の八ツ（午後二時）過ぎに、日本橋堺町から火が出た。

音吉から何度も聞かされてきた、たちのわるい黒煙だった。目を凝らすと、飛び散る火の粉が煙のなかに混じっているのが分かった。

ひといき思案したあと、潮吉は擂半を打った。擂半は火の見やぐらから三町以内が、火の見番の決め事である。

まだ明るいうちに擂半が鳴り響いたことで、吾妻橋から浅草にかけて大騒ぎになった。

「どこでえ、どこでえ」

やぐらの下には近所の人々が群がった。

音吉も宿から駆けつけてきた。

「火元はどこだ」

「日本橋の見当だけど……」

潮吉は父親に立ち上る煙を指差した。

煙は黒さを一段と増していた。が、風は逆に日本橋に向かって吹いていた。

「風が違う」

これだけ言うと、音吉は二連打を打ち鳴らし、集まった人々にあたまを下げた。

潮吉は打ち損じたわけではなかった。

この火事は日本橋を焼き尽くしたあと、浅草橋のたもとにまで火勢を伸ばしたからだ。浅草橋は擂半が許される、ぎりぎりの土地だった。

しかし打つのが早過ぎた。

「もう一度打ち損じたら、四代目だろうが暇を出すぞ」

潮吉を雇っている浅草花川戸町の町役人から、きつく叱りつけられた。

「風が違う」

音吉が口にした短い言葉を、潮吉は肝に銘じた。


あの日から丸六年が過ぎていた。

いままた潮吉は、遠く離れた先で立ち上る煙を見て、二連打を鳴らした。火の見の決めでは、二連打は一里から半里の見当で打つ鐘である。

煙は白金村から目黒だと、潮吉は見当をつけていた。吾妻橋から朱引内の各町までの道のりは、あたまのなかにきちんと入っていた。

白金村でおよそ三里半、朱引の外の目黒なら四里半である。

いずれにしても、二連打を打てる火元ではなかった。

しかし潮吉は、この煙はただごとではないと感じていた。

二代目が見つけたという、明暦の大火に肩を並べる煙だ……。

明暦の大火を知るはずもないのに、潮吉の勘がそれを告げていた。

白い煙はほとんど見えず、ねずみ色と、どす黒い煙が、およそ二里の幅で広がっている。

潮吉は、ときおり見える炎も見逃していなかった。

どえらい火事になる。

もう一度二連打を打ってから、潮吉はやぐらから降りた。そして町役人の詰める会所に駆けつけた。

「いま行こうとしていたところだ」

町役人は、袴の紐を縛る手をとめずに潮吉を見た。

「それで火元はどっちの見当だ」

「白金村から目黒でしょう」

見当を聞いて、町役人が目を尖らせた。

「それがどうして二連打になるんだ」

潮吉を睨みつける目が、また打ち損じをやったのかと咎めていた。

「この火事はただごとではありません。ことによると、明暦の大火を上回ります」

「なんだとう」

町役人は、役目の言葉遣いを忘れていた。

「なにをもって、そんなことが言い切れる」

「煙と風です」

「どういうことだ。もっと分かりやすい言葉で話せ」

「煙の裾野が桁違いに広く、しかも炎が見えました。色が黒いのは、木の脂が燃えているあかしです」

「風はどうした」

「火元から、江戸市中に向かって吹いています。いまはまだ、このあたりでは強くはありませんが、火にあおられると途方もなく強くなります」

潮吉は町役人に袴を脱がせて、火の見やぐらまで引っ張った。

会所まで呼びに行ったわずかの間に、煙の裾野が大きく広がっていた。しかも火元はひとつではなく、七箇所に増えている。

黒い煙の中に見え隠れする炎は、素人目にもはっきりと見えた。

町役人の顔色が変わった。

「どうする、潮吉」

「燃えているのは、大川の西側です。しっかりと火の粉を防げば、大川を渡ることはないと思います」

「浅草の住人を、東に移せということか」

「そうです。それもできる限りに早くです」

町役人は答えを出すのをためらった。

西から東に移すとなれば、大騒動になる。もしもその判断が誤りだとなったら、町役人の御役御免では済まなくなる。

が、いまのうちから東側に移せたら、浅草が火の海となっても、町から死人を出さずに乗り切れる。

きつい判断を迫られて、町役人はあえぐような息遣いになった。

「咎めはおれがかぶります。擂半を打たせてください」

潮吉が詰め寄った。

町役人はまだためらっていたが、尾張町の方角から、かすかに擂半の音が流れてきた。

これで肚が決まったようだった。

「擂半を打て」

「がってんだ」

潮吉の言葉遣いが変わった。

木槌を握る手に血筋が浮かび上がった。

ジャンジャンジャンジャンジャン……。

半鐘がわめき始めた。

三十一

江戸の大半を焼き尽くした目黒行人坂の大火は、浅草まで炎の舌を延ばした。蔵前御蔵の表通りの商家も、火災を免れることはできなかった。しかし運のよいことに、火は並木町の裏店の手前で食いとめられた。

間を流れる小川と、数町歩の田んぼが、火の進路をふさいだからだ。

伸助をタコ呼ばわりして、つばきが逃げた田んぼのあぜ道が、並木町を火事から救った。

三月に入ったあとも、方々の焼け跡からはまだ煙が立ち昇っていた。それをしっかり消し止めたのは、三日のひな祭りに降った雨だった。

花を咲かせていた桃の木の多くは、炎で焼き焦がされた。それでも境内の片隅に、数本の桃が無傷で残っている神社もあった。

三日に降った雨は、その桃の花を濡らした。垂れ落ちる雨のしずくは、あたかも桃の花が流すなみだのようだった。

四日は前日の雨が消えて、朝から晴れた。焼け跡に差す陽光は、初夏を思わせる汗ばむようなあたたかさを連れてきた。

火事のあとの雨で気分が滅入っていた連中も、日差しを身体に浴びて元気を取り戻した。

「米が届いたぞう」

御蔵通りに、車力《しゃりき》の大声が響き渡った。車のわきには、並木町の五人組が顔をそろえている。一番年若い肝煎《きもいり》が、口に両手をあてて米が届いたことを知らせた。

触れを耳にした長屋暮らしの連中が、通りに集まってきた。

「今日から十日の間、うちの町内に毎日、三俵（十二斗）の米が御上より御布施米として下されることになった」

五人組の長老格、雷御門のせんべい屋田中屋金兵衛が、集まった面々に告げた。

「今日のところは米を配るが、明日からはここで炊出《たきだ》しをこしらえる。手のあいている者は、明日の四ツ（午前十時）にここに集まってくれ」

米を運んできた車力が俵を開き、一升ですりきりに量った米を配り始めた。

つばきはさくらと一緒に通りにいた。

並木町の長屋は、板葺きの屋根を焦がしたぐらいで、火の襲来から逃げられていた。焦げて穴のあいた屋根は、大工の安治が修繕した。手早く直していたことで、きのうの雨もやり過ごすことができていた。

「こぼさないように、両手で持って」

米の入った鍋は、さくらが自分で持つといってきかなかった。つばきはなにかあったら手を添えようと、身構えながら長屋に戻った。

つばきとさくらが長屋に戻ったとき、かえではみのぶの水仕事を手伝っていた。

「お米を一升もらってきた」

ひとりで運んできたさくらが、晴れがましげな声で母親に告げた。

「それはご苦労さま」

火事騒ぎからあと、みのぶはすこぶる機嫌がよかった。

伸助が橋場を離れたからである。


行人坂の火事で、伸助が仕える橋場の金蔵が焼け出された。すでに歳だった金蔵は、火事に遭って気力を失っていた。

三月一日の夜、まだ浅草各町の焼け跡がくすぶっているとき、伸助がたずねてきた。

「親分が隠居するてえんだ」

大川端に安治を引っ張り出したあと、目元をけわしくした伸助が暗い声で話し始めた。

「買い漁っていた材木が、今度の火事で、すっかりやられちまったんだ」

伸助の口調は、おのれの材木が消え失せたかのように沈んでいた。

正月三日の易断を信じた橋場の金蔵は、気心の通じた材木商に言いつけて、杉の丸太を買い集めさせた。金蔵が心安かったのは木場の材木商だったが、あいにく品がなかった。

「京橋なら杉が得手だと思うがね」

金蔵は京橋の『杉柾《すぎまさ》』に顔つなぎされた。

「二月早々に、熊野から船三杯の杉が入ります。それで間に合うならお渡ししましょう」

いますぐに入り用なわけではない金蔵には、異存はなかった。廻漕賃込みで、目通り一尺・長さ二十尺の杉を一本十両ということで商談がまとまった。

金蔵は杉を五十本仕入れた。五百両の買い物である。

「市中の木が足りなくなれば、すぐに倍の値がつきます。とりわけ、使いやすい杉は人気がありますから」

材木屋は、得な買い物だと声を高くした。

約定通り、二月七日に材木が届いた。しかし金蔵には、五十本もの丸太を置く場所の心当たりがなかった。

「賃料をいただければ、うちの置き場に積み上げてもよろしいが」

材木屋の申し出に、金蔵は渡りに船と乗った。一本の預かり賃が月に一朱。五十本だとひと月あたり三両二朱の高い借り賃になる。

しかしほかに場所の手当てができない金蔵は、言い値を呑むしかなかった。

「いつまでも、置いておくわけじゃないでしょう。それに卸値の一本十両でよければ、いつでもうちが買い戻します」

杉柾は買戻しを請合った。

借り賃の三両二朱は、材木屋に払う利息のようなものだ。材木代が五百両で、借り賃が月に三両二朱。賭場の利息一割に比べれば、十分の一以下の安さである。

そう胸算用した金蔵は、五月末まで借りることにした。

「盗まれたり、大雨で置き場から流されたりしたときは、杉柾が責めを負います。火事で燃えたときは、一切償いはいたしません」

金蔵が預かり賃を呑んだあと、杉柾は口であらましを聞かせてから書付を示した。

火事には責めを負わないのは、材木によらず江戸の商いの慣わしである。金蔵は格別の文句もつけずに印形を押した。

五百両の材木代と、九両一分二朱の預かり賃を先払いしたのが二月十日である。

それからひと月も経ないうちに、目黒から火が出た。京橋は町ぐるみ丸焼けになった。

杉柾材木置き場の丸太も、すべてが焼けた。

「この歳になってこんな目に遭ったのも、稼業がら、ひとの恨みを買ってきたからだろう。今日限り組を畳むから、おまえたちも達者に暮らしてくれ」

金蔵は手元に残ったカネのなかから、三両を伸助に手渡した。

「安治への貸し金は帳消しだ」

金蔵はすっかり老け込んだ顔で、伸助に言い渡した。

「おれは、代貸に座れるてえ夢が、あとかたもなしに吹っ飛んだ」

言ってから、暗い粘りつくような目を安治に向けた。

「あの火事で焼け残ったおめえには、こんどのことが福の神てえことだな」

伸助は唐桟の襟元を合わせて立ち上がった。

「このさきどうなるかは分からねえが、へこたれやしねえ。おめえも達者でやんねえ」

伸助は振り返りもせずに、まだ煙が立ち昇っている蔵前の焼け跡へと歩き去った。

「明日の四ツから、御蔵の通りで炊出しが始まるって。おっかさん、炊出しってなんのことなの？」

つばきは母親に、肝煎が口にしたことの意味を問いかけた。

「おにぎりなんかを作って、困っているひとにあげるのよ。おっかさん、あしたっから手伝いに行くから」

とぼしい家財道具しかないが、安治の宿は無傷で焼け残った。そのことをみのぶはありがたく受け止めていた。それに加えて、暮らしを押しつぶしていた賭場の借金が帳消しになったのだ。

気持ちにゆとりができたみのぶは、町のひとの手伝いがしたいと思っていた。炊出しは、みのぶが得手とするところだ。

蕎麦屋の手伝いのときでも、店のあるじはみのぶの気働きを高く買っていた。店をやめたのは、働きぶりがわるかったのではなく、つわりがひどくて、蕎麦の香りに耐えられなかったからである。

「あたいも一緒に行く」

みのぶが手伝うと聞いて、すかさずつばきが応じた。

「そうねえ……おまえの歳なら、手伝えることがありそうだものね」

みのぶが娘に笑いかけた。

「あたいもおねえちゃんと行きたい」

七歳になったさくらが、みのぶの手にしがみついた。

「おまえには、まだ無理よ」

「あたいだって、手伝えるもん」

さくらがひかない。往生したみのぶは、通りでもらってきた玄米を素焼きの大鉢にあけた。そしてすりこぎをさくらに手渡した。

「おまえがちゃんとお米を搗くことができたら、一緒に連れてってあげるから」

さくらに搗き米を言いつけた。

玄米から糠《ぬか》と胚《はい》をとり除いて白米にするのが、搗き米である。玄米を糠のついたままで炊くと、茶色く汚れたような色になる。見た目がわるいだけではなく、味もよくない。

そのため、玄米を臼《うす》に入れて杵《きね》で搗いた。いつもなら、表通りの搗き米屋に頼むことだが、火事騒ぎで店が閉まったままである。それよりなにより、布施米を搗いてもらうのは気がひけた。

「おこめをつくって、どうすればいいの」

さくらはすっかりその気だが、米の搗き方が分からない。いままで一度もやったことがなかった。

「おねえちゃんに貸してごらん」

妹からすりこぎを受け取ったつばきは、器用な手つきで米を搗き始めた。

「あんまり強く搗いたら、おこめと鉢が割れるから、気をつけてね」

こっくりうなずいたさくらは、こわごわの手つきですりこぎを動かし始めた。

米搗きの音は、日暮れになってもやまなかった。

三十二

御蔵の大通りには、町内鳶の手で一夜のうちに賄い所が拵《こしら》えられていた。

葦簾《よしず》張りの掘建て小屋だが、炊き口が三つある大きなへっついが、三基も据え付けられている。流しがふたつに、二荷《か》入りの水がめが四つ運び込まれていた。

つばき・さくら・かえでの三人を連れて、みのぶが賄い所に顔を出したときには、すでにへつついでは勢いよく薪が燃えていた。

「うちも手伝わせてください」

みのぶがあたまをさげると、こども三人がそれに続いた。

「いいねえ、つばきちゃんたちも手伝ってくれるのかい？」

肝煎役のひとり、船宿『おり田』の女房おしまが笑いかけた。吾妻橋たもとのおり田には、つばきたちは月に何度も遊びに行っていた。こどものいないおしまは、三人が連れ立って船着場で遊んでいると、招き寄せて駄菓子をくれたりした。

おしまになついているつばきたちは、ぺこりと辞儀をした。

「だったら三人とも、あたしと一緒にお米を洗いに行こうかねえ」

つばきには、三升の米が入ったザルを持たせた。さくらが二升、かえでも一人前にザルを手にして続いた。

おしまが連れて行ったのは、大通りに面した酒屋、遠州屋の焼け跡だった。造り酒屋ではないが、遠州屋には大きな井戸があった。おしまは、台所だった焼け跡にこどもたちを連れて行き、井戸端にしゃがみ込んだ。

丸焼けになった台所には、流しもなかった。しかし井戸だけは残っていた。焦げたふたを取り除いたおしまは、竹棹のさきについた桶を井戸に落として水を汲み上げた。

一丈半（約四メートル半）ほど地べたから掘られた井戸は、大火事のあとでもきれいな水のままだった。

「おまえたちに、上手なお米のとぎかたを教えてあげるから。ようく見ているんだよ」

汲み上げた水で、おしまが米をとぎ始めた。

「大事なことは、汚れた水をお米に吸わせないこと。そのためには、少しの水で、手早く糠を洗い流すんだよ」

おしまは釜のなかで、シャキシャキと音をさせて米を洗った。こども三人が、おしまを取り囲んだ。

みのぶが米を洗うさまを、つばきたちはわきで見たことがない。流しが土間から高過ぎたし、みのぶひとりで一杯の大きさしかなかった。

つばきは食い入るような目で、おしまの手元を見詰めた。

「濁りが薄くなるまでは水を替えて、手早く洗うんだよ。手のひらの腹を使って、揉み込むようにとぐのがコツだからね」

おしまが示すとぎかたと、それにまつわる話を、つばきはぴたりとわきにくっついて覚えようとした。

おしまは、つばきの振舞いに気をよくしたらしい。賄い所に戻ったあとも、米の炊き方と蒸らし方を、つきっきりでつばきに教えた。

長屋の狭い台所とは異なり、賄い所の勝手場は使いやすい。三月五日に教わり始めたつばきは、十日にはひとりで飯炊きができていた。

「ねえちょっと……このごはん、つばきちゃんがひとりで炊いたのかい？」

炊き上がった飯を大きな飯台に移しながら、おかねが驚き声をあげた。おかねは吾妻橋西詰で、小料理屋を切り盛りする女あるじだ。

「どう、おかねさん……つばきちゃんの腕は、大したもんでしょう」

師匠役のおしまが弾んだ声で応じた。

「大したどころか、四十年も飯炊きをやっているあたしより上手だよ」

おかねは心底から感心していた。

炊き上がった飯をひと口食べて、みのぶはおかね以上に驚いた。

布施米は、さほどに上質の米ではなかった。手伝いに出ていた蕎麦屋の米に比べれば、はるかに質の落ちた米である。急ぎ仕事の米搗きで、糠もたっぷりこびりついていた。

その米を使っているのに、つばきの飯はだれよりも上手に炊き上がっていた。

水加減がよくて、飯にはほどよい固さがあった。しかも上手に蒸らされており、質のよくない米にもかかわらず、嚙むと上品な甘味まで味わうことができた。

「こんだけおいしく炊けるんなら、飯炊きはつばきちゃんに任せようかねえ」

おかねは、真顔でそれを口にしていた。

三月十一日は、炊く米が五割増になった。

「橋を渡ったさきの火の見番小屋に、おにぎりを百個届けるからさ。つばきちゃん、頼んだよ」

賄い所の女房連中に言われて、つばきはしっかりとうなずいた。

妹ふたりに手伝わせて、つばきは五升の米をといだ。日ごとに暖かさが増しており、水仕事が苦にならない。さくらとかえでには、井戸水の汲み上げを言いつけた。

棹の長さは二丈（約六メートル）ある。それを、七歳と三歳のこどもが扱うのは難儀だ。しかしさくらもかえでも、いやな顔を見せずに手伝った。

五升の米が、九ツ（正午）には炊き上がった。あとは握り飯づくりである。瓶《かめ》から取り出した梅干のタネを、こども三人が取り除いた。実だけになった梅干を、女房連中が手際よく握る。

四半刻（三十分）ほどで、百個の握り飯ができあがった。

「番小屋まで届けるけど、つばきちゃんも一緒に行くかい？」

おしまに問われて、つばきは大きくうなずいた。火の見番の潮吉に、つばきは会いたくてたまらなかったからだ。

二月二十九日の大火事のおり、潮吉はまだ火が見えないときに擂半を打った。この鐘で、浅草の多くのひとの命が助かった。

近々、潮吉には御上《おかみ》から褒美がくだされるらしいと、土地の連中がうわさを交わした。それはつばきも耳にしていた。

人助けをした潮吉さんに会ってみたい。

こどもながらに、つばきはそれを望んでいた。番小屋に握り飯を届ければ、その潮吉に会えるかもしれない。おしまに誘われて、つばきは胸を膨らませた。

水汲みでくたびれたらしく、さくらとかえでは一緒に行くとは言わなかった。

百個の握り飯が、三台の岡持《おかもち》に分けて納められた。二台をおしまが両手にさげ、残りをつばきが持った。大きな握り飯が三十個入った岡持は、片手で持つには重過ぎた。

つばきは両手で抱えて、おしまのあとを追った。長さ七十六間（約百三十七メートル）の吾妻橋は、真ん中が大きく盛り上がっている。

いつだか野分の日に、風に吹き飛ばされたつばきは、橋から転げ落ちそうになった。

渡りながらそれを思い出したことで、岡持を取り落とさないようにと、しっかり持ち直そうとした。九歳のつばきには、歩きながらそれをやるには岡持が重過ぎた。

身体を動かした拍子に、橋板に下駄の歯を取られた。岡持を落とさないようにと、懸命に抱え込んでいるつばきは、調子が取れずに前のめりに倒れた。

それでも岡持は放さなかった。

倒れた拍子に、岡持の取っ手に胸のあたりを強くぶつけた。そのまま、取っ手の上に身体を突《つ》っ伏《ぷ》した。

おしまは気づかずに、さきを歩いている。つばきは息ができないまま、岡持におおいかぶさって倒れていた。

「おい、でえじょうぶか」

橋の反対側から、半纏姿の若い男が駆け寄ってきた。つばきを抱えあげると、背中をトントンと叩いてから、やさしく撫でた。

詰まっていた息を吐き出して、つばきが正気に返った。

「おにいちゃん、ありがとう」

「いいてえことよ。もう平気かよ？」

「うん……だいじょうぶ」

胸のあたりをさすりながら、つばきが笑顔を拵えた。橋の途中に岡持を置いたおしまが、慌てふためいて駆け寄ってきた。

「どうしたの、つばきちゃん。なにをされたのよ」

気が動転したらしく、おしまは半纏姿の男を睨みつけた。

「おばちゃん、違うって。このおにいちゃんが、あたいの背中を叩いてくれたの」

つばきの話を聞いて、おしまが男に詫びた。男は気持ちのいい笑顔で、おしまの勘違いを水に流した。

「えらく重たそうな岡持だが、どこまで持って行くんでえ」

男がつばきに問いかけた。答えたのはおしまだった。

「なんでえ。そいつあ、おれっちの番小屋じゃねえか」

「えっ？」

おしまが半開きになった口に手をあてた。

「おれは番小屋の潮吉てえもんだ」

潮吉が半纏の背中を見せた。『吾妻橋』の大きな文字が、ねずみ色の半纏に白く染め抜かれていた。

「ことによると昼に届くてえ握り飯を、ねえさんたちが運んでくれてるのかい？」

若い男に、ねえさんと呼びかけられて、船宿の女房が顔を赤らめた。

会いたかった潮吉を身近に見たつばきが、顔いっぱいに笑いを浮かべた。もう胸をさすってはいなかった。

「だったら、この子の岡持はおいらに運ばせてくんねえ」

言うなり、潮吉が岡持を手にした。

この子……。

こども呼ばわりされて、つばきの笑いが引っ込んだ。

おしまも潮吉も、それには気づかずに歩き始めた。つばきは少し離れて、ふたりのあとについていた。

三十三

握り飯を届けた翌日から、九歳のつばきは火の見番小屋の賄いに入った。火の見番がしらの徳三が、並木町肝煎に申し入れをしてのことである。

「こんなに美味い飯が炊ける子なら、ぜひとも番小屋の食当《しょくとう》を任せたい。なんとか聞き入れてもらえまいか」

火の見番は、季節の寒暖も晴雨も問わず、しかも夜に入っても、やぐらを下りることができない。楽しみといえば、番小屋でたらふく食べる飯だった。

真冬は身体をあたためるために、多少の酒は大目に見た。しかしせいぜいが五勺《しゃく》どまりだ。

火の見当番に立つ一刻前には、酒が抜けていることが定めである。

酒くさい息のままやぐらを登ろうとした者は、わけの如何《いかん》を問わずに暇を出された。それほどに、火の見番に課せられた定めはきびしかった。

酒の代わりに、飯は四六時中、温かいものが調えられた。

真冬はうどんである。

ネギをたっぷり刻み、一味唐辛子をふりかけたうどんは、身体の芯から温めてくれた。

握り飯は、火の見番に底力をつけた。

ほどよく塩を利かせて、なかに梅干の入った握り飯は、きつい仕事の火の見番にはなにより
の力のみなもとだった。

番小屋には、大きなへっついが二基据え付けられており、かまどの種火が絶えることがない。

そのための、かまど番を交代で受け持っていた。

飯炊きも、番小屋の男衆が担った。仲間内では飯炊きを『食当』と呼んだ。

「なんでえ、この水っぽい飯はよう」

「うどんのつゆが薄すぎらあ」

元々が気の荒い連中の集まりである。飯がまずいと、遠慮のない怒鳴り声が食当にぶつけら
れた。

かしらのほか、火の見番は十八人。その面々が六人ずつ三交代で火の見番についた。

寒さに強いこと。

夜目遠目が利くこと。

このふたつは、火の見番に欠かせない。それに加えて、飯炊き炊事に長けていることが求め
られた。

いまの吾妻橋火の見番小屋には、料理人顔負けの炊事上手が何人もいる。潮吉もうどん作り
には、特有の味付けの腕を持っていた。

しかし、つばきが炊いた飯は、そんなうるさい連中をも黙らせた。徳三が並木町に申し入れしたのは、握り飯を口にした全員が強く望んだからである。

「あんたらの気持ちは分かるが、つばき坊はまだ九歳だ。日に三升の賄いをさせるのはきついだろうよ」

肝煎は首を縦には振らなかった。

「あたしが一緒に出かけますから」

みのぶが助け船を出した。

「つばきと一緒に、あたしも賄い所で炊事をします。それなら構いませんね?」

母親が一緒という取り決めで、つばきの賄い所通いが決まった。

「てえしたもんじゃねえか」

話を聞かされた安治は、つばきを見て目を細めた。

「おれたち職人も、飯はなによりの楽しみだ。火の見の連中は、おれと比べても身体のいじめ方が桁違いだ。せいぜい、美味《うま》い飯を食わせてやんねえ」

安治は大喜びして、つばきとみのぶの手伝いを許した。番小屋に出ることが決まった日から、つばきは家でも飯炊きを受け持った。

番小屋の米は、房州の農家からじかに運び込む上物だった。しかも俵には、きれいに搗かれた白米が詰められていた。かしらの徳三は、賄いの費えを惜しまなかった。

肝煎は日に三升といったが、つばきは一日に四升の飯を炊いた。当番の連中は、うまいうまいと、それまでよりも二割方、飯を多く食べたからである。

一俵四斗の米が、十日でなくなった。

つばきが炊く飯の評判を聞きつけて、よその町の火の見番が吾妻橋に顔を出すようになった。

「めえったぜ。こんなガキ……すまねえ、九つのこどもが、これほどうめえ飯を炊くとはよう……」

背中に彫り物をした荒っぽい男たちが、握り飯を食いたいばかりに、用もないのに番小屋をたずねてきた。

火消しと火の見番は、なににも増して見栄を大事にした。よその町から客がくるのも、番小屋の見栄のひとつだ。客が増えたことを、かしらの徳三は大いに喜んだ。

通い始めて十日が過ぎたとき、徳三はみのぶを番小屋の裏手に呼んだ。三月下旬で、大川端の桜はすっかり葉桜になっていた。

「おめえさんたちがきてくれて、おれも目一杯にいい顔ができてる。少しばかりだが、納めてくんねえ」

徳三は一分金二枚をみのぶに握らせた。銭に直せば、二千五百文の大金である。

「つばき坊に、着るものでも買ってやってくんねえな」

みのぶは膝にあたまがくっつくほどに辞儀をした。徳三が手を振って、みのぶのあたまを上げさせた。

「四月からは、あんたとつばき坊の出づらを、ふたり合わせて銀五匁てえことにさせてくれ。さほどにたけえわけじゃねえが、賄いの給金としちゃあ、わるくもねえだろう」

「わるくもないなんて、とんでもありません。ありがたいことです」

賄いの仕事には休みがない。盆正月を含めて、番小屋が閉じられることはないからだ。

しかし休みなしでは、つばきの身体が持たないからということで、五日に一度、月に六日の休みを徳三は認めた。

二十二日働けば、ふたり合わせて銀百十匁が月の給金である。金に直せば、一両三分二朱。女とこどもの稼ぎとしては、夢のような大金だった。

賭場への払いがなくなったいまは、暮らしの費えは安治の稼ぎで充分にまかなえた。二カ月に一度は、こども三人に古着を買ってやることもできる。

さらに、二両近い稼ぎが加わるのだ。

その夜、こどもが眠ったあとで、みのぶは安治に昼間の次第を話した。

「こどもとおめえに、銀で五匁の出づらかよ……よっぽど気に入ったてえことだぜ」

みのぶが祝儀でもらった、一分金二枚を手のひらに転がしながら、安治が大きなため息をついた。

安治の出づらは日に一貫文。通い大工の手間賃としては、周りにだれもいない破格の高値である。しかし、みのぶとつばきは、ふたりがかりとは言いながらも、安治の半分近い手間賃をもらうことになった。

そのうえ、みのぶたちはお天気次第で仕事休みになることがない。雨が続く梅雨どきになれば、安治の稼ぎを上回ることも大いにありそうだ。それを思っての、ため息だったのだろう。

安治の様子を見ていたみのぶが、口元を引き締めて膝を詰めた。

「なんでえ、おっかねえつらして」

「つばきのことで相談があるのよ」

「そんなに思い詰めたようなつらあしねえで、もっと気楽に話せねえのかよ」

安治がおのれの膝をあとへとずらした。が、狭い宿である。すぐ後ろが壁だった。

「つばきが大きくなったら、飯屋を開かせてやりたいの。火の見番のかしらから給金を聞かされたあと、日に五匁の給金は、つばきがいるから稼げるおカネだって、あたしは心底からそう思ったのよ」

みのぶが真正面から安治を見詰めている。いままでにない振舞いを見せられて、安治は言葉がうまく出なかった。

「あの子は、ごはん炊きが上手なだけじゃないのよ。賄い所に通い始めてまだ十日ぐらいなのに、十六人みんなの名前を、すっかりそらんじているの」

「それだけじゃないわよ。お茶の熱いのが好きか、ぬるいのがいいかも、ひとりずつ覚えているし、おにぎりの塩加減もひとりずつの好みをちゃんとわきまえてる」

みのぶは、おのれに言い聞かせるかのように、話しながら何度もうなずいた。

「ごはん炊きも客あしらいも、あの子はひとにないものを持って生まれてきているのよ。それがあるから、日に五匁の銀をいただける。あたしは今日、それをはっきりと思い知ったの」

毎月の稼ぎを、手付かずで蓄えたいと安治に伝えた。

「一年蓄えれば、二十二両二分になるわ。つばきがこのさきもずっと雇ってもらえたとしたら、十七になったときには百八十両の蓄えができるのよ」

「ずいぶん、すらすら出るじゃねえか」

「今日一日、何度も勘定してみたから」

話し始めてから、みのぶが初めて笑顔を見せた。

「それだけの元手があれば、そこそこのお店が持てるでしょう？」

「そうだなあ……」

問われた安治が思案顔になった。

「場所にぜいたくなことを言わなけりゃあ、百八十両もあれば、二階家を居抜きで買えるかもしれねえ」

「そいつあ、てえしたもんだ」

「場所は並木町がいいわ。よそはいやよ」

まだ元手もなく、決まってもいない話だというのに、みのぶは並木町だと言い張った。

「あの子が始める飯屋には、火の見番小屋のみんなが、きっとお馴染みさんになってくれるんだから……知らない土地でお店を始めても、うまく行きっこないじゃないの」

つばきが飯屋を始めるものだと、みのぶはすっかり思い込んでいる。

昼間の疲れが出てきたのか、話の途中で安治は居眠りを始めた。亭主の様子には構わず、みのぶはひたすら胸算用を続けているようだった。

三十四

潮吉に褒美が下されるといううわさは、本当のこととなった。

明和九年四月三日、朝四ツ。

吾妻橋火の見番小屋を差配する竹町の肝煎五人が、月番の南町奉行所定町廻同心を番小屋に案内してきた。

肝煎五人は、いずれも肩衣《かたぎぬ》をつけた半裃《はんがみしも》に切袴《きりばかま》の礼装である。腰には肝煎に許された脇差が差されていた。

定町廻同心は、本来であれば羽織に着流し、雪駄履きが務めの身なりだ。しかしこの朝は小者三人を従えており、肝煎同様、肩衣に半裃、切袴姿である。

同心の身なりが堅苦しいのは、奉行の名代として潮吉に褒美を授けにきたからだ。

江戸を焼き尽くした行人坂の火事も、大川を越えることはなく、西岸で止まった。竹町は大川の東岸で、火事の被害を免れていた。そして肝煎五人は、いずれも土地の大店のあるじである。

火事に遭わなかった肝煎たちは、滅多に着ることのない半裃を、誇らしげに着込んでいた。カネにあかせて拵えた半裃に肩衣、切袴は、同心の着たお仕着せのような礼服とは、生地も仕立ても違っていた。

番小屋の前では、徳三と並んで潮吉が同心の到着を待っていた。まだ二十一歳の潮吉は、かしこまった場には慣れていない。役人到着の四半刻前から背筋を張って立っていた。

しかし長く続く姿勢ではなかった。

待ちくたびれて膝が曲がり、上体が揺れた。その都度、わきの徳三からきつい目で睨まれた。そんなことを何度も繰り返していたら、ようやく肝煎があらわれた。

潮吉の背筋が真っすぐになった。

背丈は五尺四寸（約百六十四センチ）、目方十六貫（六十キロ）の潮吉だが、袖に赤筋の通った『かしら半纏』を着ている姿は、背丈を五寸は大きく見せた。

肝煎五人のあとから、同心がゆっくりした足取りで潮吉の前に出てきた。同心を見て、徳三がこうべを垂れた。潮吉も同じように、立ったまま顔を伏せた。

潮吉から一尺離れた場所で立ち止まった同心は、挟箱《はさみばこ》を担いだ従者を呼び寄せた。小者が箱を開き、文箱《ふばこ》を取り出した。

『南町奉行所公用箱』

黒漆仕上げの文箱に書かれた金文字を目にして、肝煎五人が急ぎあたまを下げた。

「吾妻橋火の見番所番人、潮吉。同番人がしら徳三。おもてをあげましょう」

従者の触れで、徳三と潮吉が息を合わせて顔を上げた。

同心が巻物を読み始めた。

小屋の土間から、つばきは様子の一部始終を見ていた。九歳の女の子なりの想いで、つばきは潮吉に憬《あこが》れていた。

いつもの潮吉は、ねずみ色の半纏に紺の股引で、わらじ履きである。いま、つばきの先に立っている潮吉は、赤筋の入った紺色の半纏を着ており、股引は離れた場所から見ても真っ新《さら》なのが分かった。

履物は鹿皮の鼻緒をすげた雪駄で、紺足袋を履いている。

いつもとまるで違う潮吉の後姿を、つばきは目を見開いて見ていた。

同心が巻紙を開き、口上を読み始めた。

むずかしい言葉が連なっており、つばきには同心の言うことがほとんど分からなかった。

「多くの人命を救いたる行いに、奉行は深く感銘を受け……」

かんめいが、なんのことか分からなかった。が、誉め言葉だとつばきは思った。

潮吉にいちゃんが、お奉行様から誉められている……。

名代という仕来《しきた》りを呑み込めていないつばきは、同心を奉行だと思い込んで見ていた。

おにいちゃんのほうが、お奉行様よりも、ずうっと様子がいいんだから。

胸のうちで自慢をしていた。

同心が奉行から下される褒美の目録を読み上げ始めた。ここに至ったところで、つばきは賄い所に引き返した。

番小屋の細長い卓には、竹町の仕出し屋から届けられた、祝い膳が並べられていた。

形の揃った鯛の尾かしらつきが、銘々の膳に載っている。ピンと跳ね上がった鯛の尾が、威勢のよさをあらわしていた。

膳は、合わせて二十六並べられていた。

かしらと番人で十九。五人組を加えて二十四。まだふたつの膳が余っている。

ひょっとしたら、あたいとおっかさんの分かもしれない……。

つばきは勝手なことを思って、胸を膨らませた。

祝い膳には赤飯が付き物だが、かしらの徳三はそれを断っていた。代わりにつばきが炊いた飯を供することに決めていた。

二日前にそれを聞かされたつばきは、なんともいえない晴れがましさを覚えた。そして、なにか趣向が凝らせないかと、こどもなりに知恵をめぐらせた。

行きついたのが、桜飯《さくらめし》だった。

つばきは今年の一月に、安治と出かけた浅草寺裏の飯屋で、桜飯を食べた。醤油と酒とを按配よく混ぜて炊き上げた桜飯の美味さを、つばきはいまでも覚えていた。

「潮吉にいちゃんのお祝いの日に、あたいは桜飯をこしらえたい」

みのぶにいい趣向だといわれたあとは、家で何度も桜飯を試した。そしてこれが一番という按配を、探り当てていた。

桜飯を祝い膳に出すことは、みのぶとふたりだけの内証《ないしょ》ごとだった。その支度はすでにできており、これからかまどにかけるところである。

釜をへっついに載せたつばきは、いつも以上に火加減を気遣った。ころあいを見て、薪を加えた。炎が大きくなり、釜がごとごとと音を立て始めた。

重たい木のふたを押しのけるようにして、勢いよく湯気が噴出し始めたとき。

褒美の儀式を終えた面々が、小屋の土間に戻ってきた。

「えらく美味《うま》そうなにおいじゃねえか」

潮吉がつばきのそばに寄ってきた。

すぐ近くに潮吉を感じて、つばきの動悸が早くなった。が、いまが火加減のもっとも大事なところである。

潮吉に話しかけられても、つばきはろくに返事ができなかった。

「すまねえ、邪魔したぜ」

潮吉が離れて行った。

つばきは悲しくなった。しかし美味い桜飯を食べてもらうのが大事だと思い直し、かまどの火を見詰める目に力をこめた。

同心を見送りに出ていた肝煎五人が戻ったところで、祝いの宴席が始まった。

「大したことはできないが、奉行様から褒美を授かった、めでたい日だ。当番じゃない者は、今日だけは好きなだけ酒をやってくれ」

肝煎の口上が終わるなり、徳利と盃がせわしなく行き交い始めた。酒は灘の下り酒である。

方々から「うめえ」の声が上がった。

宴席が始まってさほど間をおかずに、桜飯が炊き上がった。

「ごはんの支度ができましたが、いかがいたしましょうか」

みのぶが徳三に問いかけた。

「つばき坊の炊き立てを食いたくて、赤飯を断ったんだ。すぐに食わしてやってくれ」

酒がまだ途中だったが、徳三は飯を出せと指図した。みのぶが茶碗によそった桜飯を、つばきが配った。

「なんでえ、これはよう」

「つばき坊の趣向かい？」

湯気の立っている桜飯を見て、番人たちが怪訝《けげん》な顔を見せた。

「うめえっ」

盃を置いた潮吉が、だれよりも早くに飯を口にした。そしてうまい、と誉めた。

「てえしたもんだぜ、つばきちゃんは……」

潮吉は鯛の塩焼きには手をつけず、一気に桜飯を平らげた。

「お代わりはあるかい？」

「幾らでもありますから」

答えるみのぶの声が、嬉しそうだった。

つばきも嬉しかったが、余っているふたつの膳が、気にかかって仕方がなかった。

徳三は、みのぶとつばきを招く気配を見せない。桜飯を給仕して回りながら、つばきはふたつの膳を気にしていた。

そのかたわらでは、潮吉が桜飯を誉めてくれた喜びが、小さな胸いっぱいに膨らんでいた。だれよりも先に、潮吉が箸をつけてくれたのが嬉しかった。あっという間に平らげて、すぐにお代わりを言ってくれたのを見たときは、飛び跳ねたいほどに気持ちが高ぶった。

いまも潮吉は、仕出しのおかずには手をつけずに、桜飯だけを食べていた。

おかずよりも、あたいの炊いた桜飯がおいしいんだ……。

嬉しくて、盆を持つ手が震えそうだった。

「おそかったじゃねえか。さきに始めちまったぜ」

徳三が土間の外に向かって大声を出した。驚いたつばきが土間の入口に目を向けた。

紋付姿の男が、十七、八歳見当の娘を連れて入ってきた。そして、余っていた祝い膳の前に座った。

「潮吉さん、おめでとうございます」

娘に祝いを言われて、潮吉が顔をほころばせた。それを見て、番人たちが手を叩いて囃し立てた。

「おけいちゃんがこねえもんだからよう。潮吉の野郎、膳には手をつけずに飯ばっかり食ってやがったぜ」

「ちげえねえ。見ねえ、おけいちゃん……潮吉の尾かしらは、まだ手つかずだぜ」

おけいと呼ばれた娘が、箸のついていない鯛を見て、潮吉に微笑みかけた。潮吉が赤くなって目をわきに向けた。

半べそ顔のつばきと目が合った。

三十五

七月に入ると、いつもの年とは比べ物にならないほどに大雨が続いた。そして野分が何度も襲ってきた。

大雨だと火事の心配はない。

しかし大川を初めとする堀川が、溢れることが案じられた。火の見番は、横殴りの雨に打たれながら、大川の流れを見張った。

張り番がやぐらからおりてくると、つばきはすぐさまうどんを出した。夏とはいえ、雨に打たれ続けて身体は冷えている。

「ダシの加減がたまらねえや。つばき坊は、うどん作りもてえした腕だぜ」

だれもが温かいうどんに大喜びした。

番小屋の面々は、すっかりみのぶとつばきの炊事に舌が慣れていた。五日ごとの休みの日には、食当が仲間から思いっきりののしられた。

八月に入っても、雨は一向におとろえなかった。それどころか、一日は昼過ぎから暴風が吹き荒れた。

「大川の様子が普通じゃねえ。今日からは、総出で見張りに立ってくれ」

徳三の指図に、十八人の番人が顔つきを引き締めた。

つばきとみのぶが宿に戻ると、安治がこどもに茶を飲ませていた。

「おめえたちも、番小屋に泊まり込みをしてやんねえ」

雨続きで休んでいる安治は、さくらとかえでの面倒は任せろと言う。

「こんなときこそ、張り番の連中には美味い飯が入り用だ。家のことはしんぺえいらねえ。存分に食い物を作ってやんねえな」

番小屋に戻るみのぶとつばきを、安治は吾妻橋のたもとまで送りに出た。

つばきは父親の心遣いが嬉しかった。

濡れねずみ姿で戻ってくる張り番を見るたびに、つばきはもっともっと温かい食べ物を作ってあげたいと思った。夕方六ツが、つばきとみのぶの仕事仕舞いだ。

「おつかれさん」

番小屋から送り出されるたびに、つばきは胸が痛んだ。

こんなひどい野分のなかで、食当役がいるのかなあ……。

いつもそれを思いながら、みのぶと一緒に帰ってきた。

しかし今夜は、十八人が総出だという。それを聞いたとき、つばきは泊まり込んで炊事をしたいのに、と焦れた。

後ろ髪をひかれながら宿に戻ると、安治が泊まり込みをしろと言ってくれた。

おとうちゃんは、ほんとうにえらい……。

つばきは番小屋に戻れるのが嬉しかった。

「ありがてえ。恩に着るぜ」

徳三がみのぶに深い辞儀をした。

夜中になると、一段と風が強くなった。それに合わせて、ひとの出入りが激しくなった。

「大川の堤が持たねえかもしれねえ」

吾妻橋の下から戻ってきた男が、蒼い顔でつぶやいた。

「堤の上まで、あと、どんだけなんでえ」

「暗くてめえねえんだ」

「ばかやろう」

張り番のひとりが怒鳴り声をあげた。

「水の高さが分からねえで、堤が切れるも切れねえもねえだろうがよ」

「そんなこと言ったって、こんな闇のなかで、どうやって測れてえんだ」

雨と風にいじめられ続けて、張り番たちの気が立っていた。

「おかあちゃん……」

土間の隅の暗がりから、つばきが小声で呼びかけた。

「どうしたの。大声が怖かったの？」

みのぶがつばきを強く抱いた。

「ここに葛《くず》はあったかなあ」

顔を母親にくっつけながら、つばきが問いかけた。

「あるけど、どうして？」

「みんなくたびれてるから、なにか甘くてあったかいものがいると思ったから」

仕事でくたびれ果てたときは、酒ではなしに甘いものが欲しくなると、安治は言った。つばきはそれを思い出していた。

「葛湯だったら、みんなが喜ぶと思うんだけど……」

「いい思いつきよ。すぐに作りましょう」

大鍋をへっついに仕掛けたふたりは、砂糖を利かせた葛湯を拵えた。番小屋で使う砂糖は、和三盆《わさんぼん》の上物である。

みのぶは砂糖を惜しまずに使った。仕上がった葛湯は、甘味に充ちていた。

びしょ濡れで小屋に戻ってきた張り番衆に、つばきは湯呑みに注いだ葛湯を出した。

「こいつあ、ありがてえ。身体の芯からぬくもるぜ」

だれもが大喜びした。

あっという間に、大鍋が空になった。

「いい思案だ。砂糖も葛も、好きなだけ使ってくれ」

張り番が喜ぶさまを見て、険しかった徳三の顔がゆるんだ。

夜が更けるにつれて、雨風がさらに強くなった。が、番小屋のなかからは、男たちのいがみ合いが消えていた。九歳のこどもの知恵が、高ぶった男を鎮まらせた。

三杯目の大鍋で、砂糖も葛も底を突いた。

「ありがとよ、つばき坊。あとはいいから、朝まで眠りねえ」

せわしないさなかに、徳三がみずからつばきの床を拵えた。それを見て、張り詰めていたつばきの気が抜けた。

上がり框で眠りこけたつばきを、徳三が抱えて寝床に運んだ。


朝になっても、嵐は鎮まらない。目覚めたつばきは、すぐさま米をとぎ始めた。

五ツ（午前八時）の鐘が鳴り終わったとき、竹町の乾物屋が吹き荒れる風のなか、葛を運んできた。あとを追うようにして、薬屋から砂糖が届いた。

「あたいはごはんを炊くから、おかあちゃんが葛湯を作って」

「分かった」

こどもが母親に指図をした。みのぶはこだわりなく、娘のいう通りに動いた。

四ツを過ぎたとき、張り番が小屋に駆け込んできた。

「新大橋に、でけえ船がぶつかったらしい」

「だれから聞いたんだ」

ものに動じない徳三の顔色が変わっていた。

「永代橋のほうから流されてきた、船頭がそう言ってやした」

「新大橋は川上《かわかみ》じゃねえか」

「ええ勢いで、潮が上がってやすから」

大潮に野分が重なり、大川の流れが逆流していた。

「手の空いてる者は、ありったけの土嚢《どのう》を堤に運び出せ」

徳三の指図で、小屋で休んでいた張り番たちが立ち上がった。

「握り飯と葛湯を頼んだぜ」

徳三も土嚢を抱えて出て行った。


七ツを過ぎたころに、野分が収まった。

幸いにも、大川はあふれずに済んだ。番小屋に戻ってきた男たちは、だれもがくたびれ果てていた。しかし、川を守り切った喜びの色も、同じように浮かんでいた。

「今日のは、ことのほかうめえ」

五十個の握り飯が、あっという間になくなった。

「乗り切ったのは、つばきちゃんのおかげだぜ」

潮吉がつばきに笑いかけた。

おとなになったら、潮吉にいちゃんたちに喜んでもらえるごはん屋さんを、ぜったいに始めるから……。

潮吉の笑顔を見ながら、つばきは胸のうちで思いを固めていた。

第二部

三十六

安永九（一七八〇）年の正月で、つばきは十七歳になった。

明和九年から勤め始めた吾妻橋火の見番小屋の賄いも、正月で足掛け九年目を迎えた。

「三月になったら、番がしらの徳三さんにお願いして、つばきとあたしにおひまをいただくつもりです」

浅草寺の初詣を済ませて帰ってきた、元日の夜。みのぶが安治に切り出した。

「つばきは一膳飯屋を始めるのが、こどもの時分からの願いだったし、元手もなんとか蓄えができたようだから」

つばきは九歳から、火の見番小屋の飯炊きを続けてきた。徳三の計らいで、破格に高い給金が得られたみのぶとつばきは、それをそっくり蓄えてきた。

暮らしの費《つい》えは、安治の稼ぎで充分に賄うことができた。それゆえにできたことである。

「安さん、掘り出してくれる？」

「がってんだ」
安治が畳を持ち上げた。

長屋暮らしの者が、カネを蓄えるのは骨だった。なによりのわけは、蓄えに回すだけの稼ぎを得るのが大変だからである。

安治一家のように、亭主と女房に加えて、娘までが稼ぐというのは、きわめてまれだ。どこの家でも、亭主の稼ぎを女房が上手に遣《や》り繰《く》りした。

暮らしの費えを払ったあと、幾らか残ったとしても、そのカネをどこに蓄えるかが次の問題となった。

商人《あきんど》の多くは、町場の両替商と付合いがあった。稼ぎの大きな商家は、売上金や儲けを両替商に預けた。

金蔵《かねぐら》を構えて手元に置いておくよりは、両替商に預けたほうが安心だからである。その代わりに、年に五分（五パーセント）の預け賃を両替商に支払った。

両替商は預け入れられたカネを、諸国大名や、素性の確かな商人に利息を取って融通した。

いかにも両替商には有利に見えるが、そうではない。カネを預かるためには、それなりの備えがいる。なにより怖いのが、盗賊の押し込みと、火事による焼失だった。

それらを防ぐために、両替商は蔵を構えた。

盗賊の襲撃に備えて、屈強な警護役を雇い入れた。給金は、すべて両替商が負った。

大火事、大地震、暴風雨。これらの災害に襲いかかられても、カネが守れる頑丈な蔵があることで、商家は両替商を信用した。

年五分の預け賃を払うことには、どこの商家も文句は言わなかった。

しかしこれはあくまでも、年に少なくても百両の桁の商いをする商人が相手の話である。

両替商は、一般町民の小口のカネを預かることはしなかった。それに応じていては、カネを守る費えと、預かり賃とが逆鞘《ぎゃくざや》になってしまう。

一両を蓄えるのは、職人には大仕事であり、そして大金である。しかし両替商には迷惑な小口のカネだった。

長屋暮らしの町民が、カネを蓄えるのがむずかしいというゆえんである。


安治は長屋の床の下に深さ三尺で、間口一尺角の穴を掘った。穴掘りは大工仕事ではないが、普請場で基礎作事の人夫を差配する安治には、さほど苦になる仕事ではなかった。

その穴に、カネを詰めた瓶《かめ》を埋めた。掘り出すのは盆と正月の年に二度だ。半年蓄えたカネを瓶に納めた。

瓶に詰めるのはすべて金貨である。給金でもらう銀や銭を、みのぶは金貨に両替した。

安永九年元日の夜。

安治は瓶を掘り出した。そして中身を長屋の畳の上に、音を立てないように気遣って取り出した。

長屋の壁は薄い。両隣の住人に、カネの音を気づかれないためにである。

「幾らの蓄えになってるの？」

「待ちねえ。いまかぞえてるところだ」

一両小判と一分金が小山になっている。

蓄えを勘定するときは、かぞえ間違いをしないように、ろうそくの明かりを用いた。行灯《あんどん》の数倍は明るいからだ。

金貨がろうそくの炎で照り返っていた。

一両小判は、十枚重ねの山にした。

一分金四枚で一両だ。

安治は一分金四十枚で、ひとつのかたまりを拵《こしら》えていた。小判と一分金とで、一畳の半分が埋まっていた。

「勘定が終わったぜ」

金貨の山を見て、安治がふうっと吐息を漏らした。

小判十両の山が、全部で十一。あとは三枚の端数が残っていた。

一分金のかたまりは七つ。それに加えて二枚の端数がわきに置かれていた。

一両小判と一分金を合わせて、百八十三両と二分である。

大店の儲けなら、さほどの額でもないだろう。しかし大工職人の一家が足掛け九年で蓄えたカネとしては、桁違いの金高だった。

「安さん、つばき……ほんとうにご苦労さま。あんたたちふたりは、あたしの自慢だから」

いつもは気丈なみのぶが、めずらしくしんみりした声を出していた。

「おっかさんこそ、お疲れさま」

十七歳になったつばきは、声の調子がかすれて低くなっていた。

「つばきちゃんの声を聞くと、ぞくぞくっと背筋が震えて、妙にそそられちまうぜ」

火の見番小屋では、遠慮のないからかいがつばきに飛んだ。多くの番人たちがうなずいたほどに、つばきの物言いは巧まぬ艶に充ちていた。

「つばきが店を構えるときは、安さんが普請を差配してやってね」

「あたぼうじゃねえか」

安治がつばきに笑いかけた。

つばきは瞳を潤ませて、父親の目を受け止めた。

安永九年元日の夜に、つばきの店の種が蒔《ま》かれた。

三十七

「そうかい、つばき坊が店を構えるか」

みのぶから話を切り出された、一月下旬の朝。徳三は目の前のつばきに、さまざまな思いをこめたような目を向けた。

九歳から飯炊きを任せてきた徳三は、すでに娘の色香が漂うつばきを、いまでもつばき坊と呼んでいた。

「おめえさんほどの飯炊きは、もう二度と出てこねえだろうが……女の腕ひとつで、店を構えようてえ了見がいい」

徳三は顔を崩して、みのぶとつばきの暇乞《いとまご》いを呑んだ。

「店ができたら顔を出させてもらおう」

「ありがとうございます」

母と娘が徳三にあたまを下げた。

「あんたの亭主は大工だから、店の普請はしんぺえねえだろうが、おれで役に立つことがありゃあ、遠慮なしにそう言ってくれ」

徳三は心底から喜んだ。

「ところでつばき坊、空き店《だな》の目星はついてるのかい？」

「気になっている店がひとつあるんですが、いつも戸締りがされてるものですから」

つばきの口にしたことを聞いて、徳三よりもみのぶのほうが驚いた。この日まで、ただの一度も空き店の話を、つばきから聞いたことがなかったからだろう。

「どこでえ、その閉まってるてえのは」

「吾妻橋の西詰を御蔵のほうに折れて二町ほど歩いた、大川端です」

徳三が思案顔になった。あたまのなかで、つばきの言った空き店の場所をなぞっているようだった。

みのぶには皆目見当がつかないらしく、膝に載せた手を組み替えていた。

「あっ……あれのことか」

徳三が、つばきのほうに身を乗り出した。

「四間《けん》間口の平屋で、屋根に壊れかけたような看板が載っかってる……」

「そうです。そのお店です」

「ありゃあだめだ。やめときねえ」

徳三がきっぱりした口調で駄目を言った。

「あすこは元禄の初めごろに、伊勢から出てきた履物屋だった。二代目に子宝が授からなかったてえんで、女房を離縁していきなり店仕舞いしたてえ偏屈者の持ち物だ」

「商いをやめて随分になるんですか」

徳三に問うつばきは、まだ諦めてはいなかった。

「宝暦の始まりごろに、離縁したてえことを聞いた覚えがある。ざっと数えただけでも、二十年はめえの話だ」

「それからずっと空き店ですか？」

「ここは町が違うからよ。定かなことは分からねえが、だれかに貸したてえ話は聞いたことがねえ」

なぜあの店にこだわるんだと、徳三がつばきを問い質した。つばきは徳三の目を見詰めたまま、背筋を伸ばした。膝に載せた手に力がこもっているように見えた。

「あたしが思案している一膳飯屋は、職人さんや力仕事をするひとたちが相手です」

「飯屋てえのは、どこも職人連中が相手の商いだろうが」

「でもあたしが考えてるのは、ほかのお店とは違うんです」

つばきは徳三に頼んで、反故紙《ほごがみ》と矢立《やたて》を用意してもらった。筆を手にしたつばきは、器用な手さばきで一枚の絵図を描いた。

広い土間の真ん中に幅四尺長さ八尺の、大きな卓が三台置かれている。一台の卓の周りには、腰掛けが十二。都合、三十六人が一度に座れる店になっていた。

「間口が四間で奥行きが十間あれば、板場を広く取ってもこの卓が置けます」

「一度に三十六人とは、また随分と大きな店じゃねえか」

「これぐらいないと、あたしが考えているような安い値段では出せないんです」

ひとり四十文で、たらふく食べられる飯屋をつばきは考えていた。

吾妻橋界隈の食い物屋は、どこも四、五十文で食べられる献立を調えていた。みのぶが手伝いに出ていた蕎麦屋も、かけ蕎麦は二十二文だが、具の入ったしっぽくは三十六文である。

しっぽく蕎麦に、どんぶり飯と新香を加えたら、五十文でも足りなかった。

つばきの思案は、身体を使う職人や人夫連中が、四十文で好きなだけお代わりができるというものだった。

「卓の真ん中には、炊き立てのごはんが入ったお櫃《ひつ》を置きます。お米だけというわけにはいきませんが、お麦と按配《あんばい》よく混ぜれば、きっとおいしいご飯ができます」

「つばき坊が言ってることは、飯が食い放題てえことか？」

つばきがにっこり笑ってうなずいた。

「力仕事のひとたちには、おかずよりもご飯がたくさんあったほうがいいと思います。ここでみんなにお握りを作っていて、そのことを強く感じました」

飯が力仕事のみなもとになることを、つばきは火の見番小屋の飯炊きから学び取っていた。

塩味だけの握り飯でも、飯があれば番人たちは文句を言わなかった。

逆に何種類もの菜《さい》を調《ととの》えておいたとしても、飯が足りないときには不満顔を見せた。

それともうひとつ、つばきは飯炊きを通じて会得《えとく》したことがあった。

それはたっぷり用意しておけば、だれからも不満が出ないということだ。

飯を炊く量を半端に加減すると、だれもが文句を口にした。自分では食べきれなくても、櫃の底が見えたりすると不満を募らせた。

たっぷり炊いておけば、だれもが安心して飯をよそった。櫃のふたを取ったとき、飯が充分に残ってさえいれば、それだけで番人たちは満足した。

おもしろいことに、加減して炊いても、有り余るほど炊いても、番人たちが食べる飯の量はほとんど変わらなかった。

加減して炊いたときの不満は、飯が足りないからではなかった。足りないと感じることに文句を言っていたのだ。

つばきが飯の食べ放題を思いついたのも、これがきっかけだった。

好きなだけお代わりできると分かっていれば、ひとは気持ちの満足感が得られる。

食べ放題といっても、底無しに食べるひとはいない。

この道理を、つばきは徳三に話した。

「てえした思案だ。かんげえてもみなかったが、つばき坊の言う通りだ」

徳三が何度も深くうなずいた。

「おかずは、砂村のお百姓さんとじかに掛け合って、売り物にはできない野菜をたっぷり分けてもらいます。形はわるくても、煮炊きしておいしければいいんですから」

魚は魚河岸に出向いて、アラを安値で仕入れる気でいた。捨てるアラなら、たとえ安値でも相手は喜ぶだろう。店で出すときには『日本橋魚河岸の魚』と大書きするつもりだった。

野菜もアラの煮つけも、大皿に山盛りにして卓に載せる。見た目の満足感を、客に味わってもらうためにである。

「お新香も、どんぶり鉢いっぱいに出します。ひとり四十文で、ご飯もおかずもお新香も、食べ放題。お椀は魚河岸のアラでダシを取ります。これも呑み放題で、七輪に載せた大鍋を土間に置くつもりです」

つばきが話し終えたとき、徳三は心底から感心したような吐息を漏らした。

「間違いなしに、蔵前界隈じゃあ評判になる。なにしろ近くには御米蔵があるからさ。連中はそれなりに美味い賄い飯を食ってるだろうが、つばき坊の店を知ったら、入り浸りになるだろうさ」

徳三は、なぜつばきが履物屋の空き店にこだわるかに得心していた。

「つばき坊は、あの空き店の定かな広さを分かってるのか」

徳三の口調が、あれは駄目だと言ったときとは違っていた。

「分かりません。外から見ただけですから」

「そうか……」

徳三が黙り込んだ。あれこれ思い巡らせていた様子だったが、なにかに思い当たったらしく、大きく膝を打った。

「両国橋西詰の周旋屋に、心安いのがひとりいる。二、三日待っててくれ。そいつをつかまえて訊いてみる」

「ありがとうございます」

思いがけない成り行きとなって、つばきが潤んだ瞳を輝かせた。

みのぶはおいてけぼりを食ったような顔をしていたが、娘の喜ぶさまを見て機嫌を直したようだった。

三日目の朝、みのぶとつばきは徳三に呼ばれた。

「話を聞いてもいいと言ってるらしいが、かなりやっけえな相手だぜ」

徳三は、周旋屋を通じて家主の言い分を聞かされていた。

「つばき坊の案じていた広さだが、こいつはまるで問題ねえ。間口は四間だが、奥行きは十四間もあるそうだ。こんだけありゃあ、たっぷり板場も普請できるだろう」

「もちろんです。お客さんの土間は十間あれば充分だと思いますから」

つばきの声が弾んでいた。

「中の造作《ぞうさく》は、あらかた取り外してあるそうだ。なにを据えつけるにしても、やりやすいだろう」

　さらにもうひとつ、食い物屋にはお誂《あつら》え向きの妙味があった。

「持主は伊勢谷安次郎《いせややすじろう》てえ爺さんだが、店をやってた若いころから、宿の裏手には自前の畑をこしらえていたそうだ。広さは十坪でてえしたことはねえが、だいこんぐらいなら、たっぷり取れるてえ話だ」

「畑があるんですか」

　これには、みのぶも声を弾ませた。

「だいこんだけでも、自分たちで作ることができたら、随分と商いには助かります」

　みのぶはすっかりその気になっていた。その喜ぶ顔を見て、徳三が目元を引き締めた。

「ところが、いい話ばかりじゃねえんだ」

　徳三は目だけではなく、声も重々しいものに変わっていた。

「食い物屋を始めて、安くて美味いものをひとに食わせたいてえ了見には、伊勢谷のとっつぁんも文句はねえそうだ」

「なにがいけないんでしょうか」

　みのぶが差し迫ったような声で問うた。いまではつばきよりも、みのぶのほうが伊勢谷の空き店に入れ込んでいるようだった。

「おんな手ひとつで、それだけの商いができるてえのが得心いかねえらしい」

「そんなことを言われても……」

「まあ、待ちねえ」

気を高ぶらせているみのぶを徳三が抑えた。

「飯炊きが自慢で始めるてえなら、その飯を食ってから、貸す貸さねえを決めるてえんだ。ちっとばかり美味いぐれえなら、伊勢谷は貸さねえだろうと周旋屋は言ってた」

よほどに腹をくくって、飯と一緒に知恵をぶつけないとむずかしい……こう言って、徳三は周旋屋から聞いた話を締めくくった。

「十日の間に打ち返さねえと、この話はなかったことにするてえんだ。ここは知恵の見せ所だぜ」

徳三の口調は、おのれもつばきの思案を見てみたいと言っているようだった。

三十八

つばきは五と十のつく日に、徳三から休みをもらっていた。

二月五日の休みを使い、つばきは木場に出かけた。伊勢谷安次郎との掛け合いに備えて、支度を進めたかったからだ。

空き店の裏に十坪の畑があると知ってからは、かならず伊勢谷の空き店で開業すると思い定めていた。

自家栽培すれば、だいこんを得るためにかかる費えは、種代と、自分たちが流す汗だけだ。いかに農家から安く仕入れたとしても、裏の畑で作る安さにはかなわない。

しかしつばきがなにがなんでもと思い定めたのには、別のわけがあった。

いままでぼんやりとしか見えていなかった店の姿が、だいこん畑のことを聞いたあとでは、はっきりと描けた。

手作りだいこんの、一膳飯屋。

これならかならず評判を呼ぶと、つばきは信じ切っていた。

だいこんは煮物でも漬物でも、味噌汁の具にも使える。これほど使い勝手のいい野菜は、ほかに思い浮かばなかった。

だいこんがきらいという者を、つばきはひとりも知らなかった。おろしで食べるとき、小さいころのかえでは「からい」と言っていやがった。

しかし、十一歳になったいまは違う。自分からだいこんおろしを作り、それに湯通しした餅を入れて食べるほどだ。

だれもが好きなだいこんなら、きっと店の名物になる。新しい料理を思いつけば、安くておいしい一品ができる。

思案すればするほど、だいこん畑が裏にある店は、かけがえのないものに思えた。

その空き店を借りるためには、伊勢谷安次郎を得心させなければならない。周旋屋の口を通じて、炊いた飯がうまいだけでは安次郎は納得しないと、釘をさされた。

なにかキラリと光る知恵を見せないことには、空き店を借りる望みが潰《つい》えてしまう。

つばきは徳三の口利きで、両国橋の周旋屋と会った。

「歳は今年で五十三だ。カネは使いきれないほど持ってるから、金儲けには気を動かさない。因業《いんごう》でもない。因業な男なら、二十年もの間、空き店で放っておくわけがない。とにかく在所の伊勢が好きで、いまでも伊勢講の連中には、お札を頼んでいるようだ」

伊勢谷安次郎のあらましを聞かされたあと、つばきは伊勢好きに狙いを定めた。

伊勢好きと、つばきの飯炊きの腕とを、どう重ね合わせればいいか。

何日も思案を続けているうちに、不意に妙案が浮かんだ。

カネにいやしくないひとなら、半端な知恵を用いず、真っ当にぶつかったほうがいい。

このことを基に、つばきはひとりで知恵を絞った。

この掛け合いに負けるようなら、店を始めてもかならずしくじる。あたしの知恵が安次郎さんのこころを動かせたら、この店はきっと繁盛する。

つばきは空き店を借りることに、知恵のすべてを注《つ》ぎ込んだ。そして借りられなかったときには、元手はあっても商いはしないとまで腹をくくった。

その強い思いを抱いて、つばきは木場をおとずれた。

だれに顔つなぎを頼んだわけでもなかった。自分ひとりの力で、欲しいものを木場から持ち帰ると決めていた。

つばきのいくさは、木場から始まっていた。

「あんたが欲しがっているものなら、うちらのような材木商ではなしに、指物《さしもの》職人をあたってごらん」

三軒目の材木商が、つばきに知恵を授けてくれた。しかも指物職人への顔つなぎまで買って出てくれた。

つばきは幸先のよさを肌身で感じ取った。

しかし教えられた指物職人は、間のわるいことに外出していた。

「親方は日暮れごろまでは、けえってこねえかも知れねえぜ」

仕事場で働く年若い見習い弟子が、木を並べながらつばきに伝えた。

「急ぎ仕事なら、ここの近所に何人もの指物親方がいるからよう。そっちに回ったほうがよくねえか」

つばきの思い詰めた顔を案じたのか、弟子はよその親方を教えてもいいとまで言った。

「結構です。お帰りになるまで待たせてもらいます」

つばきはきっぱりと断った。

木場の材木商が、損得抜きに授けてくれた知恵である。たとえ夜になろうとも、そして親方から引き受けられないと断られようとも、いまは他の指物職人をたずねる気はしなかった。

つばきの気性が弟子に伝わったらしい。

半刻《はんとき》（一時間）ほど過ぎたところで、弟子が茶をいれてきた。

「おれがいれた茶だからよう。まずくても勘弁してくんねえ」

これでお互いの気持ちがほぐれた。

「おれは京助てえんだ」

「あたしは、つばき」

「あんまり聞かねえ名めえだなあ。つばきって、花のつばきかい？」

話してみたら、京助はつばきと同い年だった。ここの親方に弟子入りして、九年目だという。

「だったら、京助さんも九つからこの仕事を続けてるの？」

「京助さんもって……つばきさんもかよ」

「あたしは飯炊きなの。あたしが炊くご飯って、すごくおいしいんだから」

つばきは十七歳になって、初めて男と話のやり取りを楽しんでいた。

それは京助も同じに見えた。

しかし話をしながらも、親方から指図された仕事をこなすときは、口を固く結び、つばきがいることを忘れていた。

その仕事ぶりに、つばきは気持ちを動かされた。黙って京助の仕事ぶりを見ているだけで、充分にこころが充たされた。

つばきが仕事場で待ち始めて一刻半が過ぎたとき、親方が戻ってきた。

つばきは自分で描いた絵図を持参していた。親方は口をはさまずに、最後まで話を聞いた。仕事場で一刻半も帰りを待っていたのを、女房から耳打ちされていたからだ。

「看板屋の手伝いがいる仕事だが、あっしに請負わせてくだせえ」

親方はえらぶることなく、仕事を引き受けた。

「届け場所と、納めの日にちが決まったら、おせえてくだせえ。あっしのほうは、三日のうちに仕上げやす」

親方は、つばきが申し出た内金をこだわりなく受け取った。その姿に触れて、つばきは親方の人柄をさらに信じた。

「てめえの仕事がでえじなら、見合う銭はしっかり受け取るのが職人だ」

安治は常からこれを口にしていた。

職人はカネだけではない。しかしできる職人は、カネのやり取りを粗末には扱わない。

これが安治の生き方である。指物の親方に、つばきは父親と同じにおいを感じていた。

二月十日の休みの日に、つばきは伊勢谷安次郎と掛け合いを持った。場所は御蔵通りの空き店である。これはつばきが強く望んだことで決まった談判場所だった。

同席するという徳三や周旋屋、みのぶを、つばきは断った。

「商いが始まったら、いろんなことにひとりで立ち向かうことになります。その門出ですから、ひとりで掛け合いをさせてください」

徳三はつばきの言い分を呑んだ。

みのぶは、この日のためにつばきが調えたものを、長屋から一緒に運んだ。空き店に届け終わると、そのまま帰った。

約束の八ツに、伊勢谷安次郎が空き店から表に出てきた。

「入りなさい」

五十三歳と聞いていたが、安次郎の髪は黒々としていた。目の光も強い。とても商いを仕舞って、隠居のような暮らしをしている男とは思えなかった。

雨戸は滑らかに開いた。二十年も雨ざらしになっていたとは思えなかった。

戸が開いて、土間に光が差し込んだ。驚いたことに、ほこりがまるでない。土間にはちりひとつ落ちてはいなかった。

「あんたが借りたいというひとか」

安次郎は深みのある低い声音だった。

「つばきと申します」

「知っている。あんたがひとりでくると言い張ったことも、木場の指物職人に、この場に届けさせる物も知っている」

つばきは息が止まりそうだった。言葉が出ず、早い息をしながら安次郎を見た。

「そこに持ってきたものを、早く食べさせてくれ。どんな味だか、ここ何日も楽しみにしていたんだ」

つばきが持参したのは、握り飯と赤飯である。

握り飯は、杉の薄板で拵えた折りに詰められていた。

赤飯は、やはり杉板で拵えた重箱に入っている。杉の香りが握り飯と赤飯に染みる間を考えて、この日、四ツ（午前十時）に炊き上げて詰めた。

杉は伊勢神宮の普請に使われる、熊野杉である。小細工を避けたつばきは、自分が全力を傾けて炊き上げた飯を、熊野杉に詰めた。そうすることで、安次郎に思いを伝えようとした。

指物職人に頼んだのは、同じ熊野杉で拵えた、一膳飯屋の看板である。

『だいこん』

これがつばきの決めた屋号である。

この場所に、八ツ半（午後三時）に届けられる看板は、杉板に彫ったものである。

とことん知恵を絞って、命がけで立ち向かった安次郎とのいくさである。指物職人に誂えを頼んだそのときから、つばきは敗れることは一切考えなかった。

談判に臨む前から、負けの場合を思い巡らせるのはばかげている。負けたらそのときだ。

つばきはこう開き直ってきた。

看板を届けさせるのを半刻遅くしたのは、そのときには答えが出ているからだ。掛け合いの場で看板を見せて気を惹くような、あざといことはしたくなかった。

ところが。

安次郎はすべてを知っていた。

「美味い赤飯だ」

互いに余計なことは言わなかった。

つばきは赤飯を差し出し、安次郎はそれに箸をつけただけである。

「杉の香りが染み込んでいる」

安次郎は二度、つばきの赤飯を誉めた。そして笑いかけた。

「畑もしっかり手入れをしてある。いつでも使ってくれて結構だ」

安次郎にやさしい口調でいわれて、つばきの両目から涙があふれ出た。

安永九年二月十日。

つばきが最初の『だいこん』を立ち上げた日である。

三十九

つばきの吾妻橋火の見番小屋の飯炊きは、三月一杯で上がりと決まった。

それに先立ち、三月一日から伊勢谷安次郎の店を借り受けた。四月早々からの開業を目指してのことだった。

「三月は店の造作普請だろうから、店賃は半額でいい」

周旋屋を通じて、安次郎が伝えてきた。カネにいやしくない持主というのは、本当の話だった。

飯炊きを終えて帰ってきてからと、仕事休みの日は、つばきは開業するだいこんのことにかかりきりになった。

商いの目処《めど》をどうするかは、毎晩、算盤を弾いた。とは言っても、算盤珠を弾くのは十五歳のさくらの役目だ。つばきは細かな計算よりも、大きな目処を立てるのが得手だった。

「もう一回、日銭で幾らになるかを聞かせて」

姉から言われるたびに、さくらの手元の算盤が、パチパチと小気味のよい音を立てた。

客からもらう飯代は、ひとり四十文。土間に据える腰掛は、三十六人分である。

店は四ツ半（午前十一時）から五ツ半（午後九時）まで。この間に、一日百八十人の客を迎えるというのが、つばきの目処だった。

日銭七貫二百文の商いである。

酒を出すか出さないかは、つばきはまだ決めかねていた。商いを大きくするなら、酒を出すのが得策である。しかし酒飲みは尻が重い。しかも酔った客をあしらうのは、相当に厄介である。

酔っ払いがどれほど面倒であるかは、父親の安治でいやというほどにわきまえていた。

そのかたわらで、酒を出さなければ一日百八十人がむずかしいとも思っていた。一膳飯屋で飯を食べる客には、酒と煙草はつきものである。

どうすればいいか思案が定まらないまま、つばきはとりあえず、飯代だけの商いで売り上げの目処を勘定した。

店を開けるのは月に二十五日。これでひと月百八十貫文、小判に直せば三十六両の売り上げである。

安次郎は店賃を銀三十匁《もんめ》（半両）としてくれた。飛び抜けて安いわけではないが、場所と広さを考えると充分に好意的な店賃だった。

米、味噌、野菜、魚などの食材と、炭や薪《まき》、灯《あか》り、水などの諸掛《しょがかり》を一切で、つばきは十五両かかると踏んだ。

飯炊きはつばき、おかず作りはみのぶが受け持ち、客あしらいはさくらとかえでである。一日百八十人の客なら、さくらとかえでで充分に足りる。かえでもすでに十一歳になっており、きちんとした口もきけていた。

洗い場だけは、だれかひとを雇い入れなければ、手が足りそうになかった。

「長屋のひとに頼もうかしらねえ」

「それはだめ」

母親の言い分を、つばきはぴしゃりと抑えつけた。

「商いの内証《ないしょう》を長屋のひとに知られたら、きっとうわさが飛び交うから」

「そんなわけないでしょう」

娘に切り口上で言われたみのぶは、むきになって言い返した。

「安さんがひどかったとき、みんながあんなに力を貸してくれたじゃないの。わるく言ったりしたら、バチが当たるわよ」

母親の言うことに、さくらもかえでもうなずいた。しかしつばきは、頑として聞き入れなかった。

「ひとって分からないから」

こどものころから、つばきはひとの表と裏とをいやになるほど見てきた。このひとならと懐《なつ》こうとして、何度も手ひどく裏切られた。その悲しい思いが、胸の奥底には厚い澱《おり》になって溜まっていた。

「同じ長屋のひとなら、気心が知れていて一緒に働きやすいじゃないの」

「どうしてあたしに、そんな口をきくのよ」

「だめだから、だめ」

つばきの返事はとりつくしまがなかった。

こんなやり取りを幾晩も繰り返した。その都度、つばきはかたくなに首を振った。

おさまらないみのぶは、仕事から帰ってきた安治にこぼした。娘三人は、連れ立って湯に行っており、部屋にはふたりだけだった。

「そいつあ、つばきの言い分があってるぜ」

安治は娘の肩を持った。

「どうしてそうなのよ」

常々、安治はつばきに甘いと思っているみのぶは、つい声を荒《あら》らげた。ふたりだけだという、こころやすさもあったのだろう。

「おめえはひとを使ったことがねえだろう」

「そんなの、あたりまえじゃない」

「だから、長屋の連中を使おうなどと言えるんでえ」

「つばきだって、ひとを使ったことなんかないわよ」

みのぶの物言いが、さらに尖っていた。

「とんがってねえで、おれの言うことを黙って聞きねえ」

晩酌の一合に加えて、仕事帰りにすでに一杯引っかけていた安治は、赤くなった目でみのぶを睨みつけた。

「分かりました。聞かせてちょうだい」

みのぶが膝をずらして安治に詰め寄った。

「遠慮しなきゃいけねえ者は、使いにくくてしゃあねえんだ。仕事ぶりがとろかったりしたとき、長屋でめえにち顔つき合わす相手じゃあ、きつい文句が言えねえだろうがよ」

「お隣さんに丸聞こえだから、そんなに大きな声を出さないで」

「おめえの呑み込みがわるいから、おれの声がでかくなっちまうてえんだ」

「ああ、そうですか。呑み込みがわるくてごめんなさいね」

安治の話をさえぎるようにして、みのぶが立ち上がった。

「どうせあたしは、つばきと違っておつむの出来がよくありませんから」

捨てゼリフを吐いて、みのぶは台所に向かった。

「なんだ、その言い草は」

安治が徳利を投げつけた。力任せに投げた徳利が、みのぶの背中にぶつかった。

うっ……と息を詰まらせて、みのぶが土間にしゃがみ込んだ。

「あてつけがましいことをするんじゃねえ」

みのぶの振舞いが、安治の腹立ちを煽り立てた。立ち上がるなり、自分の箱膳を蹴飛ばした。

「つばきが命がけで始めようとしてる店に、ああだこうだと、半端なケチをつけるんじゃねえ」

ひとたび荒れ始めると、安治はおのれで抑えが利かなくなる。手当たり次第に物を蹴り、畳に転がった茶碗やどんぶり、小皿を土間に向かって投げつけた。

いつもなら、つばきやさくらが安治にしがみついて引き止めた。いまは湯に行っていて、止める者がいなかった。

土間にうずくまっていたみのぶは、安治を残して外に出た。

つばきたちが湯から戻ったとき、安治は叩き壊した箱膳をわきにどけて、大の字になっていびきをかいていた。

やっぱり、お酒を出すのはしばらくやめたほうがいい……。

つばきは胸のうちでそれを決めた。

四十

だいこんの造作普請は、三月十日から始めることになった。つばきと安治の仕事休みが重なったことで、この日を選んだ。

朝六ツ（午前六時）には、威勢のいい朝日が大川の東側に昇った。

「今日から店開きみてえなもんだからよう、みんなで観音さまに朝参りをするぜ」

この朝のために、安治は前夜の酒を断《た》っていた。酒臭くない息をかいで、かえでが嬉しそうに安治の手を握った。

その後ろにさくらが並び、みのぶとつばきが少し離れて歩いていた。

みのぶはまだ、下働きに長屋の女房たちを使いたいとこだわっている。つばきはそんな母親には構わず、この日の午後、千束《ちづか》屋の手代が連れてくる皿洗いに会う手はずを調えていた。

そのことが気に入らないみのぶは、この二日ほど、ほとんどつばきと口をきいていなかった。

「おめえら、てえげえにしとけよ」

先を歩いていた安治が、母娘を振り返った。

「でえじな門出の朝に、縁起でもねえことをするんじゃねえ」

「そうよ」

安治と一緒に、かえでもふたりに振り返っていた。

「おねえちゃんとおかあちゃんが仲直りしなかったら、お天道《てんとう》さまに叱られちゃうわよ」

「生意気いうんじゃないの」

つばきがかえでを睨みつけた。その目には、照れ笑いが浮かんでいた。

吾妻橋の西詰に出てみると、両国橋の欄干の間に朝日が顔を出しているのが見えた。光り方がまだ若く、放つ色味は、ダイダイ色である。

その光を浴びながら、早起きの都鳥《みやこどり》の群れが川面を舞っていた。漁に出る帆掛け舟が、都鳥を蹴散らして大川を下っている。朝日を一杯に浴びた艶のある白帆が、黄金色に照り返った。舟が大川をかき混ぜて下って行く。川面が乱れて、キラキラと輝いた。

「きれいな眺めねえ」

見とれたみのぶが声を漏らした。

「ほんとう。錦絵みたい……」

つばきが応じた。

口をきかずに過ごしてきたときを取り戻そうとするかのように、みのぶとつばきは朝参りの行きかえり、夢中になって話し続けた。

へっついが最初に据えつけられた。

炊き口が三つの大きなものが、二台並んでいる。長屋では見たことのない大型のへっついがめずらしいらしく、かえでは炊き口にあたまを突っ込もうとした。それほどに、だいこんで使う物は大きかった。

大鍋。二升炊きの大釜。分厚いまな板。ひとすくいで、どんぶりがあふれるひしゃく。

運び入れられる道具は、どれも大きい。かえでは新しい道具を見るたびに、手にとって振り回した。

「お職人さんたちの邪魔になるから、裏庭に出ましょう」

つばきは、他人を意識した物言いで妹ふたりを連れ出した。

さくらとかえでは、裏庭に立つのはこの日が初めてである。安次郎は、手伝いの者を入れて、畑をきれいに耕していた。

「おねえちゃん、ここになにを植えるの？」

「だいこん」

つばきとさくらが声を揃えた。

空のなかほどまで昇った陽が、三月のやわらかな光を畑に降り注いでいる。陽の高さから、千束屋に会うまでには、まだ一刻（二時間）の間があると見当をつけたつばきは、だいこんの種まきをしようと決めた。

種はすでに買ってある。

「おねえちゃんのする通りにやってね」

三人とも種まきは初めてだが、つばきは種屋でだいこんの種まきを教わっていた。

庭の畑は、だいこん用にうねが盛り上げられていた。幅一尺五寸、高さ一尺のうねである。

つばきはひとつのうねに、深さ三寸ほどの浅い溝を二本掘った。さくらが姉の真似をして、別のうねに二本の溝をこしらえた。

「それじゃあ浅すぎるわよ。あと一寸ほど深く掘りなさい」

日ごとに、つばきが娘らしい物言いを身につけている。さくらはその話し方に戸惑いながらも、姉の指図に従った。

つばきは掘った溝の一カ所に三、四粒の種をまき、一尺の間をあけて溝の端から端まで種をまいた。

まき終わると、種のうえに一寸ほどに薄く土をかぶせた。

簡単に見えても、初めての者には手間な仕事である。うね二つの種まきを終えたときには、九ツ半（午後一時）近くになっていた。

手を洗い、乱れた髪を整えて、つばきは千束屋のおとずれを待った。江戸で一番の口入屋との評判通り、千束屋の手代は約束の刻限に現れた。

「千束屋の手代で、清次郎と申します。つばき様はあなた様でございましょうか」

お仕着せに半纏を羽織った清次郎は、まぶしそうな目でつばきを見た。

さきほどまで畑仕事をしていたつばきは、紅もおしろいもつけていない。ひたいには、拭いそこねた汗がまだ残っていた。

着ている物は、浅草寺近くの古着屋で買い求めた、紺地に赤い格子柄の紬である。赤無地の帯が、紺地の紬にいろどりを添えていた。

まるで化粧をしていないつばきだが、十七歳の娘盛り特有の色香がにじみ出ている。千束屋の手代に見詰められて、つばきは目のやり場に困ったような顔になった。

手代は稼業柄、ひとあしらいになれているらしい。つばきに笑いかけたあとで、そっと目を逸《そ》らした。

手代の後ろには、四十年配の女がひとり立っていた。

「こちらは両国橋東詰の元太郎店《げんたろうだな》にお住まいの、おせきさんです」

顔つなぎされたおせきが、手代の後ろで軽い会釈をした。着ている物は、花柄が薄くなった紬のあわせだ。手入れが行き届いているらしく、襟元にも裾にも糸のほつれは見えなかった。

「おせきさんは、これまで何度も料理屋の洗い場に勤めていますから、てまえどもも安心して口入れできます」

手代が仲人口のような調子で、おせきを誉めた。月代《さかやき》が青々とした、うりざね顔で色白の、役者のような顔の手代である。

当人もそれが分かっているらしく、話すたびに笑顔をこしらえて、流し目のような目つきでつばきを見た。

つばきは、この手の男がきらいだった。

飯炊きに出向く火の見番小屋の連中も、父親も、先日出会った指物見習いの京助も、つばきの周りの男はだれもが職人である。

着ている物は木綿の仕事着で、顔はほこりまみれで汗臭い。しかしつばきは、そんな男たちが好きだった。

下働きをひとり回してもらいたくて、つばきは愛想よく手代とやり取りを交わしている。しかし胸のうちでは、いい男ぶったこの手代に、虫唾《むしず》の走る思いを抱いていた。

つばきの真意も汲み取らず、清次郎は相変わらずぺらぺらとしゃべり続けている。

「ちょっとごめんなさいね」

つばきは清次郎のしゃべりを抑えて、おせきを招き寄せた。

「手を見せていただいてもいいですか」

つばきがおせきに話しかけた。

「つばき様……」

「どうかしましたか？」

「てまえどもと口入れの約定を交わしていただきませんと、じかにお話をされるのは、いささか……」

清次郎がまた流し目を見せた。

「あら、そうなの」

可愛らしい声で応じたあと、つばきは真正面から清次郎を睨みつけた。

「てめえみてえな、きんたまぶら下がってるかどうかも分からねえ男は、おいらとじかにしゃべるんじゃねえ」

「へっ……」

「おせきさんは気に入ったが、てめえは目障りだ。とっとけえってくれ」

「なんということを」

真っ青になった清次郎が、身体を震わせ始めた。つばきの啖呵《たんか》を耳にした据付の職人連中が、手を叩いて囃し立てた。

「こんな無礼なことをされたのは初めてです。とてもこちらには、口入れできません」

「こっちも願い下げだ。さくら、ここにおいで」

呼ばれたさくらは、顔一杯に笑いを浮かべて寄ってきた。

「千束屋さんがお帰りだそうだから、表に塩をまいて清めてちょうだい」

「がってんだ」

さくらがぺろりと舌を出した。

「早くお帰りにならないと、お仕着せが真っ白になりますよ」

言ってから、つばきが手代を睨みつけた。

「おせきさん、帰りましょう」

顔をゆがめた清次郎が、おせきをうながした。

「あたし、ここに残ります」

おせきは動こうとしない。

「そんなことをしたら、二度とうちでは口入れしませんよ」

「どうぞ、お好きなように」

おせきは清次郎を見ようともしなかった。

さくらが、ざるに盛った塩を手にして出てきた。清次郎は大きな舌打ちを残して、だいこんの店先から急ぎ足で去って行った。

四十一

三月晦日の七ツ半（午後五時）。

陽が西に傾き始めたころ、火の見番小屋の番人全員が、つばきとみのぶの門出を祝ってくれた。

つばきは翌日の開業を控えて、気が大きく高ぶっていた。しかし番人たちに心底から去ることを惜しまれて、つばきの気持ちがおだやかになった。

「つばきちゃんの飯が忘れられねえからよう。ひまをみつけちゃあ、食いに行くぜ」

「うそつけ。おめえは飯じゃなしに、つばきちゃんに会いてえんだろうが」

言われた男が、真っ赤になってうつむいた。

どの男も口調は乱暴で、振舞いは雑である。しかし荒っぽい物言いの底には、本気で相手を思うやさしさがひそんでいた。

そんな言葉を聞いているうちに、つばきは涙をこらえきれなくなった。

「めえったなあ。つばきちゃんを泣かせちまったぜ」

「おめえが、つまらねえことばかり言うからじゃねえか」

「おれのせいかよ」

男たちがむきになって、互いにののしり合っている。そのさまを見て、つばきはさらに哀しさを募らせた。

とめどなくあふれ出る涙を、つばきが手拭いで押さえていたとき、半鐘が鳴り始めた。

小屋の中が、まばたきもせぬ間に静まった。

カアーン、カアーン。

カアーン、カアーン。

間延びした二連打である。火事だが、火元は相当に遠そうだ。立ち上がった面々が座り直した。が、半鐘が鳴る前のような、浮ついた気配は消え失せていた。

「おっかさん、おいとましましょう」

つばきが母親に小声で伝えた。

ほんのいっとき、小屋の空気は宴を催しているかのように華やいでいた。しかし、ここは火事から町を守る火の見番の小屋なのだ。

どれほど浮かれていても、半鐘ひとつ鳴れば戦場《いくさば》である。

勤めの最後の日に、つばきはそれを思い知った。そして、身体を張って働く男たちと一緒にいられた日々がどれほど幸せだったかを、小屋を出るときに思い返した。

「長い間、ありがとうございました」

つばきが深々とあたまをさげたとき、男たちはすでに仕事に戻っていた。見送るものもいなかった。

それがつばきには、たまらなく嬉しかった。そんな男たちと仕事ができたことが、つばきの誇りでもあった。

火の見やぐらの下に、つばきとみのぶが差しかかった。

カアーン。

カアーン。

一点鐘《いってんしょう》が打たれた。

本来は鎮火を知らせる鐘である。いまはつばきとみのぶに、名残を惜しんで鳴っている。

母と娘が、火の見やぐらに向かって礼をした。長い韻を引いて、半鐘がふたりに応えた。

四月一日に開業しただいこんには、目論見の半分も客が入らなかった。

食べ放題で、大皿に山盛りにした煮物は、大鍋ひとつ分がそっくり余った。飯は客の入り方を見ながら炊いたので、それほど余ることはなかった。が、研いだ米は大ざるふたつ分が炊かれないままに残った。

おせきは洗い場の玄人《くろうと》だった。

手際よく水につけた器を、キュッ、キュッと音を立てながらたわしで洗う。どんぶりにへばりついていた米粒が、おせきの手にかかると呆気《あっけ》なく消えた。

とにかく仕事がきれいで早い。そして無駄口を叩かない。

客の入りがわるく、つばきはなにかにつけて苛々としていた。おせきはつばきに取り合わず、ひたすら洗い物を続けた。

客が少ないということは、洗う器も少ない。手があくと、雑巾を手にして片っ端から拭き清めた。

黙々と、そして機敏に働くおせきを見て、つばきは湧き上がる苛立ちを何度も鎮めた。

五ツ半で提灯の灯を落とした。

つばきもみのぶも、妹ふたりも、身体の芯からくたびれていた。心地よい疲れではなく、動くのも億劫なほどの、重たい疲れだ。

客の入りがわるいがゆえの疲れでもあった。

「腰が痛い」

十一歳のかえでが、中年女が口にするようなことを漏らした。

「お茶が入りましたよう」

湯気の立つ土瓶を手にして、おせきが茶を運んできた。皿には、薄皮まんじゅうが山盛りになって載っていた。

「これって、おせきさんが？」

つばきが目を見開いて問いかけた。

「初めての日って、みんながくたびれて、甘い物が欲しくなるのよ」

方々の料理屋で皿洗いをしてきたおせきには、開業日のきつさが分かっていたようだ。まんじゅうは、両国橋のたもとでおせきが買い求めてきたものだった。

「おせきさん、ありがとう……」

まんじゅうを手にしたつばきの唇に、ふた筋の涙が伝わり落ちた。

「こんだけおいしいごはんだもの、かならず客は増えるって」

おせきの見立てを聞いて、親子四人が安堵の笑いを浮かべた。

火の見番小屋の職人は、だれひとり顔を出さなかった。火元の近い火事はなかったが、朝からひっきりなしに半鐘が鳴っていた。

「おせきおばちゃん、おまんじゅう、ごちそうさま」

「えらいねえ、ちゃんと礼が言えて」

帰り支度を済ませていたおせきは、かえでのあたまを撫でて出て行った。

四人の顔に、元気さが戻っていた。


おせきが見立てた通り、日を重ねるに連れて客が増えていった。

開業から五日目の昼飯どきには、店の前に行列ができた。十日目には、開店と同時に三十六の腰掛がすべて埋まり、入り切れない客が列をなした。

だいこんは開業十日目にして、開店から閉店まで客が途切れない飯屋になった。

度外れた忙しさに、仕事慣れしているはずのおせきが音をあげた。

「洗い場にもうひとり増やしてもらわないと、あたしの身体が持たないわ。あたしの知り合いを引っ張ってきてもいいかしら」

つばきに異存のあるはずもなかった。

「おせきさんが見込んだひとなら、あたしにはなんの文句もありませんから」

つばきはなにとぞよろしくと頼み込んだ。

翌日、おせきが連れてきた女を見て、つばきは違和感を覚えた。仕事が始まったら、いやな予感が的中した。

とにかく動きがわるいのだ。

女が一枚洗う間に、おせきは三枚洗った。目を離すと、裏の畑に出てのんびり煙草を吹かしている。女は呆れたことに、自前の煙草盆を持ち込んでいた。

見かねたつばきとみのぶが、おせきを畑の隅に連れ出した。

「あの働きぶりでは、おせきさんには申しわけないけど、明日からはお断りします」

「ごめんなさい、あたしのめがね違いで」

おせきがふたりに詫びた。

「うちの亭主の遠縁なんですよ。なまじ血がつながってるばっかりに、あたしもきついことが言えなくて……」

おせきは、明日からはまたひとりで頑張りますと深く詫びた。

「おまえが長屋のひとはだめだと言ったことが、やっとあたしにも分かったわ」

その夜、長屋に帰る道々、みのぶがつばきにごめんね、と小声で詫びた。

洗い場の手伝いをどうしたいかは、おせきに任せた。

「忙しくても、気詰まりな相手と働くよりは、ひとり天下のほうが楽かもしれない」

おせきは当面はひとりで乗り切ると請合った。連れてきた女のひどさに、こりごりしたようだった。

つばきは給金を倍にしておせきに報いた。

「こんなにもらえるんなら、あたし、死ぬ気で働いちゃう」

おせきは手放しで喜んだ。そして言葉通り、さらに手際よく働いた。

客の入りは一向に減らず、一日二百三十人を下回ることがなくなった。

四月晦日で、さくらが勘定を締めた。

一日から晦日まで、店を開いたのが二十八日である。

酒は一切売らず、ひとり四十文の飯代だけで、売り上げは二百四十六貫四百文にもなった。

じつに五十両に手が届く売り上げである。つばきが当初に考えた売り上げを、十三両も上回っていた。

払いがまだ済んでいない先が幾つもあり、確かな儲けは定まってはいない。しかし内輪に見積もっても、十五両の儲けは堅かった。

暮らしの費えは、安治の稼ぎで蓄えが残るほどである。安治を除く母娘三度の食事は、だいこんで済ませている。

「一年がんばったら、新しいお店を出せるぐらいに蓄えが残せるかもしれない」

「ほんとうにそうなるといいわねえ」

みのぶがため息まじりにつぶやいた。桁違いの儲けを前にして、言葉がみつからないようだった。

「いっぱい蓄えを残して、さくらとかえでには、江戸で一番の嫁入り支度をしてあげる」

つばきは、本気でそう決めたような顔つきだった。

だいこんがきわめて順調な滑り出しを見せてから、長屋の様子が大きく変わった。

住人の多くが、安治一家とは親しい口をきかなくなった。

安治も、みのぶ母娘も、朝から働きに出て長屋にはいない。住人たちと今までのように話をする折りがなくなっていた。そのことも、安治一家が浮き上がったわけのひとつである。

しかしもっとも根深いのは、だいこんが繁盛していることへのやっかみだった。

安治が賭場の取立てに追われていたころは、女房連中がなにかとつばきたちに声をかけた。

「芋の蒸《ふ》かしたのが余ってるから、うちに食べにおいで」

こどもたちには、食べ物のおすそ分けもしてくれた。

「つばきちゃんは、めげないでほんとうにいい子だねえ」

ことあるごとに誉めてくれた。

ところがいまは井戸端に集まって、つばきの陰口をきいていた。

「吉原の近くで、身体を売ってるそうだよ」

根も葉もないことを、女房連中が言いふらした。つばきが通りかかると、口を閉じる。行き過ぎたあと、つばきの後姿に指差しして、うわさ話を蒸《む》し返した。

新しいお店の前に、新しく暮らす宿がいるのかもしれない……。

裏店を出るのは悲しかった。

しかしありもしないうわさ話をされるのは、その数倍も悲しい。

つばきは、次の休みに周旋屋に相談してみようと決めた。

四十二

「お気に召すような家作《かさく》が出るといいんですがねえ。両国界隈では、なかなかむずかしいと思いますよ」

土間に立つ客に、富田屋太助《とみたやたすけ》が気乗りしない顔を拵えて答えた。

「さっきからあんたは、むずかしい、むずかしいとしか言わないが、周旋する気はあるのかね」

「もちろんです。こっちも商売ですから」

「だったらもう少し身を入れて、あたしの頼みを聞いたらどうだ」

鼈甲縁《べっこうぶち》のめがねをかけた五十年配の客が、口を尖らせた。

「店賃《たなちん》には、文句をつけないと言ってるんだ。それを知ったら、気を動かす家主だっているだろうが」

「あたしのところの家主には、うかがった商いに店を貸すひとはおりません」

富田屋が胸を張って土間の客を見下ろした。

「なんだ、その言いぐさは。周旋屋の分際で、あたしの商いにケチをつけるのか」

「そんな気は毛頭ありません」

「あんたのその物言いには、むかむかしている。来る店を間違えたよ」

錐のように尖った声を投げつけて、客は土間から出ていった。

「おあいにくさまでした」

客が出て行ったあと、太助は卓の引出しから帳面を取り出した。そして、いま出て行った客の心覚えを書き記した。

「両国界隈で、高利貸しを営みたいとの申し出あり。人柄に難あり。周旋せず」

客が申し出た氏名と町名を書き、太助はその名前の上に大きな×を描いた。


つばきが気を許して付き合っている周旋屋は、両国橋西詰の角に間口二間の店を構えている富田屋である。

延宝七（一六七九）年創業で、この地での商いが百年を超えている富田屋は、両国から浅草にかけての家主から、厚い信頼を寄せられていた。

いまのあるじは三代目で、名前は太助である。来年に厄年を控えた四十一と若いが、先代からは、周旋屋の心構えを厳しく仕込まれていた。

富田屋太助はひたいにしわもなく、瞳は黒くて大きい。見た目が童顔に近いことで、多くの客が気を許して素《す》の顔を見せた。

太助は商い向きの愛想笑いを浮かべながら、客のあらましを心覚え帳に書き留めていた。

先代から店を受け継いで、まだ七年目である。しかし創業百年を超える富田屋には、家主も客も安心して周旋を頼んだ。その上に太助の才覚が重なったことで、帳面に書き留めた客の数は、すでに二百人を超えていた。

商いがひまなときを使って、太助はこれまで周旋してきた客のその後を一冊の帳面に書き写していた。商家の客に限っての書き写しだが、いわば閻魔帳《えんまちょう》である。

太助はこの帳面に『夢くらべ』という名を付けていた。商いを始めた者が、おのれの夢を、どこまでまことにできたか。それを書き留めた帳面だからである。

夢くらべは、店の番頭にも見せず、太助が常に手元に置いていた。

周旋しても商いが振るわずに店仕舞いした客は、名前の上に×をつけた。

周旋したあと、二年を過ぎても商いが伸びていない客は△、二年のうちに店構えを大きくした客は○を記した。

それに加えて、商いの種類、奉公人の数、およその月の商いまでも書き込んである。

空き店を周旋するときに、夢くらべを元にして商いの見込みを聞かせることがある。それがよく当たるという評判が広まって、富田屋は小さな店構えながらも繁盛していた。

七年商いを続けて、太助はひとりだけ、大きく行く末を読み違えた客がいた。

だいこんのつばきである。

最初の読み違いは、家主が店を貸したことだった。伊勢谷安次郎のきつい気性をわきまえている太助は、まさか十七歳の女に空き店を貸すとは思わなかった。

読みを外したふたつ目は、商いがうまく走り出したことである。

つばきから一膳飯屋を始めると聞かされたとき、せいぜい持っても半年だと判じた。なぜなら飯屋の客として当て込める職人が、周りには多くなかったからだ。

つばきが借りる空き店の近くで、ひとが多く働く場所は御米蔵である。ここには仲仕衆だけで、数百人が働いていた。

しかし飲み屋ならともかく、一膳飯屋の客として御米蔵の連中はあてにできないと、太助は判じた。

御米蔵には、毎日美味い米を食べさせる賄い所がふたつもあった。おかずは二品で味噌汁がつくぐらいだが、とにかく米が美味い。力仕事に明け暮れる仲仕衆には、美味い米が一番のご馳走である。

その賄い所と張り合ったとしても、到底勝ち目はないと太助は読んだのだ。

開業してみると、案の定、客足はわるかった。

十七歳の娘が虎の子の貯えをなくすかと思うと、太助はつらくて仕方がなかった。が、半端な手助けは毒になるだけだと思い、なにを手伝うでもなく成り行きを見守った。

驚いたことに、日に日に客足が伸びた。酒は一切出さず、飯と菜だけで客を大入りにした。

そのことがあって以来、太助はつばきの店と、つばき当人に大いに気を惹かれた。いままでに会ったことのない、商いの達人に出会ったという思いを強く抱いていた。


「それは暮らしていてつらいだろうな」

並木町の裏店を出たいというつばきを前にして、太助は心底から涌き出る言葉で応じていた。

「仲良くしてもらった長屋のひとのいやなことを、これ以上見るのは苦しいんです。富田屋さんは、宿替えしたほうがいいと思いますか？」

いつもの通り、つばきは芯をはずさずに真っ直ぐ問いかけてきた。

「越すことはないだろう」

てっきり、越せと言ってもらえると思っていたらしく、つばきがいぶかしげに太助を見た。

太助は、自分でも思いも寄らない答えを口にしていた。答えてから、なぜそんなことを言ったかと考えた。

「なぜ富田屋さんは、越さないほうがいいと思うんですか？」

問われても、すぐには答えられなかった。つばきは焦《じ》れずに、太助の答えを待った。

「越したりしたら、つばきさんが負けたことになるからさ」

「富田屋さんの言われることが、よく分かりません」

つばきは得心していない顔つきである。

なぜ越すことはないと言ったかが、いま太助は、はっきりと分かっていた。

「つばきさんは、いまの裏店から越したいわけではないだろうが」

「そうです」

つばきの答えには迷いがなかった。

「それだよ、あたしがいいたいのは」

つばきはなにごとからも逃げない娘だと、太助は強く感じている。あの店を借り受けるときも、客の入りが思わしくなかったときも、つばきは迷いなく、一本道を歩いていた。

その強さと思い切りのよさが、つばきの身上だと、いま太助はあらためて感じた。

「どんなわけがあるにせよ、したくもないことをするのは、負けを認めて逃げることだ。越したくないのに裏店から出るというのは、それはつばきさんが、負けを受け入れたことになる」

つばきはしばらく考え込んでいた。細くて黒い両の眉が、眉間に寄っている。しかし太助の言ったことに得心できたあとは、顔つきを明るくした。

「あたし、越すのはやめます」

声の調子にも、いつもの明るさが戻っていた。

「いまの宿なら、下の妹ひとりでも店から歩いて帰れます。あたしが生まれた長屋だし、すごく気にいっているんです」

「そうだろう。あんたの話を聞いていると、どれほどあの長屋を好いているかが、あたしにも伝わってくる」

「あたしたち、なんにもわるいことをしたわけじゃないし……越したら越したで、きっと色々と言われますよね」

「その通りだ」

太助がつばきのほうに身を乗り出した。

「宿を移ったとしても店の場所が同じなら、長屋の連中はいつまでも、店がある限りは陰でよくないうわさを交わすだろう」

「そうですよね」

太助を見ながら、つばきは元気のよい相槌を打った。

「どうせ陰口をきかれるのなら、越したりせずに、面と向き合っているほうが楽だろう」

「分かりました。富田屋さんに教えてもらって、ここ何日かのもやもやがすっきりしました。ありがとうございます」

つばきは店にきたときとは打って変わって、威勢のよい礼の言葉を残して出て行った。

あの娘が切り盛りしていれば、店はもっと大きくなる。ことによると、江戸に幾つも店を出すことになるかもしれない。

そう思いながら、一度はだいこんが半年しか持たないと判じたことを、太助はあらためて恥じた。

明日の昼にでも、まただいこんに飯を食べに行こう……。

明るい五月の陽が降り注ぐ表通りを見ながら、太助はだいこんをたずねることを楽しみに思った。そしてつばきが新しい店を出すときには、かならず自分の手で取り扱うと思い定めていた。

四十三

安永九年六月二十六日。二日前から降り続いている雨が、この日は朝から一段と強くなった。

それでもつばきは、野菜と魚とを朝早くから日本橋の市場まで仕入れに出た。

「海が時化《しけ》らしくてよう。魚がへえってこねえんだ」

市場の台には、ほとんど魚が載ってはいなかった。

「いわしとアジが幾らかへえってるが、ばか値にたけえんだ。今日は仕入れを見合わせたほうがいいぜ」

卸《おろし》の若い衆が親切心から、つばきに仕入れをやめろと伝えた。

「ばか値って、いったい幾らですか」

店を閉める気のないつばきは、それでも魚の値をたずねた。

「どうしても買うてえのか?」

「買います」

「いわし一束《いっそく》で百文だ」

つばきは息を詰めて若い衆を見た。いわし十尾で百文なら、いつもの五倍だ。

薄切りの生姜といわしを、甘がらく煮つけた一品は、だいこんのおはこ献立である。ただしこれができるのは、五束百文で仕入れられたらの話である。

不漁でいわしが高値のときは、大きな魚のアラをまとめ買いして、だいこんとアラの煮付けで出した。

しかし今朝は、そのアラもなかった。

魚屋に顔を出す手前で、つばきは市場の青物卸の店をのぞいていた。野菜は天気がわるいから不漁ということはない。しかし品物の数は、いつもの朝の半分しかなかった。

大川と小名木《おなぎ》川が降り続く雨で増水しており、野菜運びの船が行き来できなくなっていた。そして値はいつもの三倍だった。

野菜も魚も、飛び切りの高値である。

思案しているとき、日本橋石町《こくちょう》から五ツ(午前八時)を告げる鐘の音が流れてきた。

店を開けるなら、仕入れを済ませてだいこんに帰らなければならない刻限である。

「いわしはどれだけあるんですか?」

「十束あるぜ」

「分かりました。それを総ざらいで売ってください」

「がってんだ」

つばきの思いきりのよさに、若い衆が感心していた。

「このまま待ってても、ほかの客は手を出さねえだろうからよう。十束まとめて、五百文で持ってきねえ」

卸の若い衆は、半値でつばきに売り渡した。

いつもの朝なら、仕入れた青物と魚とを一緒に運んでくれる横持ち屋が、市場の出口で待ち構えていた。しかし強い雨で客がこないと踏んだのか、横持ち屋の姿が見えない。

百尾のいわしを、ひとりで運ぶのは骨である。どう持ち帰ろうかと思案していたら、若い衆がつばきの胸のうちを察したようだ。

「うちの小僧をつけてもいいぜ。十文も駄賃を払ってくれりゃあ、御《おん》の字だ」

「ありがとうございます」

「あんまり雨がひどくなったら、すまねえがねえさんところで雨宿りさせてくんねえ。こっちはそろそろ店仕舞いすっから、あとの用はでえじょうぶだ」

「分かりました」

若い衆に礼を伝えたつばきは、卸の小僧を供に連れていわしを運んだ。

だいこんに戻ったときには、さらに雨脚が強くなっていた。小僧は、新吉という名の十歳のこどもだった。

「雨がひどくなってるから、小止みになるまで、うちで休んでいていいから」

「はい」

骨休めができると分かり、新吉は嬉しそうな返事をした。

「おねえちゃん、あたいも一緒に遊んでいいでしょう」

流し場を手伝っていたかえでが、新吉のそばに寄ってきた。かえでは十一歳だが、幼さがまだ残っている。年下のこどもが店にあらわれて、気持ちがはしゃいでいる様子だ。

しかしこれから口開けを迎える店は、大忙しになる。小さな手でも、かえでは板場に欠かせなかった。

「だめよ。もうすぐお店を開けるんだから」

つばきにぴしゃりと言われて、かえでが半泣き顔になった。

「おいらにも、なにか手伝わせて」

新吉の言ったことを聞いて、かえでの顔がいきなり明るくなった。

「あたいと一緒に、お茶碗をそろえよう。それならいいでしょう？」

「大助かりよ。新ちゃん、よろしくね」

つばきが新吉のあたまを撫でた。

四ツ半（午前十一時）を過ぎると、横殴りの雨をついて客が来はじめた。

「えれえ降りだ。吾妻橋の下じゃあ、大川が渦を巻いてたぜ」

「そんななかを来てくれたんですか」

つばきは客にあたまを下げた。が、客の言ったことは深く聞いていなかった。

昼になると、吾妻橋の火の見番小屋の番人五人が、連れ立って顔を出した。番人のなかには潮吉の顔があった。潮吉は五年前に所帯を構えており、すでにふたりのこどもがいた。

「つばき坊よう……」

潮吉に限らず番人の多くが、十七歳のつばきをいまでも坊づけで呼んでいた。

流し場に入った潮吉は、つばきを手招きした。

「こんな日にきてくれて、ありがとうございます」

礼を言いながら笑いかけたつばきに、潮吉は目元を曇らせた顔を見せた。つばきの顔から笑みが引っ込んだ。

「大川の水が尋常じゃあねえ。このまま雨が続いたら、上潮《あげしお》になる夜には川が暴れ出すかもしれねえ」

「溢れるってことですか？」

つばきの顔がこわばっていた。

「四ツ半に水かさを測った物見役が、土手まで一尺になってると言ってた」

「いつもはどれくらいですか」

「土手まで一丈（約三メートル）が、尋常な水かさだ。川水が、十倍流れてるてえことだ」

潮吉がふうっと息を吐き出した。

「教えてくれてありがとうございます。昼のお客様を済ませたら、どうするかを考えますから」

「そのほうがいい。この先は、半鐘の鳴り方に気を配っててくれ」

土間に戻った潮吉は、仲間と一緒に手早くいわしを平らげて帰った。ひどい雨降りにもかかわらず、仕入れたいわしは売り切った。

八ツ（午後二時）を過ぎたとき、安治が店に顔を出した。長屋で飲んでいたらしく、吐く息が酒臭かった。

「どうでえ、店の調子はよう……」

安治には、降り続く雨を案じている様子がない。潮吉が伝えて帰ったことを娘から聞かされていたみのぶは、安治の能天気ぶりが癇《かん》に障ったらしい。

「呑気なことを言ってないで、大川の様子を見てきてよ」

「なんでえ、その剣幕は」

安治が目を吊り上げた。かえでと一緒に茶碗を片付けていた新吉が、不安そうな目を見せた。

「平気よ、いつものことだから」

かえでが新吉に耳打ちした。

みのぶと安治が睨み合っている真ん中に、つばきが割って入った。

「ふたりとも、そんなことしているときじゃないでしょう」

つばきは新吉を呼び寄せた。

「日本橋の市場まで、おとっつあんがこの子を送ってやって」

「どういうことでぇ」

見知らぬ小僧を見て、安治が調子を変えた。

「魚屋さんが、この子を供につけてくれたのよ。いままで流し場を手伝ってくれてたけど、そろそろ帰してあげないと、あちらが心配しているだろうから」

「お安い御用だ」

酒の入った赤い顔で安治が引き受けた。

「坊主、支度をしねえな」

三人のこどもが娘ばかりの安治は、男の子と連れ立って出るのが嬉しそうだ。たったいま、みのぶと揉めそうになったことは、けろりと忘れた顔つきになっていた。

「手伝ってくれた駄賃代わりに、途中で団子を食わせてやるからよう」

新吉を連れてだいこんを出た安治は、浮き浮きした足取りで雨の向こうに消えた。

「おせきさんも、今日は早仕舞いして帰ってください」

「嬉しいけど、夜のお店はどうするの？」

「今日はこれで閉めます」

店を閉めるのがきらいなつばきが、迷いなく言い切った。それほどに、大川の様子が危なかった。

おせきが出て行ったあとは、みのぶ、つばき、さくら、かえでの女四人になった。

「あたい、大川を見てくる」

「あたしも一緒に行く」

さくらとかえでが、裏の畑に出て行った。大川は畑のすぐ先の土手下を流れている。

戻ってきたとき、いつもは落ち着いているさくらが、血の気のひいた顔になっていた。

「土手のすぐ下まで水がきてる……」

さくらの差し迫った声を聞いて、かえでが姉の手を強く握った。

四十四

夏の日暮れは遅い。いつもなら充分に日が残っているはずの暮れ六ツ前だが、六月二十六日は様子が違った。

「どうする、今日は？」

「どうするもないだろう。こう暗くては、六ツを打つしかあるまいが」

浅草寺の鐘《かね》撞《つ》き番人たちが、あたまを抱えていた。日の出が明け六ツで、日没が暮れ六ツの打ちどきである。

何度西空を確かめても、雲が分厚くて日が見えない。番人たちは、暮れ六ツの打ちどきに悩んでいた。

日本橋石町の鐘堂から貸し与えられている和時計の針は、六ツにはまだ四半刻《しはんとき》（三十分）も間があるあたりを指している。しかし鐘撞き番の勘が、今日の六ツはいまが撞きどきだと教えていた。

「咎《とが》めの責めはわしが負う。夜の大潮の前に、家路を急がせるのが先決だ。構わんから打ちなさい」

鐘撞き差配が、ゆるぎのない言葉で指図を下した。

「分かりました、打ちます」

蓑笠《みのかさ》の雨降り装束をまとった鐘撞き番が、降りしきる雨の中をときの鐘へと駆けた。

鐘撞きは、打ち役と吟味役のふたり組で行うのが定めである。江戸の町で、ときの鐘を最初に打つのは日本橋石町だ。

鐘は初めに捨て鐘が三打される。これでひとの気を集めてから、本鐘が打たれるのだ。石町が打つ捨て鐘を、他所の鐘撞きが追いかけるのが、いつもの慣わしだった。

吟味役が耳をすまして、石町の鐘を聞こうとした。が、聞こえるのは強い雨音だけである。

「六ツの刻、捨て鐘、始めましょう」

雨音に負けないように、吟味役が大声で鐘打ちの指図をした。すかさず、捨て鐘の第一打が撞かれた。鐘の音は、激しい雨音を突き破って、浅草から蔵前、両国へと響き渡った。

鐘撞き役は、第一打を鳴らしたあと、ゆっくり三十を数えてから二打目を打つ構えを始めた。

五十を数え終わったとき、二打目の捨て鐘が打たれた。


「おねえちゃん、もう六ツだよ。おとうちゃんはまだかなあ」

かえでの声が不安そうだった。八ツ過ぎにだいこんに顔を出した安治は、そのまま日本橋まで魚屋の小僧を送り届けに出て行った。

あれからすでに、二刻近いときが過ぎている。どれほど雨がひどい降りでも、男の足なら、だいこんと日本橋は一刻もあれば行き帰りできるぐらいの道のりだ。

大川が溢れたときに備えて、つばきは持ち出すものをまとめたかった。

貯えのカネ。印形《いんぎょう》。周旋屋と取り交わしただいこんの賃貸約定書。

この三つは、すでに手元に揃えていた。

店で使う食材の払いは、いまでも毎日の現銀払いである。だいこんに納めにくる業者は、毎日銀で支払われるのを面倒くさがった。

「これだけ繁盛している店じゃねえか。こっちは月末払いでなんにも文句はねえよ」

開業以来、毎日米を納めにくる庄田屋は、月末集金にさせろと何度もつばきに迫った。

「だめです。商いは一寸先が見えませんから」

つばきはすべての払いを、つけにはしなかった。

安治が賭場に借金を抱えていたとき、十日ごとに伸助が利息の取立てにきた。利息払いに追われた日々がいやだという思いは、つばきの骨の髄にまで染み込んでいた。

客が毎日食べに来てくれることには、つばきはそれなりの自負があった。美味くて安く、量につましいことを言わないだいこんなら、客はよその店に浮気をしないと確信もしていた。

商いには自信があったが、それはあくまでもおのれが仕切る範囲においての自信だった。

火事。地震。大雨。洪水。日照り。大雪。

これらに襲いかかられるのは、つばきが幾ら踏ん張っても、防ぎようがない。

火の見番屋で飯炊きをしていた当時、火事ですべてをなくした商人を、つばきは数限りなく見てきた。

すべてを焼き尽くされて無一文になったうえ、さらに借金取りに追い立てられる。大火事のあとでは、焼け死んだひとではなく、生きることにくたびれ果てた身投げ人が、何十人も大川に浮かんだ。

飯炊きに向かう朝晩、吾妻橋の上からつばきとみのぶは身投げ人に手を合わせた。

だいこんを始めるに際して、つばきが決めたことはふたつだ。

ひとつは借金をせず、手持ちのカネでできる範囲の商いをすること。

もうひとつは、さくらとかえでそれぞれに、いつかかならず店を用意すること。

このふたつのほかは、流れのなかで折り合いをつければいいと考えた。

妹ふたりに店を用意するのは、これからの踏ん張りでどうにでもなる。

借金しないで切り盛りしてきたのは、やはり大当たりだったと、いま、強く感じていた。妹にも母親にも言ってはいないが、このたびの大雨では、大川が溢れるかもしれないと、つばきは覚悟を決めていた。


いまは六ツだが、大潮はこのあとだ。


暗くなってから水に襲いかかられたら、逃げ場が分からなくなって溺れかねない。とりわけ十一歳のかえででは、水に怯えて身動きできなくなると、つばきは思っていた。

安治が帰ってきたら、大潮の前に高台へ逃げ出そうと決めていた。

上野から本郷のあたりに向かえば、高い場所は幾らでもある。今日までの儲けと、今までの貯えが、合わせて三百七十九両あった。ほかに銀が百九十匁に、銭が一貫文少々だ。


このおカネさえあれば、もしもだいこんが水に浸《つ》かってだめになっても、もう一度やり直すことができる。

安治がいない間に、つばきはさまざまなことを思い巡らせた。が、最後に決めるのは父親だと思っている。

出かけたまま帰らない安治を、つばきはだれよりも焦れながら待っていた。

安治は柳橋の小料理屋で、すっかり出来あがっていた。

だいこんからの途中で、安治は小僧に甘いものを振舞ってやる心積もりをしていた。授かったのが女三人の安治は、小僧と一緒に歩くのが楽しくて仕方がなかった。

どれほど雨が吹き降りだろうが、着ているものがびしょ濡れになろうが、浮き浮きしながら小僧と歩いた。

久松町の広い通りに面した一軒のまんじゅう屋が、大雨のなかでも商いを続けていた。

「どうでえ、この店は。まんじゅうだの汁粉だのが、まだたっぷり残っていそうだぜ」

「おいら、食べるよりも早く帰りたい」

横殴りの雨に打たれて歩き続けたことで、小僧はすっかり気持ちが萎《な》えていた。

「そんなことを言わねえで、おいちゃんと話をしながらまんじゅうを食いな」

「やだ、早くかえりたい」

小僧は店に入るのをかたくなに拒んだ。酒の入っている安治は、それでもしつこく小僧を誘った。

「酒くさいおいちゃんなんか、大っきらいだ。おいら、ひとりで帰る」

安治の手を振り切って、小僧は雨の中を駆け出した。安治の身体には、まだたっぷりと酒が残っていた。それでも、大雨のなかを小僧ひとりで帰すのが危ないと判ずる正気は残っていた。

「待ちねえ、小僧……」

追いかけようとして走り出したら、最初の路地でひとにぶつかった。小僧を追っていた安治は、番傘を軽く握っていた。ぶつかった拍子に、傘が手から離れた。

雨を横殴りにさせる強い風である。追いかける間もなく、傘が風に巻き込まれた。

先を駆けている小僧の姿は、もう見えない。安治は雨の中に立ち尽くした。

「あたしが粗相をしてしまって……」

路地でぶつかった相手が、安治に傘を差しかけてきた。三十見当の女で、雨合羽も着ておらず、たすきがけのお仕着せのような身なりである。

「これからどちらまで？」

「吾妻橋たもとの、並木町でさ」

「それならあたしの帰り道です。店に寄ってくだされば、何本も蛇の目がありますから」

安治はつかの間、小僧をひとりで帰して大丈夫かとためらった。しかし、小僧の姿はもう見えない。それにここから日本橋魚河岸までは、大きな通りの分かりやすい道だ。

いまさら追いかけても始まらねえ。でえいち、あの小僧は酒くせえてえんで、おれを嫌ってやがった……。

こう考えて、女の傘に入った。

店は柳橋たもとの、ひさごという名の小料理屋だった。大雨のさなかで、七ツ（午後四時）見当の半端な時分である。

店には客がおらず、安治は気兼ねもせずに腰を落ち着けた。

「今日は、店仕舞いにしようと思っていたところなの。大したものはできないけど、雨が小止みになるまで、ゆっくりしてってくださいな」

酒に目のない安治は、上手に勧められたことで、半刻のうちに空き徳利の群れを作り出した。

日が落ちると、柳橋の下を流れる神田川が不気味な音を立て始めた。

「こんな夜にひとりでいるのは心細いわ。安さん、よかったら、このまま一緒にいて……」

女が安治に寄りかかった。安治の口が、だらしなく半開きになっていた。

四十五

六ツの鐘が鳴り終わっても、安治はだいこんに戻ってこなかった。

つばきはこれ以上は待てないと判じて、動きを始めた。

「さくら、吾妻橋まで行って、大川の様子を見てこようよ」

さくらを誘ったら、かえでも一緒に行くと言い張った。

「雨が強いし、おまえはまだ小さいから」

さくらが妹を押しとどめた。

「さくらねえちゃんだって小さいじゃない。あたい、もう自分の名前だって書けるもん」

言い出すと一歩も引かないのが、かえでのくせである。どんなことでも、さくらがやることは自分もやろうとした。

「分かったわ。かえでも支度をして」

つばきにしてみれば、どの妹も可愛いのだ。雨の強さが気になったが、吾妻橋の行き帰りなら大した道のりではない。

つばきとさくらは番傘をさし、かえでには黄色い蓑笠を着させた。

「おっかさんはどうするの？」

「あたしはここで、安さんを待ってるから。暗くなる前に帰ってきなさいね」

みのぶに見送られて、三人はだいこんの戸口に立った。一歩店を出たら、真正面から雨に殴りかかられた。

妹が吹き飛ばされないように、さくらがかえでの手を強く握った。風に驚いたかえでが、姉の手を力一杯に握り返した。

橋のたもとに植えられた柳の枝が、風に吹かれて真横に流れている。

「おねえちゃん、あれっておもしろい。あたい、あんなの初めて見た」

風に流される柳の枝を見て、かえでは鯉のぼりみたいだと言ってははしゃいだ。かえでが雨風に怯えていないのを知って、つばきは少し安心した。

が、日が沈み切って町が暗くなったあとでは、どうなのかが分からない。つばきはあらためて、早く動こうと思い定めた。

橋に立つと、大川の流れが渦巻いているのが見えた。川水は茶色く濁っており、橋杭にぶつかった水は、不気味な渦をこしらえながら、白く泡立っている。

川水の多さは、まさしく尋常なものではなかった。欄干の隙間から手を伸ばしたら、濁流に触ることができそうだ。

吾妻橋の一番低い橋板から川面まで、いつもなら二丈（約六メートル）の高さがある。いまはそこから溢れんばかりに、水かさが増していた。

分厚い雲の内側では、日が間もなく沈み切ろうとしていた。橋の真ん中で川面を見ている間に、あたりが急ぎ足で暗くなった。そして日が沈み、闇が川と橋に覆いかぶさった。

明かりがなくなると、濁流の発する音がひときわ大きくなった。

「おねえちゃん、こわい。早くかえろう」

かえでがつばきにしがみついた。抱きしめても、蓑笠の黄色が分からないほどに闇が深くなっている。

「帰りましょう」

つばきが先に立ち、さくらとかえでがあとに続いた。相変わらず風が強く、柳の枝は真横に流されっぱなしだ。迫り来る宵闇のなかでも、柳の枝は見えた。

かえではもう笑わなかった。

「ただいま。おとっつあん、帰ってる？」

つばきが大きな声で問いかけた。が、返事はない。土間に入ると、みのぶが七輪の火を足元において腰掛に座っていた。

「おとっつあん、まだなの？」

みのぶは返事の代わりに首を振った。

「どうだった、大川の様子は？」

「今度は持たないと思う」

つばきは抱えている不安を、ごまかさなかった。

「そんなにいけないの？」

「吾妻橋の根元を、大川の水が乗り越えそうだから」

「まさか、そんな……だって、半鐘が鳴ってないじゃないの」

つばきの見立てが大げさだと言わんばかりに、みのぶが口を尖らせた。

「みんなどこかへ集まっているんだと思う。やぐらの上には、だれもいなかったから」

つばきは努めて物静かに話した。

「あと半刻ぐらいで大潮なの。上潮になったら、きっと大川が溢れるわ」

「そんな縁起でもないこと、言わないで」

「溢れてからだと手遅れよ。いまのうちに、上野か本郷の高台に逃げましょう」

「お店はどうするのよ。空っぽにしたら、お店の物を盗まれるに決まってるわ」

「水が出たら、このお店だって水浸しになるのよ。盗まれることなんか心配したって、始まらないって」

つばきとみのぶが顔を突き合わせて話しているところに、さくらとかえでが寄ってきた。さくらの顔色が真っ青だ。

「どうしたの、さくら。なにがあったの」

問われたさくらは、つばきに駆け寄った。そして身体にしがみついた。

「どうしたのよ。泣いてないで、なにがあったか、おねえちゃんに聞かせて」

「裏の土手から……」

「土手がどうしたの。はっきり言いなさい」

しがみついたさくらを引き剝がして、つばきがきつい声で問うた。

「大川の水が、土手を乗り越えてぴちゃぴちゃ流れ込んできてる」

つばきが血相を変えて裏口へと駆けた。

「なんでえ、この土間はよう。水浸しじゃねえか」

「あら、いやだ。このあたりは水捌《は》けがよくないから、ちょっと雨降りが続くと、いっつもこれなのよ」

並んで腰掛に座っていた女が立ち上がり、店の格子戸を開いた。

「きゃあ、どうしよう」

女が悲鳴を上げた。その声に驚いた安治が、腰掛から立って女のそばに寄った。

「なにがあったんでえ、そんな声を出しやがってよう」

酒に酔った赤い目で、安治が店の外を見た。ひさごの格子戸は、神田川沿いの道から五寸（約十五センチ）ほど高いところに造られている。神田川から溢れ出した水が、格子戸を乗り越えようとしていた。

安治の目から、酔いが吹っ飛んだ。

「てえへんだ、すぐにけえらなくちゃあ」

「そんな不人情なことを言わないでよ。うちの二階に上がってれば、どんなに水が出ても平気だから」

「そんなわけに行くもんかよ。並木町じゃあ、女房と娘三人が待ってるんでえ。そこをどいつくれ」

女を押しのけた安治は、川水が溢れた川沿いの道に飛び込んだ。

「なによ、ひとでなし。とっとと浅草にかえっちまえ」

女のわめき声を背中に浴びながら、安治は浅草橋を目指した。柳橋に比べて、浅草橋は二尺ほど地べたが高くなっている。神田川の水は、御蔵通りにまでは溢れていなかった。

雨はひどいが地べたが見えていることで、安治はふうっと息をついた。浅草につながる広い御蔵通りの両側は、米問屋と札差が軒を連ねている。いつもならとうに店仕舞いしているころだが、今夜はどの店も雨戸が大きく開かれていた。

商家の明かりが通りを照らしている。道はすっかりぬかるみだが、川水には浸かっていない。

神田川が切れただけで、大川はでえじょうぶだろう……。

ひとりで合点して、安治は足を早めた。雨戸を大きく開いた米屋では、奉公人たちが差し迫った調子の声を投げ合っている。立ち止まって聞いた安治の顔から、血の気が引いた。

「佃島が水浸しだそうだ」

「大川が、佐賀町のあたりで土手を越えたそうだ」

「神田川はもうだめだ」

奉公人たちは総出で、一階の家財道具を二階に運び上げていた。御蔵通りの商家が、どこも同じ騒動を始めている。

大川が溢れた。

土手を乗り越える大川の水を、安治は見たことがなかった。大川の土手が切れたら、江戸の町、それも御府内が水浸しになる。

それをなによりも恐れた公儀は、他の川に比べて土手を三尺も高く築いた。

まさか大川の土手が……。

気が抜けたようになった安治は、雨の降り続く地べたにしゃがみ込んだ。が、すぐにわれに返った。

長着《ながぎ》の裾を端折《はしょ》り、帯に巻き込んだ。ぬかるみでは、雪駄の底が滑りやすい。両足とも脱ぐと、ふところに仕舞い込んだ。

降り続く雨をひたいで弾き飛ばしながら、安治はだいこんを目指して全力で駆け始めた。

四十六

水のあふれ方はゆっくりだった。

だいこん裏手の土手を越える水を、さくらが見つけたのは六月二十六日の五ツ（午後八時前だ。そのときの溢れ水はまだ、さくらが言った通り「ぴちゃぴちゃ」程度だった。

しかしつばきの動きは素早かった。吾妻橋火の見番小屋で飯炊きをしていたときに、番がしらの徳三から言われたことを覚えていた。

「わずかひとしずくでも川の水が土手を越えたら、とにかく逃げろ。暴れ水は、はなは人なつっこくちょろちょろと忍び寄ってくるが、そいつにだまされちゃあなんねえ」

徳三は何度も同じことを口にして、つばきに溢れ水の怖さを教えた。それをつばきは、身体の芯で覚えていた。

「すぐにここから出るわよ」

だいこんの土間に戻ったつばきは、蓄えのカネを卓の上に積み上げた。

小判と一分金で三百七十九両。

銀が百九十匁。

銭が一貫文。これは百文差しで十本だ。

「ぬか袋を三つ持ってきて」

言いつけられたかえでが、流しの隅から木綿のぬか袋を三袋運んできた。搗《つ》き米屋で精米してもらったとき、玄米から出たぬかを詰めて納めてくれた袋である。

二升のぬかが入る袋は、持ちやすいように長い紐が縫いつけられていた。

つばきは金貨・銀貨・銭貨を、それぞれ別々の袋に入れた。

もっとも重たい銭一貫文（四キロ弱）は、みのぶに肩から斜め掛けにさせた。

銀はさくらに任せて、つばきは金貨を自分の肩に掛けた。

「ほかにはなにも持ってはだめよ」

つばきが声を張り上げた。

「あたいはなにを持てばいいの」

かえでが姉を見上げて問うた。

「おまえは小さいから、なにも持たなくていいの」

「そんなのいやだ。あたいだって、もう十一だもの。こどもじゃないわ」

なにか持ちたいと言って、だだをこねた。

「ちょっと待ってて」

さくらが台所に駆けた。余りのぬか袋を一枚取り出すと、親子四人が店で使っている木の椀を袋に詰めた。茶碗だと、割れるかもしれないと思ったのだろう。

「これはみんなの大事なものだから、しっかり守ってね」

いつもかえでと一緒にいるさくらは、つばきよりも妹の気性が分かっていた。

「分かった。大事に守る」

姉や母と同じ形になって、かえでが元気よく答えた。

徳三は、ひとしずくでも溢れたらとにかく逃げろと言っていた。だいこんから逃げ出すことに、つばきの迷いはなかった。

「行くわよ」

つばきが一歩を踏み出そうとしたら、かえでが手にしがみついた。

「おとうちゃんが、まだ帰ってきてない」

安治が帰ってくるまでは、動きたくないと言って泣き出した。肩からぬか袋をさげたとき、かえでは父親の帰りを待つ支度だと思ったようだ。

「それは駄目。おとっつあんを待ってて逃げ遅れたら、みんなが死んでしまうのよ」

つばきがきつい目でかえでを叱りつけた。土間の明かりは、百目ろうそく一本だけである。つばきの目が、ろうそくの明かりのなかで鋭く光った。

いつもとはまるで違うつばきの顔を見て、かえでも得心したようだ。懸命に泣き声を抑えつけていた。

だいこんを出る前に、つばきはもう一度中を見回した。火の気は、いまついているろうそくだけで、へっついには種火が残っていないことを確かめた。

台所に戻ったつばきは、細い荒縄の束を持ってきた。縄は五尺巻きである。

百目ろうそくの炎で、縄の先端に火をつけた。わらに火が移り、大きな炎が立った。つばきは縄を振り回して炎を消した。が、火は消えずに残っている。

雨がやんでいるのは、さきほど土手に水を見に行ったときに分かっていた。

向かうのはここから一番近い、上野の山と決めていた。つばきが用意したのは、火熾しのための火縄である。

髪結い床の絵草子で、つばきは京の八坂《やさか》神社のおけら参りの絵を見ていた。火縄をくるくる振り回しながら歩くと、いつまでも火が消えないと絵草紙に書いてあった。

百目ろうそくで火付けをした縄は、絵草紙からの知恵だった。

いまのお店は使えなくなる……。

不吉なことは考えないのが、つばきの生き方だ。しかしこのたびだけは、だいこんは川水から逃げられないと覚悟を決めた。

みんなの命が無事なら、だいこんをもう一度始めることができる。いまはとにかく、無事に上野の山まで逃げること。つばきはさまざまな思いを押し隠して、火縄を振り回した。

「みんなで、流しにお礼を言って」

つばきの指図に、妹ふたりは従った。みのぶはあたまを下げたが、礼は言わなかった。

店の入口につばきが手をかけたとき、吾妻橋から擂半《すりばん》が聞こえてきた。かえでが怯えた目をさくらに向けた。

縄の火を確かめてから、つばきはろうそくを吹き消してふところにしまった。

明かりが消えて、店が闇に包まれた。

「出ましょう」

つばきが戸を一気に開いた。

戸をあけても、一向に明るくならなかった。町が闇に溶け込んでいたのだ。雨は上がっていたが、空にはまだ厚い雲がかぶさっている。月星の明かりがない町は、黒い布をかぶせたように真っ暗だった。

その闇の中で、擂半が鳴っている。覚悟を決めたはずのつばきも怖くなった。

あたしが怯えたりしたら、三人の足がすくむかもしれない……。

そう判じたつばきは、縄を振りながら外に出た。通りはすでに水につかっていた。

「水が出てるから気をつけて」

つばきは左手でかえでの手を握った。利き手の右手では、火縄を振り回している。いまは縄の火が御守になっていた。

「上野のお山に向かうから」

つばきは雷御門の方角に歩き出した。

「おおおい、待ちねえ、待ちねえ」

背中の方角から男の声がした。

「おとうちゃんだ」

つばきの手を振りほどいて、かえでが声に向かって駆け出した。

「あぶないっ」

すぐにさくらが追いかけて、かえでの背中をつかんだ。

「こんな暗がりを走ったりしたら駄目なの」

強く叱っているうちに、安治が駆け寄ってきた。暗い道を駆け続けてきた安治は、目が暗闇に慣れているようだ。

「おとっつあん……」

安治を見て、張り詰めていたつばきの気が抜けた。父親に呼びかける声が、まるで泣き声のようだった。

「すまねえ、遅くなっちまった」

安治がしゃべると、酒のにおいが漂った。

「こんなときにまでお酒を呑んでたのね」

安治に近寄ると、みのぶが思いっきり安治の顔を平手で張った。

「なに考えてんのよ、心配させて」

両手をこぶしにして、安治の胸を強く叩いた。みのぶの尖った声には、安治が帰ってきたことへの、安堵の思いが濃く含まれていた。

「すまねえ、おっかあ」

詫びた安治が、みのぶの肩を抱きしめた。

そのとき。

大川の土手から強い水が押し寄せてきた。激流ではなかったが、水は低くて不気味な音とともに、だいこんの店のなかから流れ出てきた。

「おとっつあん、上野のお山に逃げましょう」

「そのほうがいいな」

安治はつばきの思案を受け入れた。

「土手が切れたんだ。あとからあとから、水が追いかけてくるぜ」

かえでの手を握った安治が、先に立って足を速めた。

吾妻橋が、さらに強い調子で擂半を打っている。雨戸を閉じていた商家が、次々に戸を開いた。

通りがいきなり明るくなった。

「明かりがあるうちに、駆けようぜ」

かえでをつばきに任せると、安治は水を蹴散らして駆けた。おのれの足で、通り道が大丈夫かどうかと確かめているのだ。

かえでの手を引いたつばきが、安治のあとを追った。さくらとみのぶが続いた。

大川から溢れ出した水は安治が言った通り、さらに勢いを増して町と通りに流れ込んできた。

「おとっつあん、ちょっと待って」

つばきが強い調子で呼び止めた。

「なんでえ。もう走れねえのか」

「そうじゃないの。おとっつあんは男だから先へ先へと走れるけど、あたしたちは着物の前が閉じ合わされているのよ」

「いけねえ。気づかなかった」

尻端折りをした安治と、裾が閉じたままの女とでは、足の運びがまるで違う。足元まで水につかっているいまは、なおさらつばきたちは歩きにくそうだった。

「おめえたちも裾をまくりねえ」

「往来でそんなこと、恥ずかしくてできないわよ」

みのぶがさからった。

「ばかいうねえ。生き残れるかどうかの瀬戸際だぜ」

「おとっつあんの言う通りだわ」

つばきが手早く裾をめくった。

「こんな暗がりだし、ほかのひとたちも、命がけで逃げてるんだから」

つばきはかえでの着物の裾を、腹のあたりまで捲《まく》り上げた。さくらは自分で裾を大きくめくったが、みのぶは渋々くるぶしの上まで着物の丈をたくし上げた。

「どうでえ、直したか」

暗がりのなかで、女四人がうなずいた。

「あすこにめえてるのが、上野の寛永寺さんの常夜灯だ」

安治が前方の闇を指差した。小さな光が、安治の肩のあたりに見えた。

「あすこまで登りゃあ、大川がどんだけ暴れてもでえじょうぶだ。元気に走ろうぜ」

「がってんだ」

つばきが父親の口真似をした。暗がりのなかで、かえでが嬉しそうな笑い声をあげた。

四十七

寛永寺を目指して逃げたつばきたちは、途中で道を間違えた。が、かえってそれが幸いし、水の出ていない下谷茅町《したやかやちょう》二丁目あたりに迷い出た。

方々の火の見やぐらで擂半が打たれており、下谷茅町はどの商家も夜通し小僧たちが不寝番をしていた。

『旅籠《はたご》太田屋』

軒先にこの看板を見つけたのは、すでに真夜中を過ぎたころだった。安治から事情を聞いた旅籠のあるじは、親子五人に十畳間をひとつ用意してくれた。

「こんなときだから、お互いさまだ。素泊まりなら、一部屋四百文でいいから」

ふた晩泊まると、並木町の店賃を越えるが、それでも旅籠の泊まり賃としては確かに破格の安値である。

「こどもが三人もおりやすんで、朝晩二食の飯をつけてもらいてんでやすが」

素泊まりではなく、二食の賄いつきでと安治は望みを伝えた。

「二食だと、おとなこどもの区別はなしで、ひとり一日六十文だが、それでもよろしいか」

旅籠で食事を頼めば、よそでは二食百文が相場である。太田屋は良心的だったが、それでも部屋代と食事代で一日七百文になる。

が、カネは充分に持っていたゆえに、払いを案ずることはない。つばきがうなずき、安治が宿代を受け入れた。あるじは寝ていた女中を起こし、人数分の夜具を調えてくれた。

朝飯は、近所の農家で仕入れたネギを散らした味噌汁に香の物、それに小鉢が一品。あとは炊き上がってからときが経って、すっかり冷めた飯である。

自分が客に出す献立とのあまりの違いを目にして、つばきが吐息を漏らした。朝食にはがっかりしたが、女中の働きぶりには満足できた。

朝食が終わったとき、つばきは小粒銀ひと粒（八十三文）の心づけを手渡した。

「こんな難儀のさなか、若いあなたが気を遣わなくてもいいんですよ。これはありがたく頂戴しますが、あとは気遣い無用にしてください」

女中はみのぶと同年輩だった。

「それより旦那さまが、宿賃は大丈夫なのかと、あたしに様子を見てくるようにと言ってましたが」

つばきは十七歳といえども、だいこんを切り盛りする女である。女中も感ずるところがあったのか、あるじの言ったことをみのぶではなしに、つばきに伝えた。

女中が下がったあと、つばきは帳場におりた。

「幾日ごやっかいになるか分かりませんが、とりあえずこれを」

つばきは銀三十匁（二千四百九十文）を前払いした。

「お見かけしたところはまだお若いのに、あんたはまことに物に行き届いている」

あるじは女中の口から、小粒の心づけも聞かされていた。

「失礼だが、なにか商いでもやっておられますのか？」

つばきは正直にだいこんの話を聞かせた。

「道理で……」

あるじは大きく得心した。そしてだいこんの商いぶりを、次々に問いかけてきた。

「ごはんのおいしいのが自慢です」

つばきは気負いなく、だいこんの売り物を口にした。

「ならばつばきさん、まことにぶしつけなお願いだが、うちで飯を炊いてはくださらんか」

「いいですよ」

水が引くのを待つだけのつばきには、身体が動かせるのがありがたかった。さくらを手元の手伝いにつけて、二升の米を研いだ。そして手際よく旅籠のへっついで炊いた。

「これが……うちの米で炊いたものか」

ひと口食べて、あるじは飯の美味さにあとの言葉が出なかった。味のよさに感じ入った様子だったが、それ以上手伝ってくれとは言わなかった。

旅籠賃をもらう客であることに加えて、あるじなりの意地もあったのだろう。

つばきも余計な申し出はしなかった。が、へっついで飯を炊いたことで、だいこんの日々を、焦がれる気持ちで思い出した。


六月晦日まで、雨は降ったりやんだりを繰り返した。旅籠の前の道には、水は出ていなかった。が、つばきたちにあてがわれた二階の正面に見える不忍池《しのばずのいけ》は、いまにも水が溢れ出しそうになっていた。

「あのお水がこぼれたら、ここも並木町とおんなじになるのかなあ……」

不安そうな声を漏らすかえでの手を、さくらが強く握った。

つばきはだいこんの様子が案じられたが、うかつには動けないと思っていた。カネは手元にすべて持っていたし、この旅籠にいる限り、ひどいことにはならないと思えた。

不忍池の水は日ごとに増水しているようで、見るのがつらかった。しかし旅籠は二階家だし、上野の山は目の前である。もしものときでも並木町にいるよりは、はるかに心強く思えた。

安治は毎日旅籠から出て、大川の様子を聞き込んで歩いた。

ていた。

「深川がすっかり水に浸かったらしい」

旅籠で夜明かしをした翌日の二十七日、安治は神田佐久間町のあたりにまで様子見に出向いていた。

「なんでも鉄砲水に襲いかかられて、多くのひとが溺れ死にしたてえんだ。はええとこ逃げ出せたのは、おめえの働きがよかったからだ」

安治がつばきを何度も褒めた。褒められてもつばきは喜べなかった。

だいこんもきっと、水浸しになっているだろう。

水で溺れ死んだひとを思うと、胸が痛んだ。六歳のとき、つばきは野分《のわき》の吹く吾妻橋から転がり落ちそうになった。あのときの怖さは、いまでもはっきりと覚えている。

鉄砲水の勢いがどんなものか、つばきは知らない。それでも荒れ狂った水がどれほど怖い顔をしているのかは、充分にわきまえていた。

おせきさんは大丈夫。

つばきは案ずるのではなく、おせきは無事だと強く信じようとした。心配したりすると、おせきがほんとうに危ない目に遭いそうだと思ったからだ。

旅籠暮らしは、そのあとも続いた。六月晦日も、安治は小雨のなかを出かけて、さまざまに聞き込んできた。

「雷御門のあたりは、膝までの水に減ったらしい」

「膝まで水が出ていて、それで減ったというの？」

みのぶが安治に嚙みついた。

「なんでえ、おめえ。おれに食ってかかるてえのは、了見ちげえだろう」

「ごめんなさい」

みのぶがめずらしく素直に詫びた。

「なにもできずに一日お池ばかり見ていたら、つい気が高ぶってしまって」

「そいつあ、だれもがおんなじよ」

安治が口調をやわらげた。

「これ以上に雨が降らなけりゃあ、あと二、三日で水は引くらしい」

和泉橋たもとの自身番小屋で聞いた見当を、女四人を見回しながら伝えた。

宿が調えた晩飯は、この夜もアジの干物に野菜の炊き合わせ、それに味噌汁と香の物である。

飯は一向に美味くなってはいなかった。

「おねえちゃんの炊いたごはんが食べたい」

かえでが茶碗一膳の飯をなんとか食べ終わったあと、悲しそうな声で思いを口にした。

「そんなことを言ったら、旅籠のひとにわるいじゃないの」

さくらが妹をたしなめた。が、目の色はかえでと同じだった。

七月二日に、やっと水が引いた。

大川は、永代橋から吾妻橋の間の、東西両岸の町を水浸しにした。なかでも河口に近い永代橋周辺は水の勢いが強く、埋立地の深川は六尺もの丈の水に襲われた。

「おじいちゃんとおばあちゃんのお墓は、大丈夫かしら」

二日の夕食後、みのぶに問いかけるつばきの顔には、十七歳とは思えない疲れの色が浮いていた。なにもせずに、不忍池を見て暮らすことのきつさが、正直に顔に出ていた。

「おれもそのことが気がかりなんでえ」

茶碗を手にしたまま、安治がつばきの言葉を引き継いだ。

「明日の天気がよけりゃあ、浅草にけえってみようじゃねえか」

「おうちに帰れるの？」

かえでが声を弾ませた。

「けえれるかどうかは、行ってみなきゃあ分からねえ」

かえでの顔に影が差した。

「だがようかえで、ここにいてお池を見てるよりは、気が晴れるだろうがよ」

「あたい、行くから」

気を取り直したかえでが、安治のそばに近寄った。

「ばあばとじいじのお墓に、あたいがお花をつんでいく」

「そいつあいい。さぞかし喜ぶだろうさ」

安治が末娘のあたまをなでた。

みのぶの父親重三は、四年前の安永四年の九月に五十七歳で病死した。連れ合いのおちょうは、重三のあとを追いかけるように、翌年の二月に心ノ臓の発作であっけなく逝った。つばきとみのぶが、火の見番小屋で賄い仕事についていたときである。

立て続けの葬儀になったが、竹町の鳶のかしら辰五郎が手配りに動いてくれた。辰五郎はつばきが六歳のとき、吾妻橋の蕎麦屋で「おめえの後見に立つからよ」と言った男である。

出会ったときは三十九歳だった辰五郎は、おちょうの葬儀のときには四十六歳で、赤半纏を着るかしらになっていた。

ふたおやが相次いで亡くなった当時の安治一家には、墓を構えるカネがなかった。

「親の供養は形じゃねえ。石っころを積み上げた墓でも、おめえたちの思いがしっかりしてりゃあ、重三さんもおちょうさんも喜びなさるさ」

重三にもおちょうにも、江戸には菩提寺がなかった。辰五郎が動き、橋場の墓地を用意してくれた。

「墓地の費えは、ゼニができてからでいいてえことだ。蓄えができたら、ご住持に払えばいい」

重三とおちょうは、借金をしない暮らしを続けていたが、蓄えもほとんどなかった。

「おれたちふたりが食えりゃあ、それでいい。余ったゼニは、職人にやりねえ」

娘のみのぶのために蓄えることは、重三がきつく止め立てしていた。それでもおちょうは蓄えをこしらえていたが、あらかたは重三の薬代と、とむらいの費えに消えた。

おちょうがあっけなく逝ったのは、あとに残る娘に、医者代の心配をさせたくなかったからなのかもしれない。

「あのひとの墓地だけは、なんとしても構えたいんだけどねえ……」

亡くなる数日前まで、おちょうは重三の墓地を用意したいと言い募《つの》っていた。

辰五郎が雄源寺と話をつけた数日後、重三の弟子たちが親方への恩返しだと言って、御影石の墓石を据えつけた。

つばきはだいこんを始めたあと、蓄えがたまるなり、すぐさま雄源寺に墓地代を支払った。そして住持に、供養の読経を頼んだ。

「どうでえ、つばき。明日が晴れたら、橋場に出向こうじゃねえか」

「いいわ。あたしもずっと、気にかかっていたことだから」

つばきは二つ返事で応じた。

「おねえちゃん、星がいっぱい」

二階の窓から身を乗り出しているかえでが、夜空を指差した。月は新月だが、星が空を埋めていた。

四十八

七月三日に安治一家は、洪水のあと初めて吾妻橋に戻ることになった。

家財道具は一切持たずに、カネの入ったぬか袋だけを肩からさげて逃げ出していた。下谷の旅籠を引き払うときも身軽だった。

「向こうの様子次第では、いつでも帰ってきなさい。ここしばらくは、二階の部屋には客をいれないから」

あるじと女中に見送られて、安治たちは下谷茅町を離れた。

真夏の強い日差しが、水の引いた通りに照りつけていた。道の至るところに、木枝が転がっていた。ボロだの紙屑だのが、干からびて地べたに張りついている。

稲荷町を過ぎたあたりから、通りの隅には布をかぶせたむくろが、安置されずに置かれていた。

夏の暑さにあぶられて、なきがらが強い異臭を放っていた。かえでが顔をしかめて鼻をつまんだ。

「やめなさい、そんなことをするのは」

みのぶが強くたしなめた。

「あのひとたちは、逃げるに逃げられなかったのよ。おまえがあんな風《ふう》になっていたとき、鼻をつままれたりしたらどう思うのよ」

「ごめんなさい……」

詫びたかえでは、布をかぶせられたなきがらに、小さな手を合わせて辞儀をした。

洪水は、町の方々に凄まじい爪あとを残して引いた。浅草界隈の裏店、商家は軒並み四尺五寸の水に襲いかかられていた。家に乱入した水は、汚物をかわやから流し出し、それを町じゅうに撒き散らしていた。

昨日、今日の強い夏日が、その汚物を干からびさせた。乾いた人糞は、それほどひどいにおいを発してはいない。が、よけて歩くのが難儀なほどに道が汚れていた。

雷御門に着いたとき、浅草寺で四ツ（午前十時）の鐘が打たれ始めた。

「どうするよ、つばき。だいこんに行くか、雄源寺に行くか、どっちにするよ」

前方には吾妻橋が見えていた。たもとの通りを右に曲がれば、だいこんである。

「先にお墓に行きましょう」

つばきは迷いのない返事をした。

旅籠を出たときから、つばきはひとつのことを思い定めていた。

雄源寺のお墓が無事なら、きっとだいこんはやり直せる。

墓石が倒れたり流されたりしていたら、それは考え直せというお告げ……。

縁起を大事にするつばきは、重三とおちょうが先の道を示してくれると確信していた。

「分かった。おめえの言う通りにするぜ」

安治は吾妻橋のたもとを左に折れた。まっすぐに歩けば今戸に出る。橋場の雄源寺は、今戸橋を渡ればすぐだ。

親子五人は夏の陽に焦がされながら歩いた。

「川風を浴びながらのほうが歩きやすいぜ」

安治は御蔵通りの路地を右に折れて、大川の土手下に出た。水で痛めつけられた土手の野草が、折り重なって倒れていた。草には、紙やら汚物やらがこびりついている。

「すべらねえように気をつけろ」

かえでの手を引いて、安治が最初に土手に上った。

薄茶色の濁流が、凄まじい音を立てて流れていた。目の前を丸太が、まばたきひとつする間に流れ去った。流れの速さに、安治が息を呑んだ。

「鉄砲水は、こんなもんじゃねえさ」

木枝が流れにもてあそばれながら、あっという間に川下に消えた。

「これよりも速いっていうの？」

流れを見て、みのぶからあとの言葉が出なくなった。大川の濁流が、陽光を弾き返している。

日差しと濁り水とが、互いに勢いの強さを競い合っているようだった。

見ているだけで怖いが、ひとの気持ちを惹きつける妖しさも含んでいる。

五人は大川に見入っていた。

墓をおとずれたら、重三の墓石は、びくとも動いていなかった。墓地にも暴れ水は押し寄せていたが、寺はきれいに掃除を済ませていた。

そのさまを見て、つばきはだいこんの商い再開を、きっぱりと決めた。

並木町の裏店は、水に襲いかかられて建物が傾いていた。つばきは引越しを思い定めた。

「だいこんを二階建てにして、住まいも一緒にしましょう」

つばきの思案を、安治はすぐには受け入れなかった。

「家主さんが首を縦に振ってくれるまでは、そんなことを勝手にはできねえ」

つばきも、もとより承知のことだった。

思案を聞き取った周旋屋は、家主と掛け合って、つばきが好きなように改築してもいいとの許しを取りつけた。

「あんたの商いぶりを、大層喜んでくれているしねえ。それよりなにより、一日も早くだいこんを始めてくれと、あたしのところにまで客が催促をしてくるんだ」

しかめた周旋屋の顔が、すぐに崩れた。

七月十五日から、だいこんの修繕が始まった。普請場の差配は安治が振るった。

初めておのれの暮らす家を建てるのだ。安治は夜明けから日暮れまで、職人たちの先に立って働き詰めていた。

四十九

安永九年七月十五日から、つばきたち親子五人は小伝馬町二丁目で暮らし始めた。

長屋や借家ではなく、一泊ひと部屋四百文の宿賃で、公事宿《くじやど》に逗留を始めた。下谷の太田屋の口利きで、芳田屋善兵衛《よしだやぜんべえ》という公事宿に八畳間が借りられた。

公事宿とは、訴訟や奉行所の吟味を受けるために、江戸に出てきた旅人を泊める宿である。

奉行所の認可を得ての旅籠ゆえ、本来は訴訟にかかわる者しか泊めることはできなかった。

宿賃は他の客との相部屋で、ひとり二百四十八文。これは公事宿の株組合人が、互いに申し合わせた相場である。

六月の洪水では、大川端に暮らす者の多くが家を流されたり、家財道具をだめにしたりで難儀をしていた。

公儀は特段の計らいとして、新しい住まいが見つかるまでの間、洪水の被災者が公事宿に逗留することを許した。

宿賃については、公事宿と逗留客とが相対《あいたい》で決めるべしとして、当事者に預けた。また宿泊を受け入れるか否かの判断は、公事宿のあるじに任せるとした。

下谷の太田屋と小伝馬町の芳田屋は、遠縁筋の間柄だった。

「安治さんは腕のいい大工職人だし、娘のつばきさんは吾妻橋の近くで一膳飯屋を商っている。素性は確かだから」

つばきの人柄が気に入っていた太田屋は、安治一家の逗留を引き受けて欲しいと、強く働きかけた。芳田屋は、太田屋と同じ宿賃で親子五人の逗留を受け入れた。

小伝馬町からであれば、安治は日本橋の普請場まで四半刻（三十分）もかけずに通うことができる。

つばきも吾妻橋まで、やはり四半刻ほどで出向くことができた。小伝馬町の公事宿に逗留できるのは、安治にもつばきにも、願ったりの地の利であった。

その反面、一泊四百文の宿賃は安くなかった。大小の月をならせば、ひと月が二十八日の見当である。一泊四百文として、月に十一貫二百文だ。およそ二両一分という大金が、ひと月の宿賃としてかかってしまう。

安治が普請場の様子を見に行って不在の、七月十六日の四ツ半（午前十一時）ごろ。公事宿の宿賃が高すぎると、みのぶがつばきに不満を言い始めた。

「そんな高い店賃を出すなら、江戸のどこでも一軒家が借りられるでしょうが」

みのぶは頰を膨らませて、このまま芳田屋に居続けることに猛反対をした。

「おっかさんの気持ちは分かるけど、いまはどこにも空き家がないじゃない」

つばきの言い分は的を射ていた。長屋と言わず借家と言わず、江戸中の店借り《たなが》（借家人）が暮らす家を求めて血眼になっていた。

「だったらつばき、いつまでここに暮らす気なのよ」

「今年の暮れまで」

つばきが即座に言い切った。

七月中旬のいまから年末までだと、百五十日を超えてしまう。

「ちょっと算盤を貸してちょうだい」

みのぶは一泊四百文で百五十日では……と、口のなかでぶつぶつ言いながら珠を弾いた。

「六十貫文よ。あたしがもう、何度も検算しているから」

「六十貫文だなんて……おまえ、気は確かなの」

一度はつばきの言い分を受け入れていたみのぶが、両目を吊り上げて娘に嚙み付いた。

一両五貫文として、十二両だ。安治の稼ぎ六十日分ものカネが、公事宿の泊まり賃として費えることになる。

かえでにはまだ、カネのことは分からない。さくらは六十貫文がどれほど高いかを、それなりにわきまえられる歳になっていた。

「大丈夫よ。それぐらいの宿賃なら、どうってことなく払えるから」

「随分と豪気なことを言うわねえ」

みのぶは目を吊り上げたまま、粘りのある言葉を娘に投げつけた。

「だいこんがどれほどの稼ぎだったとしても、店が開けられない今は出銭《でせん》だけじゃないの」

「そんな嫌味をいうことはないでしょう」

「嫌味で言ってるんじゃないわよ」

みのぶの目元が、さらに険しくなっていた。

「おまえのようにお足を大事にしなかったら、蓄えなんか、あっと言う間に消えてなくなるから」

洪水で並木町の裏店を失くして以来、みのぶはことあるごとに蓄えが減ることを案じていた。店が始まればすぐに取り返せるからと言って、つばきは母親の愚痴には取り合わないでいた。娘に相手にされない腹立ちを、みのぶはずっと抱え込んでいたのだろう。十二両もの宿賃がかかると知って、抑えていた不満が一気に噴出した。

「前から言おう言おうと思っていたけど、おまえのカネ遣いの荒いのには、おっかさんは我慢できない」

みのぶは長女のそばに詰め寄った。

ふすま一枚で仕切られた公事宿である。隣の部屋との境目は、裏店よりも薄かった。

「もう少し、小さな声で話して」

つばきは母親をたしなめた。それがみのぶの怒りを、さらに煽り立てた。

「なんなの、その物言いは」

さくらが止めに入ろうとしたら、みのぶは次女を払いのけた。

「おまえの炊くごはんがおいしいだけで、だいこんが繁盛しているわけじゃないのよ」

みのぶの文句の矛先が、宿賃の高さから、だいこんの切り盛りへと移っていた。

「おまえひとりが稼いでいるような顔をして、いっつもあたしを見下しているけど……あたしの働きだって、だいこんの繁盛には大きに役立っているでしょうが。どうなの、つばき……おまえには、それが分かっているの」

みのぶが本気で怒っていた。

ひとたび怒りの火がつくと、みのぶの話は支離滅裂になってしまう。賭場の借金に追い立てられていたとき、煮え滾《たぎ》るみのぶの怒りを、安治は何度も浴びせられていた。

つばきには、今回が初めてだった。

「あたし、少し外を歩いてくる」

怒り心頭の母親を残して、つばきは芳田屋から外に出た。みのぶと揉めたときに、安治がよく使う手であった。

公事宿を飛び出したものの、つばきには行くあてがあるわけではなかった。

浅草橋につながる御蔵通りに出たあとは、蔵前に向かって歩き出した。

「おおい、つばきさん……」

呼ばれて振り返ったら、芳田屋の長男があとを追ってきた。太田屋の口利きで芳田屋をたずねたとき、あるじよりも強く安治一家の受け入れを口にしたのが、この長男だった。

「大変だったなあ、おっかさんとの諍《いさか》いは」

「聞こえていましたか?」

つばきの顔が真っ赤になった。

「おっかさんの声は、よく通るからさ。聞きたくはなかったけど、丸ごと聞こえてた」

「ごめんなさい、いやなことを聞かせてしまって」

丸ごと聞こえていたとすれば、宿賃が高いと言い募ったことも耳に入っているはずだ。目の前に立っているのは、母親が高すぎると文句をつけた、公事宿の長男である。

つばきには身の置き所がなかった。

「大丈夫だよ、つばきさん。一泊四百文の宿賃は、おっかさんが言う通り安くないよ」

「ごめんなさい、浩太郎さん……」

やさしい言葉をかけられて、つばきはわれ知らず名前で呼びかけていた。

「気晴らしに、少し柳原の土手を歩いてみないか」

「浩太郎さんは大丈夫なんですか」

「おれは平気だけど、並んで歩いたりしたら、つばきさんに迷惑かなあ」

「そんなことありません」

つばきはむきになって答えた。言ってから、また顔を赤らめた。

「それじゃあ決まりだ。少し遠くまで歩くことになるけど、柳森稲荷のお山に登ってみようぜ」

二十二歳の若者らしい、張りのある声で浩太郎が遠出を誘った。

身繕《みづくろ》いもしないで宿を飛び出したつばきは、木綿のひとえに駒下駄姿である。手には袋も提げていないし、ふところには汗押さえの懐紙が入っているだけだ。

カネは一文も持ってはいなかった。

「カネならおれが持ってるから」

つばきの胸のうちを、浩太郎は察したらしい。つばきの顔から迷いの色が消えた。

柳森稲荷のお山とは、神田川沿いの柳原土手に拵えた、高さ三丈の富士山である。

小さな山だが、てっぺんに立つと神田川の流れが一望にできた。山には上り下りのために、石段が拵えられている。

浩太郎とつばきは強い夏日を浴びながら、和泉橋を通り過ぎた。

正面左手に、柳森富士が見えてきた。

「洪水のあとだというのに、ずいぶんとひとが登ってるよ」

浩太郎が指差した先には、富士山の頂上に立つ十人ほどの人影が見えた。夏の陽が、空の真ん中に上っている。川風を頬に受けながら歩いてきたが、それでもふたりのひたいには汗が浮かんでいた。

「つばきさん、喉が渇いてないか」

「カラカラです」

「お稲荷さんの前に冷や水売りが出てるから、そこで一杯飲もうぜ」

浩太郎がわずかに足を速めた。歳若い男とふたりだけで歩くのは、つばきには初めてだった。あとを追いかけながらも、胸のあたりが浮き浮きしていた。

冷や水は、冷たい井戸水に砂糖を溶かしただけの飲料だ。椀一杯が四文、白玉を浮かべると六文である。

浩太郎はつばきに問うこともせず、白玉入りを二杯注文した。

「へいおまち」

冷や水売りは、六十年配の親爺だった。

つばきは冷や水を飲んだことがなかった。その気になれば、好きなだけ飲めるカネは持っていた。が、だいこんの商いに追われて、冷や水売りから買うひまがなかった。

「冷たくておいしい」

熱くほてった口には、冷えた井戸水が心地よかった。それに加えて、小伝馬町からここまで歩き通したことで、身体がいささかくたびれていた。砂糖の甘味が、つばきの身体の隅々にまで染み透っていった。

「あめえおふたりさんには、砂糖が効き過ぎたんじゃねえか」

親爺に軽口を叩かれて、つばきの顔が三度目の朱色に染まっていた。

五十

九月中旬に入って、江戸の町が落ち着きを取り戻した。洪水の爪あとは、まだ大川の東側には方々に残っていた。

が、七月と八月に晴天が続いたことで、町家の修築は大きく捗《はかど》った。

晴天続きと猛暑は、江戸だけではなく諸国も同じだった。とりわけ米どころの東北が暑く、稲の育ちを促した。

「今年は米が元気らしいぜ」

普請場で働く職人たちが、汗を拭きつつ顔をほころばせた。職人たちには、東北の豊作は伝わってはいない。しかし江戸近在の相州や房州でも、米が実り豊かであることは聞こえていた。

米の豊作は、ひとを元気づけてくれる。

ひどい洪水に襲いかかられた江戸の町民も、九月の半ばには威勢のよさが戻っていた。

「おっかさん、煮物の加減は？」

「もうすぐ仕上がるわよ。ごはんは大丈夫なのね」

「あとは蒸《む》らすだけ」

みのぶとつばきの母娘が、芳田屋の夜の台所で忙しそうに立ち働いていた。


七月中旬にひどい親子げんかをして、つばきは宿を飛び出した。そのときあとを追ってきた芳田屋の長男浩太郎と、つばきは柳森富士に登って一日を過ごした。

「つばきさんは、飯を炊くのが大層上手なんだってね」

「そんなこと、だれから聞いたの？」

「太田屋の親爺さんさ。とにかくごはんが美味いって、褒めちぎってたよ」

これが話の切り出しだった。

柳森富士のふもとに座って、浩太郎は胸のうちで暖めていたひとつの思案を話し始めた。

「つばきさんの店が始まるのは、年明けの正月からだろう？」

「あたしもおっかさんも、そんなことは言ってなかったと思うけど」

「つばきさんは、暮れまではうちに逗留するって言ったじゃないか」

浩太郎は察しのよい若者だった。つばきは感心した目で、浩太郎を見た。

「おれの思案というのは、つばきさんが弁当を拵えることなんだよ。ずっとあたまで考えていたことだけど、上手な飯炊きが見つからなかったから……」

公事宿に逗留する者は、むやみに宿から出ず、奉行所からの呼び出しを待つことを義務づけられていた。呼び出しの差紙《さしがみ》は、いつ届くか分からない。

足止めをされた逗留客は、毎日所在なげに公事宿で過ごした。

宿賃には朝夕の二食しか含まれておらず、昼飯は外食である。しかし地方から出てきた客のなかには、地理不案内で外に出るのを億劫がる者が少なからずいた。

そんな客のために、公事宿の周りには出前をする蕎麦屋や一膳飯屋が何軒もあった。

宿にいる限りは出前で済ませられたが、呼び出されたときには昼飯に往生した。

差紙には、朝の四ツ（午前十時）に奉行所出頭が明記されていた。この呼び出し時刻は、だれもが同じだった。

毎朝、百人を超える町人が呼び出されて、奉行所の門前に参集した。人数が多いのは、当人だけではなく、町役人やら五人組肝煎《きもいり》やらの付き添いを、奉行所が命じていたからだ。

番所警吏《けいり》は差紙の氏名を台帳と突き合わせたのち、集まった者を奉行所待合所に留め置いた。

広さは百坪近いが、腰掛がわりに長い板が渡されただけの土間である。そこに座って、おとなしく呼び出しを待つのが定めであった。

「この順番待ちが大変なんだよ」

「大変って……そこでずっと待ってなければいけないの？」

つばきを見詰めながら、浩太郎がしっかりとうなずいた。あまりに強く見詰められて、つばきがうろたえて目を伏せた。

「待合所には、かわやもないんだ。夏場はまだしも、冬は吹きさらしだからさ。歳をとったひとのなかには、そこで風邪をひいたりする」

顔を伏せたままのつばきには構わずに、浩太郎は思案を話し続けた。

昼になっても、呼び出された者は食事の外出ができない。奉行所の吟味は、夕方七ツ（午後四時）までは休みなく続いている。いつ順番が回ってくるかが分からず、待合所から出られなかった。

時分どきになると、待合所には物売りが顔を出した。奉行所警吏も、それを止め立てしなかった。

物売りが商うのは、握り飯と、竹の吸筒《すいづつ》に入った番茶である。麦の混じった、おとなのこぶし大の握り飯ふたつと、吸筒の番茶で三十文。べらぼうな高値である。

高くても、外出のできない者はそれで腹を満たすしかない。しかも呼び出しを受けた者は、おのれの握り飯だけではなく、付添い人の分まで買わざるを得ない。

呼び出された当人と、付添い人が少なくても五人。一回の呼び出しで、百八十文の費えがかかった。

ひとつの訴訟で、三回は呼び出しを受けた。地方から出てきた者は、訴訟のケリが着くまでに、五両、十両という大金を遣い果たすことがめずらしくなかった。

「そのひとたちに、握り飯を売りたいんだ」

浩太郎の目が大きく見開かれていた。

「おれなりに算盤を弾いたけど、白米の握り飯二個に、煮物のおかずと吸筒をつけても、二十文で売れれば充分に儲かる。奉行所の物売りが高値で売ってるのは、番人たちに割戻しをしているからさ」

浩太郎が顔をしかめた。

「田舎から出てきたひとたちは、費えがかさんで難儀をしているのに、そのひとたちに高値で売りつけるなんて、おれには許せない」

一緒に弁当を拵えて、人助けを手伝ってくれと浩太郎が迫った。

「もちろん手伝わせてもらうわ」

ただし売値については、よくよく考えてから決めましょうと、つばきは付け加えた。

「それと、もうひとつあるの」

「言ってくれ。つばきさんが手伝ってくれるなら、なんでも聞くぜ」

もう少しでひたいがくっつきそうなほどに、浩太郎が顔を近づけた。つばきが慌てて身体を引いた。気を落ち着けてから、浩太郎に目を合わせた。

「夏場はものが傷みやすいから、秋風が立ってから商いを始めましょう」

「それはいい思案だよ。うちの台所にも、へっついやら鍋釜を増やさなければいけないから、秋口からだと按配もいい」

おのれの思案が実りそうだと知った浩太郎は、小伝馬町まで弾むような歩みを続けた。

宿に帰ったつばきは、ひとりで何度も算盤を弾いた。だいこんの仕入れで、米やら野菜やらの値段はしっかりあたまに入っている。分からないのは、竹の吸筒の値段だった。

「おとっつあん、ちょっと教えて」

つばきに問われたのが嬉しいらしく、安治は目尻を下げて娘に近寄った。

「吸筒を造る竹って、一本幾らぐらいするものなの？」

「なんでえ、それは。またなにか思案を思いついたのかよ」

「この宿の浩太郎さんから、おもしろそうな話を持ちかけられたの」

昼間、柳森富士で話し合ったことを、かいつまんで安治に聞かせた。

「おめえ、いつの間に男とふたりで出歩くようになったんでえ」

話とはかかわりのない、見当違いのことで安治が怒り出した。昼前のことにわだかまりを抱えているみのぶは、知らぬ顔を決め込んでいた。

「お願いだから、そんな大きな声を出さないで。ここの話は、帳場にまで丸聞こえなんだから」

つばきに手を合わされて、安治は大声を引っ込めた。父親が静まるのを待って、つばきはもう一度、話の始まりからなぞり返した。

安治は棟梁から、普請場を任されている大工である。気持ちが落ち着くと、浩太郎の思いつきのおもしろさが飲み込めたようだ。

「売り方をしっかりかんげえねえと、物売りと門番の両方から邪魔立てをされるぜ。そうなったら、公事宿の本業に障りがでちまう。思案はいいが、そこんところをしっかりと煮詰めたほうがいいぜ」

浩太郎もつばきも気づかなかったことを、安治はずばりと指摘した。つばきは敬いを込めた目で父親を見た。

翌日の四ツ過ぎ。朝の忙しさが一段落したところで、つばきは帳場に浩太郎をたずねた。

「そうだったのか。おれも親父から、同じことを言われたよ」

芳田屋のあるじも、思案はいいが売り方をよく考えろと言っていた。その思案さえつけば、台所の改修は浩太郎の好きにしていいとの許しを与えていた。

「おにぎりふたつに、野菜の煮しめと吸筒に入ったお茶をつけても、十二文で作れます」

つばきは細かに原価を書き出していた。

「凄いなあ、つばきさんは。これと同じ物を、もう一枚書いてくれないか」

「ちゃんと用意してあります。芳田屋さんのお許しをいただかないといけないでしょう」

つばきは、浩太郎だけでは決められないと判じていた。つばきの心配りに、浩太郎はさらに感じ入ったようだった。

「売り方は、あたしなりに思案してみたんだけど……」

ぜひ聞かせて欲しいとせがまれて、もう一枚の半紙を取り出した。つばきは売り方の仕組みを絵図にしていた。これは父親ゆずりの技だった。

奉行所からの差紙は、呼び出し前日の八ツ（午後二時）過ぎに届けられた。

一日あたりの呼び出しは、多くて二十人である。呼び出し一組あたり、当人と、付き添い五人の、少なくても六人が出向くことになる。都合、百二十人が朝の奉行所に参集した。

差紙は公事宿に届く。公事宿は小伝馬町に集まっている。

ここが、つばきの思案の鍵になった。

差紙を受け取った公事宿は、その日の八ツ半（午後三時）までに、翌日の弁当の入り用数を芳田屋に伝える。小伝馬町の一番端からでも、芳田屋までは徒歩で四半刻もかからなかった。

八ツ半に翌日の数が分かってから、仕入れと仕込みを始める。注文を受けた弁当は、翌朝の六ツ半（午前七時）までに、それぞれの公事宿に届ける。呼び出しを受けた者は、宿から弁当持参で奉行所に出向くというのがつばきの思案だった。

「待合所で売ったりすると目立つけど、宿を出るときから持っていけば、だれにも文句は言われないでしょう」

どの公事宿も、客が高い弁当を買わされているのを気の毒に思っていた。さりとて、朝餉《あさげ》の支度で手一杯である宿は、客の弁当作りにまでは手が回らない。

ひとつで十文も安い弁当が買えるなら、客にも宿にも願ったりである。公事宿が昼の弁当を用意したという形であれば、物売りも文句のつけようがない。

つばきが描いた絵図と原価表を示しながら、浩太郎は父親に思案の細部を説き聞かせた。

「よくできている。すぐにも株仲間に話してみよう」

弁当の思案は、芳田屋の当主みずからが仲間内の寄り合いで話した。ひとりも反対する者がおらず、その場で採り上げられた。


弁当の仕出しは、九月十三日から始まった。縁起をかついで、初日は十三夜を選んだ。

始まり当初の三日ほどは、芳田屋以外の宿からの注文は、二十個に満たなかった。が、弁当の美味さが評判を呼び、九月の晦日には百個の注文が舞い込んでいた。

立ち上がりがゆるやかで、次第に数が増えていくのは、だいこん開店当初と同じだった。

弁当一個の儲けが八文、九月末には日銭八百文の儲けが出ていた。

当初からの取り決めで、儲けはつばきと芳田屋とで折半にした。つばきもみのぶも、だいこん開店までのときを、弁当作りで汗を流して過ごすことができた。

十二月二十九日で、奉行所は御用納めである。この日から正月三日までは、公事宿はひまになる。

だいこんの改築は、年の瀬ぎりぎりの三十日に仕上がった。

「正月の開店祝いには、かならず顔を出させてもらうから」

大晦日の朝、芳田屋を出て行くつばきを見送りながら、浩太郎がはっきりと約束した。

つばきは、浩太郎の目を見詰めてうなずいた。さまざまな思いが込み上げてきたが、口にはしないまま、浅草橋のたもとで浩太郎と別れた。

だいこんは、もとの家に二階を増築していた。安治一家の新しい住まいである。

「あたいとおねえちゃんとで、この部屋を使ってもいいんだって」

かえでが目をくりくりさせながら、さくらに抱きついた。店に増築した二階には、安治夫婦用、つばき用、さくらとかえで用の三部屋と、物置が普請されていた。

親子五人はだいこんの二階で、新しい年を迎える除夜の鐘を聞いた。

五十一

雨のなかに、つばきはひとりで立ち尽くしていた。朝のうちはきれいに晴れていたのに、五ツ（午後八時）のいまは本降りである。

差している傘は、弐蔵の組で借りた蛇の目だ。見栄を売るのが商売の渡世人は、蛇の目にも気を遣っていた。

骨と柄に用いた竹は、細身の真竹《まだけ》だ。節と節の間が手ごろに広く、持った感じが手にしっとりと馴染んだ。

紙は柿渋を重ね塗りした、美濃の厚紙だ。渋には香料が混ぜられているらしく、傘の内側から檜のような香りが漂い出ていた。

弐蔵の組を出たつばきは、考えごとを重ねながら、だいこんの普請場に来ていた。

五ツを過ぎた普請場は、真っ暗でひとの気配がなかった。しかも本降りの雨のなかである。明かりがなく、普請のはかどり具合も見えない。

『だいこん』の大きな看板は、まだ晴れていた四ツ（午前十時）には据付けができていた。それはつばきも、自分の目で確かめた。

ところが月星の明かりがない闇夜のなかでは、幅五尺、高さ四尺もある大看板も、まるで見えなかった。

弐蔵の手下に連れられて、組の宿に出向いたのが四ツ半（午前十一時）過ぎだった。いまはもう、五ツを過ぎている。

ほぼ半日近くも、弐蔵と向かい合っていた。明かりのない普請場に戻ったつばきは、くたびれ果てていた。

雨のなかを歩き続けるのは億劫だった。

まだ仕上がり切ってはいない店は、戸口に錠前はついていなかった。暗くても、店の中の造りは知り尽くしている。

仮に取り付けられた戸を開き、つばきは中に入った。店には、板の間や階段などに用いている、杉の香りが閉じ込められていた。

つばきは板場と土間との境目に腰をおろした。漂ってくる杉の香りが、つばきの疲れをほぐしてくれるようだ。

つばきから吐息がこぼれ出た。

半日も一緒にいた、弐蔵とのやり取りが思い出されて、ついこぼれ出た吐息だった。

弐蔵に対して、つばきは決して楽しい思い出は抱えていない。楽しくないどころか、忘れてしまいたいことがほとんどだった。

ところが弐蔵は大分に違っていた。

寛政元年五月の今から二十三年も昔に、つばきは弐蔵と出会った。出会った当時は弐蔵ではなく、伸助を名乗っていた。

つばきが伸助と呼びかけたら、相手は目一杯に顔をしかめた。手下がいなくなると、弐蔵はに近かった。

「頼むから手下のめえでは、おれを伸助とは呼ばねえでくれ」

拵えた親分顔ではなく、素の顔でつばきに指図した。それは指図というよりも、頼んでいる伸助に戻った。

あれこれと昔話をしているなかで、安永九年の洪水の顚末《てんまつ》に話が及んだ。

つばきは繁盛していただいこんが、あの大水で水浸しになったあらましを聞かせた。公事宿で、その年の暮れまで過ごしたことも話した。

「おめえだったのか、あの弁当の知恵は」

武蔵が大声を出した。

「あの弁当って……伸助おじさんにも、かかわりがあったんですか」

武蔵がどう言おうが、つばきは構わずに伸助と呼びかけた。

「おめえは、あっちに引っ込んでろ」

部屋の隅で構えている手下を、武蔵は外に出した。どう言っても、つばきは言うことをきかないと悟ったらしい。

手下が部屋から出たあとは、武蔵が伸助に戻った。

「さっきからつばき坊が弁当、弁当てえから、ことによるとと、かんげえてたところだ」

伸助が口にした『あの弁当』というのは、公事宿芳田屋で拵えた、握り飯弁当のことである。

奉行所から差紙で呼び出される者を相手に、つばきは芳田屋浩太郎と一緒になって握り飯弁当を拵えた。そして小伝馬町界隈の公事宿に毎朝届けた。

それを売り出す気になったのは、奉行所待合所に売りに来る弁当が、中身に比べて値段がべらぼうに高かったからだ。

あのときのつばきは、暇を持て余していた。弁当作りは、金儲けのためというよりは、人助けになればと考えてのことだった。

みのぶもつばきも、弁当作りで生き返ったも同然だったのだ。

「待合所の物売りは、あのころおれが世話になってた、浅草橋の良三《よしぞう》てえ香具師《やし》の元締めが仕切ってた稼業だ」

「それじゃあ伸助おじさんも、待合所に物売りに行ったんですか」

つばきの問いかけは、冷え冷えとした声音だった。公事宿で握り飯弁当を拵えたのは、足掛け十年前の話である。しかしあの一件が元になったことで、つばきは自分から断りながらもいまでもうずく、こころの傷を負っていた。

つばきの思いを知らない伸助は、冷たく言われて顔つきを険しくした。

「おめえから、そんな物言いをされる覚えはねえぜ」

「気をわるくしたんなら、勘弁してください。伸助おじさんにかかわりのないことで、いやなことを思い出したもんですから」

「なんでえ、それは？」

伸助が凄んだ。

つばきにはこども時分から、いやだと決めたらどれだけ脅かされても凄まれても、一切取り合わない強情さがあった。

伸助もそれを思い出したらしい。

「まったくつばき坊は変わらねえぜ」

手に負えないという感じで、伸助が折れた。表情を元に戻すと、伸助のほうから握り飯弁当の後日談を話し始めた。

「ある日いきなり、待合所で握り飯が売れなくなった。おれはあんとき、良三親分の下で弁当に遣う吸筒作りをやってた」

大川が溢れたとき、伸助は深川万年橋近くの仕舞屋《しもたや》で、小さな組を営んでいた。ところが大川と小名木川のふたつが、牙を剝いて岸辺の町に襲いかかった。

金目の物を運び出す間もなく、宿は水に浸かった。床上三尺の水に襲われて、仕舞屋はひとたまりもなく水没した。

手近にあった十六両だけを持って、伸助は洪水から逃げた。水が引いたあとも、町は壊れたままである。三人いた手下は、そのまま行方知れずになった。

組を興し直そうにも、十六両ではなにもできない。昔の好《よしみ》をたどって、香具師の良三の宿をおとずれた。

良三も洪水に襲われていたが、宿は自力で建て直した。それだけの力も財力もあった。

「物売りでもやってみねえ」

方々の縁日に、良三は屋台を出していた。しかし伸助は、賭場ひと筋で生きてきた。

「親分には申しわけありやせんが、おれには物売りはできねえ。なんでもいいから、手元の仕事を助《す》けさせてくだせえ」

良三は舌打ちしながらも、伸助の頼みを聞き入れた。伸助が仕えていた橋場の金蔵は、良三の兄貴分である。

そこにいた若い者の頼みは、無下《むげ》には断れなかったのだろう。

「だったら、吸筒作りをやってみねえ」

任された仕事が、奉行所待合所で売る弁当の吸筒作りだった。

渋々にやらせてみたら、伸助は意外にも手先が器用だった。良三から竹を渡されて、毎日三十以上の吸筒を拵えた。

大した手間賃はもらえなかったが、それでも五日も貯めれば、縄のれんをくぐるぐらいの小遣いにはなった。

その吸筒が、ある日いきなり売れなくなった。わけを調べてみたら、公事宿が自前の弁当を持たせていると分かった。

「公事宿が相手じゃあ、手出しもできねえ」

良三はしばらくは見守るしかないと、静観を決め込んだ。

公事宿は奉行所の監督下で、泊まり客を受け入れる旅籠である。旅籠賃も供する食事も、奉行所の指図に従った。

その代わりに、奉行所の庇護も受けられた。渡世人たちもそれをわきまえているがゆえに、良三は手出しを控えたのだ。

「その弁当を拵えてたのが、つばき坊だったとはよう……つくづくおめえとは、深い因縁がありそうだぜ」

伸助との因縁など、ごめんこうむりたいとつばきは思った。

元は父親の安治がわるかったとはいえ、伸助の賭場に負った借金で、つばきたち親子は散々な目に遭ってきた。

いままた、深川にだいこんを出そうとしている矢先に、会いたくもない伸助に出会う羽目になった。

しかも話を聞けば、芳田屋で拵えた弁当にも、つばきが考えもしなかったところで伸助がかかわりを持っていた。

げんなりして、ため息をこぼした。

「おめえと一緒に弁当を拵えた芳田屋が、あのあとどうなったか知ってるかよ」

「いいえ、知りません」

その話には触れたくないつばきは、そっけない返事をした。

「おめえが言い出しっぺだったにしちゃあ、ずいぶん冷てえじゃねえか」

つばきは返事をしなかった。伸助はつばきを見詰めているうちに、答えに突き当たったようだ。

「おめえ、ことによると芳田屋の息子と、わけがあったのか」

昔から、伸助の勘働きは鋭かった。それがあったがゆえに、いまは弐蔵を名乗っていられるのだろう。

「かわやを使わせてください」

伸助の話から逃げ出すために、つばきは行きたくもないかわやに向かった。伸助も、つばきの胸のうちを読み取ったらしい。

部屋に戻ったあとは、この話に触れようとはしなかった。

雨は一向に収まりそうになかった。が、仮の戸を閉じれば、雨風の吹き込みをさえぎることはできた。

明日はきっと晴れてくれる。

そう念じつつ、つばきは杉の柱に寄りかかった。一日の疲れが、身体の芯から込み上げてくる。

半分眠りそうになりながら、洪水のあとで始めただいこんを思い出していた。

五十二

つばきが店を新しくした安永十（一七八一）年に、安治は四十二歳を迎えた。

「おめえの店が新しくなったときに、縁起でもねえが、おれは今年が本厄だぜ」

「だったらおとっつあん、松がとれない内に厄払いに行こうよ」

正月二日の夜、つばきが厄払い詣でを口にした。

大工は縁起担ぎである。店を新しく始めることになったつばきも、父親に負けず縁起を大事にした。

「深川のお不動様が、厄除けには霊験あらたかかって評判だから。みんなで深川に行きましょう」

つばきは十八歳になった。世間では、嫁入りを取り沙汰される年である。が、商いに気がいっているつばきは、まるで身繕いには気を遣っていない。

「深川にお参りするなら、髪結いに行こうよ」

さくらもこの正月で十六である。つばきを誘いながらも、さくらのほうが髪結いに行きたそうだった。

「さくらもってえなら、ちまちま言ってねえで、いっそのこと髪結い職人をここに呼びねえ」

安治の言い分に、末娘のかえでが手を叩いて喜んだ。

いつもこども扱いされるかえでだが、すでに十二歳である。

「あたしも、結ってもらってもいいよね？」

言葉遣いが、あたいから、あたしに変わっていた。

「いいてえことよ。どうでえみのぶ、おめえも一緒てえのは」

「娘三人結うだけでも、二刻（四時間）仕事だもの、あたしはいいから」

娘たちのあとで、ついでに言われたのが癇に障ったらしい。みのぶの物言いがすねていた。

「おっかさん、一緒にやろう」

気配を察したかえでが、母親の機嫌取りを始めた。ひとの気持ちの奥底に、ストンと入り込むことができる、不思議な技をかえでは持っている。

それでもしばらくは、みのぶはぐずぐずと返事を渋った。

「お正月から機嫌をわるくしてたら、大事なツキが逃げちゃうから。おねえちゃんのだいこんが大事だったら、おっかさんも機嫌を直して……ねっ……」

かえでは、母親の渋い顔を覗き込んだ。その顔がおかしかったらしく、みのぶが噴出《ふきだ》した。

正月二日の夜、だいこんの二階は遅くまで笑い声に満ちていた。

松が取れて間もない一月九日に、日本橋新材木町から昼火事が出た。

その日が安治の仕事始めだった。棟梁と一緒に、日本橋の得意先にあいさつ回りをしているさなかに、半鐘が擂半を打ち始めた。

新材木町には、二千坪の材木置き場がある。間のわるいことに、熊野から回漕されてきた杉の丸太が山になっていた。

元旦から晴天続きで、界隈の空気はカラカラに乾いている。そこに強い北風が吹き込んできた。

火はあっという間に、積み重ねられた杉に襲いかかった。脂をたっぷりふくんだ、皮つきの杉である。

水をかける間もなく、炎が立ち上った。

日本橋の大通りが、逃げるひとで溢れかえった。その人込みに巻き込まれて、安治は棟梁とはぐれた。

逃げようにも、通りがひとで埋まっている。風に煽られた火は、容赦なく火の粉を撒き散らした。

髪結いに行ったばかりの安治の髷《まげ》に、火の粉が群れになって落ちた。

五十三

九日の火事で、安治は両手に火傷を負った。

火に追われて江戸橋まで逃げたとき、橋のたもとの二階家が火に襲われていた。戸口に見えた老婆は、火の怖さで腰が抜けたらしい。燃え盛る戸の内側にへたり込んでいた。

だれもが逃げるのに精一杯で、老婆に気づかなかった。

が、安治は違った。

新年のあいさつ回りにおろしたばかりの半纏を脱ぎ、あたまからかぶった。火の中に飛び込むと、老婆を抱きかかえた。

身体の力が抜けた老婆は、思いのほか重たかった。

「ばあさん、おれにしがみつきねえ」

厳しく言ったが、老婆は呆《ほう》けて口がきけなくなっている。安治は仕方なく、両手で抱いて火から飛び出した。

なかにいたのはわずかな間だったが、それでも火の粉を浴びた着物が焦げ始めた。天水桶の水は、すでに一滴残らず火にかけられていた。

周りを見渡しても、どこにも水がない。瞳の定まっていない老婆は、着物がくすぶっているのに、熱さを感じなくなっていた。

「ばあさん、しっかりおれを摑んでろよ」

大声を発したあと、安治は老婆を抱いたまま、江戸橋のわきから堀に飛び込んだ。晴れてはいても真冬である。今朝は水桶に氷が張るほどに冷え込んでいた。

それでも安治は堀に飛び込んだ。

気が張っているのか、奇妙なことに水の冷たさを感じなかった。

「てえへんだ。ばあさんと男が、江戸橋から落ちたぜ」

堀の対岸で、職人風の男が大声を出した。しかし周りにいるのは、火事場から逃げることに懸命な者ばかりだ。

堀をちらりと見ながらも、だれも逃げ足を止めなかった。

「いま助けるからよう」

火消しに向かっていた鳶《とび》の何人かが、鳶口のついた竹ざおを堀に差し込んだ。老婆を抱いたままの安治は、うまく動けない。二度、三度と摑み損ねた。

「さおじゃだめだ、綱を投げろ」

別の鳶が怒鳴った。

火消しに長い綱はつき物だ。幸いにも綱の長さは充分にあり、安治は老婆の身体をしっかりと縛った。

「いいぜ、引いてくんねえ」

安治の合図で、綱に縛られた老婆が助け上げられた。身軽になった安治は、さおを摑んで引き上げてもらった。

「なにがあったんでえ」

燃えている家のわきで、鳶が問い質した。

「燃えてるこの宿のばあさんだが、逃げ遅れて腰を抜かしてたんでえ」

「あんたが助けたのか」

安治はうなずきながら、激しい寒さを覚えた。正気になって、凍えに襲われていた。

「着てるもんに火がついてたから、しゃあねえんで飛び込んだ……」

いきなり身体が震えだし、あとの言葉が出なくなった。鳶たちが、火消しの刺子半纏を脱いで安治にかぶせた。

「手間かけて、すまねえ」

こう言ったあと、寒さで血の巡りがわるくなっていた安治が気を失った。

夜の五ツ半（午後九時）を過ぎたころ、戸板に載せられた安治が、日本橋箱崎町の鳶の手で運ばれてきた。

安治が紙入れに入れていた印形袋には、だいこんの町名が書かれていた。それを頼りに、鳶たちが探し当ててくれたのだ。

「江戸橋のわきで、こちらさんが人助けをされたんでさ。てめえの身もけえりみずに、火んなかに飛び込まれたようで……幸いにも、助け出したばあさんも、なんともねえようでやすから」

堀に飛び込んだ顚末を話してから、安治の容態に触れた。

「あっしは箱崎町の、栄三郎《えいざぶろう》てえちっぽけな町内鳶でさ」

栄三郎はかしらが着る、袖に赤筋の入った半纏を羽織っていた。

「こちらさんを診た先生は、ひと晩眠ったら正気にけえると請合いやした。しんぺえでやしょうが、医者の見立てを信じて、気を揉まずにいてくだせえ」

「ありがとうございます」

つばきが栄三郎にあたまを下げた。

戸板に載せられた安治を見てから、みのぶは動転して口がきけなくなっている。連れ合いに代わって、つばきが応対に出ていた。

「お医者さまの費えは、かしらが立て替えてくだすったんでしょうか」

「そんなこたあ、どうでもようがしょう。こちらさんは、てめえの命を張って人助けをされたんだ。医者代ぐれえは、うちの町内でなんとでもしやすから」

老婆の宿は丸焼けになった。小さな蕎麦屋を商っていたが、家族がばらばらに逃げたらしく、火が湿ったあともだれも焼け跡には戻っていなかった。

「ばあさんの家族の様子が分かるまでは、あっしの宿で面倒をみさせてもれえやす」

わけが分かったら、また若い者を差し向けますと言い残して、鳶たちは箱崎町に引き返した。

医者の調合した眠り薬が効いたようで、安治は翌朝の四ツ半まで目覚めなかった。

「あっ……おとっつあんが、気がついた」

枕元で父親の容態をみていたかえでが、大声でみなを呼んだ。一月十日のことだ。

この正月で、十二歳になったかえでは安治を『おとっつあん』、みのぶを『おっかさん』と呼び始めていた。

安治が気づいたのは、だいこんが昼飯の客で込み合い始めたときだった。

「手が空いたら、すぐに上がりますから」

賄い場から答えるつばきは、安堵で声が弾んでいた。

五十四

箱崎町の医者が見立てた通り、目覚めたあとの安治は何事もなく快復した。厳冬の堀に飛び込んでも、風邪すらひいていなかった。

一月十日はだいこんを五ツで店仕舞いして、家族揃っての快気祝いをした。ひと晩寝ただけで大げさなことはするなと、安治は照れた。

そう言いながらも、つばきが魚河岸で仕入れた真鯛の尾頭付きを見ると、目元と口元がゆるんだ。

「おめえたちとは、身体の鍛え方が違うからよう」

つばきの酌を受けながら、安治は胸を反《そ》り返らせた。

酒が入ると、だらしなくなる父親。

女房がいながら、よその女に目移りしてしまう、浮気な男。

いまだに懲りずに、博打に手を出している節がある、仕方のない父親。

駄目な部分、許せないところが幾らでもある男だが、つばきは安治が誇らしかった。

「火消しに命をかけてるあっしらでも、真冬の堀に飛び込むには度胸がいりやす。損得抜きで、ひとのためにしでかしたあんたの親父さんは、ほんとうにてえした男だ」

安治を運んできた鳶のかしらは、しみじみとした口調で言い残して帰った。

つばきは何度も、かしらの言葉を思い返した。そして安治を誇りに思い、笑みを浮かべた。

父親のために仕入れた真鯛は、一尾で二分（半両）もした。正直に値を言うと、みのぶが顔を曇らせるに決まっている。

つばきは河岸の若い衆が捨て値で分けてくれたと、母親には偽りを教えた。

みのぶが、どこまで本気にしたのかは分からない。それでも安治が嬉しそうに箸をつける姿を見て、みのぶも笑顔になっていた。

安治が両手に負った火傷は、膏薬を貼り替えただけで、十五日には治った。十六日から、安治は仕事に戻ることができた。

元旦以来、降らない日が続いている。

一月十七日の朝六ツ半（午前七時）。棟梁の宿に向かう父親と連れ立って、つばきはいつもより半刻（一時間）早く、日本橋の魚河岸に仕入れに出た。

前日までと同様、この日も朝から気持ちよく晴れ渡った。風もなく、穏やかな冬の朝である。

「そいじゃあな」

浅草橋を渡った先の土手で、安治と別れた。つばきは神田川沿いに歩いたあと、馬喰町《ばくろちょう》御用屋敷の角を西南に折れた。

屋敷前の道を真っすぐに行けば、公事宿の芳田屋前に出る。去年の大晦日以来、つばきは浩太郎と会っていなかった。

格別に好いているわけではないが、浩太郎のひたむきな性分は好ましく感じていた。

道で行き会えたらいいのに……。

ひそかに胸を弾ませながら、公事宿が連なる町に入った。通りの方々にひとが溜まっているのは、奉行所に呼び出された五人組などの群れだ。

つばきは歩き方をゆるめて、芳田屋の前に差しかかった。宿のなかを覗き込んだが、浩太郎の姿は見えない。宿の前のひとだかりのなかにも、浩太郎はいなかった。

ご縁がなかったのね……。

胸のうちに言い置いて、つばきは歩みを戻した。町木戸を抜けたとき、つばきを呼ぶ声を耳にした。聞き覚えのある、浩太郎の声だ。妙に胸が高鳴った。

「よかった……やっぱり、つばきちゃんだったのか」

浩太郎は青竹を山積みした、大八車を引いていた。

「つばきちゃんと一緒に思案した、弁当の評判がよくてさ。吸筒用の青竹を仕入れに行った帰り道だったんだ。会えてよかった」

浩太郎が声を弾ませた。その喜びようを見て、つばきはいきなり浩太郎に、いままでだれにも感じたことのない愛しさを覚えた。

「つばきちゃんは仕入れかい」

笑顔のまま、つばきはしっかりとうなずいた。

「それじゃあ、長話もできないね。おれも早く帰らないと、今日のお客様の分も足りないぐらいだから」

浩太郎が大八車の梶棒を持ち上げた。

「この月のうちには、かならず行くから」

芳田屋へ急ぐ浩太郎が人ごみに紛れ込むまで、つばきは町木戸のわきに立って見送った。

浩太郎と出会った小伝馬町の町木戸から、日本橋の魚河岸までは十二町（約一・三キロ）の道のりがある。その間ずっと、つばきの胸は高鳴り続けていた。

空は晴れているが、松が明けてからの海は荒れ模様だった。不漁続きで、だいこんで出すアジやいわしが、驚くほどの高値になっていた。安値のときなら四本二文のいわしが、一本で二文もした。ごはんが食べ放題のだいこんでは、魚と野菜が高値になると、たちまち儲けが薄くなる。

「青物屋さんをひと回りしてから、もう一度戻ってきます」

あまりの高値に、つばきは仕入れをためらった。とは言っても、アジもいわしも、だいこんでは人気の一品である。

なかでも、いわしと生姜をみのぶが甘がらく煮付けたものは、だいこんの客が競い合うようにして注文した。

「もしもいわしが残ったら、あたしが総ざらいするから。そのときは、うんと安くしてね」

「分かってるって」

魚屋の若い衆が、気持ちのいい笑顔を見せた。いやらしい値切り方をしないつばきは、魚屋の若い衆に人気があった。

魚河岸のわきには、青物市場も構えられている。冬場のいまは、なんといってもだいこんが美味い。店の裏でもだいこんを育てていたが、去年の洪水ですっかり畑が傷んでいた。

冬蒔きのだいこんが育つまでは、市場で仕入れるほかはなかった。五ツ半（午前九時）までに四百文以上の品を仕入れれば、店まで青物屋が届けてくれる。

つばきは手早く品選びを済ませた。一本十文のだいこん二十本に、砂村で取れたにんじんを三十本。都合四百四十文の仕入れである。

「四ツには届けるから」

青物屋の声を背に受けながら、つばきは魚屋に戻った。

「このひとが、総ざらいで仕入れてくれたんだよ。そうだよな、つばきさん」

魚屋の若い衆が、顔をこわばらせてつばきを見た。なにかわけがあると察したつばきは、そうですと、きっぱり答えた。

木綿の綿入れを着た男が、つばきに険しい顔を向けた。

「四十本ものいわしを総ざらいして、あんたの店でさばけるのか」

相手を見下すのをあからさまにして、男がつばきに問うた。

「あんたって、あたしのことですか」

つばきの物言いは、相手に負けないほどに冷え冷えとしていた。

「決まってるだろう」

「ご心配いただいて、ありがとうございます。おかげさまで繁盛しているものですから、四十本でも足りないぐらいです」

つばきは相手の出方ひとつで、いかような物言いもできた。見ず知らずの男にあんた呼ばわりされて、つばきの負けん気が身体の芯から湧き上がっていた。

「口の減らない女だ」

男は店の若い衆に向けて、捨て台詞を残して離れて行った。

「いいねえ、つばきさんの物言いは」

若い衆が、感心した目をつばきに向けた。

「なにがあったの」

「あいつは河岸の裏手の、豊島屋という料亭のあるじさ」

「あのひとが」

つばきに無礼な口をきいたのは、見るからに風采の上がらない男だった。その男が日本橋の料亭のあるじだと聞いて、つばきはあきれ顔になった。

「毎日、うちの残り物を総ざらいするんだが、買い方がえげつねえんだ。できりゃあ、おれも売りたくねえからさ」

いわしはつばきが総ざらいすると言って、若い衆は豊島屋の注文を断った。

「いやな客だが、残り物を買ってくれるんで邪険にはできねえ。ごめんよ、勝手につばきさんの名を出してさあ」

この朝つばきは、一本二文のいわしを、四十本総ざらいで半値で仕入れた。

五十五

安永十年四月二日に、元号が天明と改元された。

「改元されたからにゃあ、なにかいいことがあるんだろうな」

町触れで改元を知らされた町民は、方々で勝手な思惑を言い交わした。

「あるに決まってるさ。おれの耳にゃあ、とっておきの話が聞こえてるぜ」

吾妻橋河岸の荷受人足が、仲間に向かって丸箸を突き出した。ほぼ毎日、だいこんで昼飯を食べる連中である。

「なんでえ熊公、とっておきてえのは」

「よしねえ、よしねえ」

味噌汁をすすっていた大柄な男が、仲間の顔を見て首を振った。

「熊の話なんざ、あてにはならねえ」

「なんだとう」

熊公と呼ばれた男が、大柄な男に顔を突き出した。

「なにがあてにならねえんだ。あにいの言うことだとしても、聞き捨てならねえ」

「なにがって……おめえの話は、これまでも吹かしばっかりじゃねえか」

「分かったようなことを言うんじゃねえ」

熊が腰掛を蹴飛ばすようにして、荒々しく立ち上がった。

「ひとのめえでそんだけのことを言うからにゃあ、おれの話のどれが吹かしか、あにいはきっちり言えるんだろうな」

熊がいきり立ったが、大柄な男は平気な顔で味噌汁の残りを口にした。そのさまを見て、熊はさらに怒りを募らせたらしい。

相手が口をつけている味噌汁の椀を、右手で乱暴に薙ぎ払った。椀が吹っ飛び、残っていた中身が周りに飛び散った。

　味噌汁は熊たちの卓だけではなく、大柄な男の後ろの客にまで飛んだ。半纏姿の男が、声を荒らげている熊を睨みつけた。

「半纏に味噌汁がかかったぜ」

男はかすれ声で、熊に文句を言った。

「かかったから、どうだてえんだ」

気が昂《たか》ぶっている熊は、詫びの代わりに毒づいた。

半纏姿の男の卓には、同じ身なりの客が五人座っていた。その五人が、腰掛を鳴らしもせずに揃って立ち上がった。

「店のなかじゃあ、ほかのお客さんに迷惑がかかる。表まで、付き合ってもらおうか」

白髪あたまの年長者が、熊に向かってあごをしゃくった。五人が羽織っているのは、地元では見かけない半纏である。

年長者は、ひとりだけ色味の違う半纏を着ていた。物言いは静かだが、立ち上がったときの身のこなしは、見かけの年とも思えない敏捷さがあった。

「お客さん、すまねえ」

熊の仲間の大柄な男が、立ち上がって軽くあたまを下げた。

「あっしは熊の仲間の、正治《しょうじ》てえ仲仕でやす。熊の野郎は、向こうっ気ばかり強くて、詫びることを知らねえんでさ」

熊に近寄った正治は、突っ立ったままの熊のあたまに手をおき、力まかせに押し下げた。

「ばかな野郎でやすが、あっしのでえじな舎弟《しゃてい》なんでさ。当人もこうして詫びてやすんで、不始末を勘弁してやってくだせえ」

熊のあたまを抑えつけたまま、正治が五人に詫びた。

「話は分かったが、あんたの口で詫びられても仕方がない」

白髪あたまの言い分を聞いた熊は、正治の手を払いのけて顔を上げた。

「正あにいの詫びは、おれなんかの詫びよりもずっと重てえんだ。軽く言うんじゃねえ」

収まりかけていた場を、熊がぶち壊しにかかった。白髪あたまを除いた四人が、だらりと垂らしていた腕に力をこめた。平手がこぶしに握り変わっている。

だいこんの土間の気配が、一気に張り詰めた。どの客も、箸が止まっていた。

「おまちください」

台所から、つばきが飛び出してきた。

たすきがけで、白い前垂れ姿である。白髪あたまの男の前で、つばきは濡れた手を前垂れで拭《ぬぐ》った。

「ことばの行き違いが重なったかもしれませんが、熊さんはいいお客さんなんです。味噌汁が飛び散ったのは店の粗相ですから、うちで洗わせてください。ご迷惑をおかけして、ほんとうにごめんなさい」

つばきは白髪あたまに詫びを言った。

「ばかやろう、いい加減にしやがれ」

いきなり正治が、熊の頰を平手で張った。

「おめえのせいで、つばきさんにまで迷惑をかけたじゃねえか」

「すまねえ……」

赤くなった頰に手を当てたまま、熊が小声を漏らした。

「おれに言ってもしゃあねえ。こちらさんと、つばきさんに詫びを言うんでえ」

正治が熊の背中を押した。

「おれの口が過ぎやした。勘弁してくんなせえ」

五人の男に熊があたまを下げた。本気でわるいと思ったらしく、あたまの下げ方が深かった。

熊はつばきにも詫びようとした。が、つばきは手を振ってそれを止めた。

「女のあたしに、詫びたり、あたまを下げたりしないでください。熊さんの気持ちはようく分かりましたから」

つばきが熊に笑いかけた。

「あんたがこの店のあるじか」

「だいこんのつばきと申します」

軽く辞儀をしたつばきは、白髪あたまの目に目を合わせた。相手が見詰めているので、つばきも目を逸らさない。睨み合っているわけではないが、気配がまた張り詰めた。

「飯もうまかったし、あんたの器量も大したものだ」

白髪あたまは日本橋小網町の鳶のかしら、伝三郎《でんざぶろう》だと名乗った。

「いわしの煮つけがことのほか美味かったが、魚河岸で仕入れてるのか」

「はい」

「そうか……」

伝三郎の目配せで、残りの四人はだいこんの土間から外に出た。なかのひとりは、巾着から取り出した銀の小粒三粒を卓に載せた。

「魚河岸のことでなにかあったら、いつでも顔を出しなさい」

伝三郎は熊たちには目もくれず、背筋を張ってだいこんから出て行った。静まり返っていた土間に、賑わいが戻った。

「あにい、すまねえ」

詫びを受け入れた正治は、腰掛に座ってから舎弟を睨みつけた。

「相手を見てものを言うことを覚えねえと、長生きはできねえぜ」

出て行った五人組が放つ凄味を、正治は身体で感じ取っていたようだ。熊に小言を言ってから、つばきに笑いかけた。

「みょうな成り行きになっちまったが、いまのかしらは本物だ。ああいうひとには、困ったときには遠慮しねえで、泣きを入れたほうがいいぜ」

「ありがとうございます」

卓を片づける手を止めず、つばきは正治に礼を言った。

「ところで熊よう……」

熊がさきほど口にしかけた話の続きを、正治が促した。熊はどんぶりの飯を平らげてから、話し始めた。

「改元をきっかけにして、ご老中の田沼様が、印旛沼《いんばぬま》の作事をまた始めるらしい」

「そんな話を、おめえはどこで仕入れたんでえ」

「野市屋の手代が、自慢げに言ってやした」

野市屋とは、荷揚げ場に出入りしている本所の両替屋である。

「でもよう、熊公……」

別の仲仕が熊の話に割り込んできた。

「おめえの話が、当たってたとしてもだ。印旛沼の作事が始まったからって、なにかいいことがあるのかよ」

「おおありさ」

熊の物言いが、元の調子に戻っていた。

「印旛沼の作事てえのは、途方もねえゼニがかかるてえんだ」

「そりゃあそうさ。ばかでけえ沼を埋めようてえんだろうが」

熊が大きくうなずいた。

「印旛沼の作事に使う、道具だのひとだのは、江戸から川つながりで運ぶんでえ。そうなりゃあ、江戸の景気がよくなるに決まってるじゃねえか」

「話がほんとうなら、熊の言う通りだ」

正治が話を引き取った。

「印旛沼には、モノもひとも、ほとんどねえ。入用なものは、江戸から運び出すに決まってる……そうなりゃあ、おれっちの仕事が何倍にも増えるてえことだ」

荷揚げ人夫や仲仕の手間賃は、運んだ数だけ払われる歩合給だ。荷動きが激しくなれば、人夫の手間賃もそれに連れて増える。

実入りがよくなりそうだと分かり、仲仕たちは顔をほころばせた。

つばきは流し場で、その話を聞いていた。

一月に店を新しくして以来、客足は順調に伸びていた。相変わらず酒は出してはいなかったが、夜の客が着実に増えていた。

熊の話を聞いて、そのわけが分かった。これまでの夜の客は、仕事帰りの職人がほとんどだった。

だいこんの近所には荷揚げ場や米蔵が数多くあり、昼飯の客は人夫や仲仕が主だった。

夜は職人がほとんどである。客の顔ぶれの違いは、飯の出方にあらわれた。

昼飯の客は、力仕事に就いている者が多かった。ゆえに、おかずよりも飯と味噌汁が多く出た。

飯は力のもとであり、味噌汁は汗で流れ出る塩を補うためである。

夜の職人は、飯よりもおかずを多く欲しがった。そのためつばきは、夜の客に合わせておかずの種類を増やしていた。

だいこんの売り物は、なんといってもつばきの炊く飯の美味さである。吾妻橋の火の見番小屋の面々は、いまでもつばきが炊く飯が食べたくて、だいこんに顔を出していた。

三月に帳面を締めたとき、いままで以上に儲けが大きくなっていたことに、つばきは首をかしげた。仕入れ帳面をつぶさに調べて、わけが分かった。

米の仕入れが一月に比べて三俵も増えていた。

米俵ひとつで、米は四斗。三俵なら十二斗も増えた勘定である。つばきは客ひとりにつき米一合の、おおまかな勘定をしてきた。十二斗は、千二百人の客が増えたことになる。

毎日店に出ているつばきは、客が増えているのは間違いないが、千二百人も増えているわけがないと断じた。

あれこれ思い巡らして行き着いた答えが、力仕事の客が夜もだいこんにきているということだった。

天明と改元される手前から、じわじわと客は増えていた。吾妻橋の河岸には、今年の二月から夜なべ仕事を照らす常夜灯が、五基新設された。

だいこんの夜の顔ぶれが変わりつつあるのは、河岸が夜も動いているからだった。

熊の話がまことだとすれば、江戸の水運はさらに栄えることになりそうだ。

河岸で働く人夫や仲仕の実入りがよくなれば、うちの売り上げもきっと増える……。

いわしの煮つけの味見をしながら、つばきはだいこんの行く末に思案を巡らせた。そして、新しい奉公人を雇い入れる時期になったと思い定めていた。

五十六

奉公人を雇い入れると決めたつばきは、四月五日に口入屋をおとずれた。

おせきを雇うときに使ったのは日本橋の老舗だったが、つばきはその店にはこりごりしていた。応対はていねいだったが、手代の振舞いには実《じつ》がなかった。

それがいやで、今回は地元の口入屋に周旋を頼むことにした。間口二間の小さな口入屋だが、地元だけに、だいこんの評判はよく知っていた。

つばきとの話し合いには、手代ではなく番頭が出てきた。

「歳は幾つぐらいまでならよろしいか」

「働くのは、なんどきからなんどきまでなのでしょう」

「給金は、いかほど払えるんですかな」

へりくだった物言いではないが、番頭の目に、つばきは誠実な情を感じた。問われたことには、簡潔ながらも、はぐらかさずに真正面から答えた。

「お若いのに、しっかりしておられる」

番頭はつばきの人柄を認めたようだ。望みを聞き出したあとで、小僧に茶を言いつけた。上客に対する客あしらいである。

つばきが湯飲みを手にしているとき、番頭は小僧に言いつけて分厚い帳面を運ばせた。

「そちらさまの望みにかないそうなひとは、ざっと十人ほどいます」

「そんなにいるんですか……」

数を聞いて、つばきは目を見開いた。日本橋千束屋に頼んだときには、三人しか教えてくれなかった。

「十人とも、住まいはそちらさまの店の近所です。もう一度うかがいますが、若いひとと、年配のひとと、どちらがよろしいので」

つばきは若い娘がいいと決めていた。

歳が若ければ指図に素直に従うし、おせきとの相性もいいだろうと思っていた。

「うちにいまいるおせきさんは、とにかく働き者です。あたしにはだれよりも大事なひとですから、おせきさんが働きやすいひとをお願いしたいんです」

だから若いひとがいいと、つばきは付け加えた。

「いまいる奉公人を大事にするのは、とてもいいことです」

番頭がめがねの奥の目を細めた。

「でしたらいっそのこと、おせきさんというひとと一緒に、人定めをされたらいかがかな。そのほうが、よりいいひとを雇い入れられると思いますが……」

つばきに異存はなかった。

「さっそく報せを回しますが、人定めはいつがよろしいか」

「少し先になりますが、四月十八日にしてください」

「それは構いませんが、お急ぎではなかったのですか」

「その日なら魚河岸が休みですから、うちもお休みにします。新しいひとを迎えるのは、とっても大事なことですから、一日全部を使って会ってみたいんです」

つばきの言い分に感心した番頭は、自分の目で五人まで選り抜いて十八日に差し向けると請合った。

「お店の繁盛につながる、縁起のよいひとをお選びなさい」

つばきを気に入った番頭は、人定めのコツを幾つも教えてくれた。

「うかがったことを、書き留めてもいいですか」

「もちろん結構ですとも」

本気で受け止めようとするつばきに、番頭はみずから筆を取って書き記した。

『笑顔がきれいなひと』

『骨惜しみをせず、腰が軽いひと』

『声が明るいひと』

『好き嫌いを言わず、出されたものは残さずなんでも食べるひと』

番頭は四つの教えを箇条書きにした。

「色が少々黒くても、とにかく笑顔がきれいなのが一番です。こういうひとなら、お店に縁起のよさを運んでくれます」

番頭は口入屋に勤めて四十年になると言う。その間に周旋した人数は、優に一万人を超えていた。

「あたしが自分の目で確かめてきたことです。あなたの役に立つならなによりだ」

「ほんとうにありがとうございます」

礼を言ってから、つばきは教えをもう一度読み返した。

「四番目の、好き嫌いを言わないというのは、なぜ大事なんですか」

ほかの三つは、読んだだけで得心できた。好き嫌い……の教えは、なぜなのかが飲み込めなかった。

「それは、あんたが自分で答えをみつけたほうがいい」

番頭は謎かけをする目でつばきを見たが、答えは教えなかった。

四月十八日は、朝から気持ちよく晴れた。

この日の魚河岸は、一年に一度、場内の店の配置換えを行った。店の場所によっては、売り上げが大きく異なる。狭い通路に挟まれた場所よりは、出入口に近い店のほうが客に好まれるからだ。

魚河岸の休みに合わせて、つばきはだいこんも休業にした。そしておせきと一緒に、四ツ（午前十時）から半刻（一時間）きざみで、五人の女との顔合わせを始めた。

口入屋の番頭からかけられた謎は、人定めの当日になっても解けなかった。

『好き嫌いを言わず、出されたものは残さずなんでも食べるひと』

つばきは一言一句、間違えずに覚えていた。何度読んでも分からないが、謎を解く鍵は『好き嫌いを言わず』にあるような気がした。

人定めの場で、それを試してみよう……。

つばきはお茶請《う》けに、梅干とイカの塩辛を用意した。梅干は魚河岸の青物屋で買い求めたが、塩辛は自分の手で拵えた。

イカの塩辛は、女が好む食べ物とは思えなかったがゆえに、選んだ物である。つばきはイカのわたを多くして、わざわざ見た目をひどいものにした。

「つばきちゃんも、みょうなものをお茶請けにするんだねえ」

五ツ半（午前九時）から支度を始めたとき、おせきがいぶかしげな目をつばきに向けた。

「思うところがあるから……」

つばきは言葉を濁して、話を変えた。

四ツから始めたつばきは、昼休みもとらず、九ツ半（午後一時）までに四人の娘と会った。

番頭が遣《よこ》した女は、いずれも二十歳手前の娘ばかりである。教えに書かれていた通り、どの娘も笑顔がよく、受け答えの声もはきはきしていた。

しかし四人は申し合わせたように、塩辛にはまったく箸をつけなかった。つばきには、それが格別に不愉快ではなかった。若い娘がイカの塩辛など、好むわけがないと思えた。

五人目の人定めは、八ツ（午後二時）の鐘とともに始まった。ひと通りの話が終わったあとで、つばきはお茶とお茶請けを娘の前に出した。

「どうぞ、召し上がってください」

「いただきまあす」

元気よく答えた娘は、塩辛から先に箸をつけた。目をくるくる動かしながらも、小皿の塩辛をきれいに平らげた。

梅干に箸を伸ばしたとき、つばきは自分の湯飲みを卓に戻した。

「あなたは塩辛が好きなんですか」

「おとっつあんは好物ですけど、あたしは食べたことはありません」

「なら、どうして塩辛を？」

「あたしのために、せっかく用意してくれたものに手をつけなかったら、申しわけありません し……」

「ほかにもなにか？」

「おっかさんに叱られますから」

娘がペロッと舌を出した。可愛らしい笑顔が浮かんでいる。

つばきは、謎が解けたと思った。

五十七

つばきとおせきが選んだ娘は、十七歳のおさちである。

口入屋の番頭が請合った通り、おさちの宿とだいこんとは、四町（約四百四十メートル）の道のりでしかなかった。

吾妻橋東詰の霊光寺《れいこうじ》に近い裏店弥次郎店《やじろうだな》に、両親《ふたおや》と三人で暮らしている。ひとり娘だが母親のしつけがよく、仕事の骨惜しみをしなかった。

「あたしが持ちますから」

「あたしが取ってきます」

「それ、あたしにやらせてください」

だいこんに物が届くと、おさちがかならず先に立って動いた。

つばきが十八で、さくらが十六。おさちは、その真ん中の十七である。

「あんたら、三人娘のようだわねえ」

おせきが思わず漏らしたら、十二歳のかえでが頬を膨らませた。

「三人じゃないもの、四人なんだから」

三人の輪の中に押し入ると、おせきに向かって口を尖らせた。

おさちがひとり加わったことで、店の雰囲気が、がらりと変わった。

つばきとかえでは賄い役で、客あしらいはほとんどさくらがひとりで受け持っていた。そこにさくらより一歳年上の、おさちが加わった。

土間を行き交う娘がひとり増えただけで、店に華やぎが生まれた。しかも客に応えるおさちの声は、明るく弾んでいる。

五尺（約百五十二センチ）のさくらよりも、おさちは一寸五分（約四・五センチ）背丈が高い。そして痩せ型のさくらがすっぽりと隠れてしまうほどに、おさちは肉置《ししお》きがよかった。

身体つきだけではなく、さくらとおさちは気性も違った。姉の陰に隠れて引っ込み思案に育ったさくらは、返事は明るいが声が小さい。おさちの声は、さくら二人分ほどに大きかった。

てきぱきと働きながらも、常にさくらを気遣っている。さくらのなじみ客からは一歩退いて、客あしらいを任せた。

客に茶を配ったり、飯を出したりするときも、かならずさくらの指図を仰いだ。

おさちの気遣いを、だれよりもさくらが感じていた。働き始めてひと月が過ぎた五月中旬には、さくらはつばきよりも、おさちを慕うようになっていた。

「いい娘《こ》にきてもらえたねえ」

おせきの言うことに、つばきは心底からうなずいた。おさちが一緒に働くことで、妹が日に日に明るくなっていくのが、つばきにはたまらなく嬉しかった。

末娘でわがままの目立ったかえでも、おさちの言いつけは素直に受け入れた。

妹ふたりの様子を喜びながらも、つばきはやり場のない寂しさにも責められた。

かえでがまだよちよち歩きのころから、つばきは妹ふたりの母親代わりを務めてきた。安治が賭場に借金を抱えたことで、一家の暮らしはどん底に落とされた。

カネに詰まっただけではなく、安治が番所に引っ立てられたりもした。いつ一家心中してもおかしくないほどに、つらい日々だった。

それをなんとか乗り切ったのは、母親みのぶが連れ合いに見切りをつけず、懸命に踏ん張ったからだ。

つばきは妹ふたりの世話を、一手に担った。まさしくさくらとかえでには、つばきが母親代わりだった。

妹を守らなければ……。

この想いが強くて、さくらとかえでにあれこれと指図を続けてきた。だいこんを始めてからも同じである。妹たちも、つばきに指図されることを当たり前としてきた。

そこに、おさちがあらわれた。

年上ながらも、おさちはつばきとは違って、ふたりにあれこれと指図はしない。しないだけではなく、ふたりが甘えることも受け入れた。さくらとかえでには、生まれて初めて『甘えられる姉』ができたのだ。

つばきを気にしながらも、さくらとかえでは、なにかにつけておさちのそばに寄った。そのときのふたりの目は、一度もつばきには見せたことのない、親犬にじゃれつく子犬のような瞳だった。

つばきはいまでも、人一倍、妹ふたりのことを気にかけている。さくらは今年で十六歳。そろそろ、縁談を心配しなければならない年頃である。

「ばか言うんじゃないわよ。さくらはまだ十六じゃないの」

つばきが妹の縁談を口にしたら、母親は笑い飛ばした。しかもみのぶは、すでに縁談には適齢に差しかかっているつばきにも、ひと言も触れなかった。

おっかさんは、あたしの縁談をまるで気にしてくれていない……。

それを知って、つばきの気持ちが重たく沈んだ。いまはだいこんの行く末が気がかりで、とても縁談がどうのと考える気にはなれなかった。

さりとて、母親が心配してくれないと分かったときには、つばきは深く傷ついた。

さくらとかえでは、やっぱりあたしが気にしないといけない。

おさちを雇い入れたのは、つばきがそう思い定めたあとである。

妹ふたりとおさちの、三人の仲がいいのが、つばきにはなにより嬉しい。そう思いながらも、自分よりも他人を慕うふたりには、深いところで寂しさを覚えた。

「妹ふたりには、あたしがきつ過ぎて、そして構い過ぎたのかしら」

「しょうがないさ。昔から長女というのは、損な役回りと相場が決まってるからねえ」

つばきがぼそりとつぶやいたとき、おせきが親身な物言いでなぐさめた。おせきも四人姉妹の長女だったと知って、つばきはそれまでには感じなかった、強い親しみを覚えた。

「姉妹だけで育つと、長女は妹たちの母親役を押しつけられるものなのよ。それなのに、縁付くのは妹のほうが先で、嫁いだあとは、おねえちゃんのことなんか、けろっと忘れちまうんだから」

おせきさんは、あたしのためにわざと愚痴をこぼしてくれている……。

それに気づいたつばきは、我知らずに瞳を潤ませていた。


妹ふたりと仲のよいおさちに、つばきはときに複雑な思いを抱いたりもした。しかし骨惜しみせずに働く姿には、心底から感謝もした。

おさちが働き始めてから三カ月が過ぎた、七月晦日。

給金日だけは、おせきはだれよりも早く帰る。さくらとかえでも、この夜はふたりで連れ立って先にだいこんを出た。

みのぶは安治と一緒に、浅草寺仲見世に出かけている。五ツ半（午後九時）に店仕舞いをしただいこんには、つばきとおさちしかいなかった。

「あのう……」

給金の入った布袋を受け取ったおさちが、困惑顔を見せた。

「どうしたの」

洗い物の手を止めずに、つばきが応じた。

「お給金が違ってます」

おさちが言いにくそうに言葉を続けた。つばきは前垂れで手を拭ってから、おさちと向き合った。

「あたしが二度勘定したんだけど、違ってたのならごめんなさい。それで、幾ら足りなかったの」

「そうじゃありません、多過ぎます」

おさちの手のひらには、十匁の丁銀が二枚に、一匁の小粒銀が四粒載っていた。

四月二十日から、おさちはだいこんで働き始めた。

朝の四ツから夜の五ツ半までの勤めで、休みは月に三日。あとは春秋の両彼岸一日ずつと、暮れの三十日から正月五日までが休み。

月のものの痛みがひどいときには、つばきに相談する。

この約定で、月に銀二十匁が給金だと取り決めた。天明元年の相場では、金一両が銀六十匁、銭なら五貫文である。

銀二十匁の給金は、銭に直せば一貫六百七十文に相当する。十六歳の娘の給金としては、破格とは言わないまでも、相当に高かった。

おさちは給金に見合う働きをした。四月下旬からのおさちの働きぶりを見定めてから、つばきは給金を二割増しにした。

「大工の自慢は、出づらの高さだ。棟梁にどんだけ口で褒められても、出づらが増えなけりゃあ、嬉しくもなんともねえ」

つばきはこどものころから、父親の決まり文句を何度も聞かされた。安治の出づらは、一文。この上がない高い手間賃である。

日に一貫文と聞くと、どの職人も安治に敬いの目を向けた。

大事なひとには、口ではなく、給金で報わなければ……。

安治を見て育ったつばきは、三カ月過ぎた節目の月に、給金を見直した。

「だいこんには、さっちゃんが大事なの。これからも力を貸してね」

給金が割増になったと知って、おさちは涙ぐんで喜んだ。

「ちょっと待ってて」

帰ろうとしたおさちを、つばきが引き止めた。櫃に残った飯で、鰹の削り節と、ほぐした梅干の身の、握り飯を拵えた。

「これを持って帰ってちょうだい」

夏場は飯が夜を越せない。いつもは余ることはないのだが、どの月でも晦日は客の入りにむらが出る。給金を手にした職人たちは、飯もそこそこに遊びに出かけるからだ。

妹ふたりも、両親も、すでに遊びに出ていた。残り飯を始末しないと、傷ませてしまう。つばきからわけを聞いたおさちは、遠慮をせずに竹皮包みの握り飯を手にして、だいこんを出た。

七月の夜空は、幅広い天の川がくっきりと流れている。だれもいないだいこんの店先に立って、つばきは夜空を仰ぎ見た。

空を横切るようにして、星が流れている。

「さくらとかえでに、なにとぞ良縁が授かりますように」

つばきが自分の幸せを願う前に、星は西空の端に流れ去った。

五十八

「おとっつあんが、つばきさんにぜひとも掛け合ってみてくれって……」

八月二日の四ツに、顔を出すなりおさちがつばきに話しかけた。日本橋の仕入れから帰ったばかりのつばきは、一杯の麦湯を飲んだあとでおさちと向きあった。

「あのお握りが、とってもおいしかったんだそうです」

おさちが持ち帰った握り飯五つのうち、父親の吉次郎《きちじろう》が三個を平らげた。鰹節を二個に、梅の実を一個だ。

吉次郎は、ことのほか梅干を褒めた。

「こんなに塩加減のいい梅干は、食べたことがない」

梅だけではなく、飯の炊き加減にも舌を巻いた。

「おとっつあんは、あのお握りをなんとか仲間内のお昼に用意してもらえないかって言うんです」

おさちが吉次郎から頼まれた掛け合いは、だいこんで昼飯を調えてもらえないかということだった。

おさちの父親は、古骨《ふるぼね》買いの行商を生業としていた。

竹の骨が壊れたり、骨に張った紙が破れたりした番傘を買い求めるのが、古骨買いである。三尺（約九十センチ）四方の竹ざるを天秤棒の前後に吊るし、おもに裏店の路地を回って壊れた傘を買い集めた。

「ふるぼねはございい……」

語尾を伸ばして調子のよい声を発するには、十年の年季がいるといわれる行商である。そのために、古骨買いの仲間は、吉次郎同様の、五十近い年配者が多かった。

竹の骨を細工して拵える番傘は、安い物でも一本三百文はする。裏店の店賃が場所によっては月に六百文ですむことを思えば、番傘は相当に高値だった。

それゆえに、壊れた傘をなんとか修繕して使おうとした。が、紙を張るにしても竹の骨を接ぎ直すにしても、素人の手には負えない仕事である。

古骨買いは、傘の壊れ具合に応じて五十文から八十文で買い取った。あまりにひどく壊れている物は、カネではなしに、こどものおもちゃや、飴と引き換えた。

買い取った壊れ傘を、古骨買いは宿に持ち帰って修理を施した。紙はていねいにはがし、獣肉屋や鮨屋、うなぎ屋に包み紙として売り渡した。

修理を終えた傘は、古骨買いにおとずれる先々で商った。おとなの番傘が一本二百十文、新品に比べて三割引である。

古骨の仕入れ代と、修繕の材料費を差し引くと、作り直した傘一本でおよそ百文の儲けになった。

吉次郎は古骨買いひと筋に、三十年の年季者である。梅雨時前には、月に二百本の傘を商った。

仲間内では『霊光寺の吉次郎』と呼ばれて、一目置かれる存在である。

年配者といっても、多くの者が日に三里（十二キロ）を歩いた。天秤棒を上手に担ぐコツは、腰の使い方である。

艶のある売り声を発して町々を巡る古骨買いは、足腰が達者なことで知られていた。ただひとつの泣き所が、歯のわるいことである。歩きでも腰の使い方でも、若い者には負けなかったが、歯だけはどうにも手立てがなかった。

入れ歯を拵えるには、途方もないカネがかかった。しかも柘植《つげ》細工の歯は、嚙み合わせがわるく、堅い物は歯茎が痛くて嚙めない。

不具合を嘆く仲間を見て、古骨買いの連中は、入れ歯造りをあきらめた。

さりとて、町なかの煮売り屋や一膳飯屋で昼飯を食べるのは、難儀だった。店が用意するおかずは、味付けが濃いうえに、固くて食べられないものが多いのだ。

若い者ならなんでもなく口にするたくわんも、歯のわるい者には嚙み切れない。古骨買いが顔を合わせると、柔らかいおかずの食べられる飯屋はどこかを交し合った。

そんな吉次郎が、つばきの拵えた握り飯を口にしたのだ。

飯の炊き方といい、削り節や梅の混ざり加減といい、口にしたことのない美味さだった。

吉次郎には幸いにも女房も娘もいるが、仲間の多くはひとり者の年寄りである。煮売り屋がいやで弁当を拵えようにも、作ってくれる者がいなかった。

古骨買いの仲間を助けると思って、ぜひとも握り飯の弁当作りを請負って欲しい。

これが吉次郎の頼みごとだった。

「歯の丈夫なひとには分からないけど、抜け始めたら大変なのね」

安治もみのぶも、まだ歯は丈夫である。つばきたちは、もちろんなんともない。おさちから聞かされるまで、つばきは歯のわるいひとのことは、思ってもみなかった。

「お握りだけでいいのかしら」

つばきの問いかけを聞いて、おさちが顔を明るくした。

「だいこんで、おとっつあんたちのお弁当を、引き受けてもらえるんですね」

「もちろん、やらしてもらいます」

つばきの答えには、いささかの迷いもなかった。

「でもねえ、さっちゃん」

つばきが物言いをあらためた。

「幾つのお弁当を拵えればいいのか、お握りを幾つにするのか、どこに納めればいいのか、費えは幾らなのか……いろいろなことを詰めなければできないから」

「だったら、おとっつあんに話してみます」

つばきが引き受けると聞いて、おさちが元々明るい声を、さらに大きく弾ませた。

つばきは、公事宿で浩太郎と一緒に弁当を拵えたときのことを思い出した。

あのときは握り飯二個に、おかずと吸筒に詰めた茶を加えて、二十文で商った。売れる数が増えるごとに儲けも膨らんだが、最初は十個しか売れなかった。

それでも損は出さなかった。

今回も十個の弁当で儲けが出るようにしようと、つばきは思案を巡らせた。

歯のわるいひとにも喜んでもらえる弁当が拵えられたら、それはだいこんの名物になる。毎年、お年寄りは増えていく。いまからそのひとたちを相手の商いを組み立てられれば、だいこんはかならず商いが伸びる。

おさちが持ち込んでくれた話は、だいこんの行く末を、強い光で照らしてくれると、つばきは確信した。

ひとりから、大きな儲けを考えることはない。安くても、数が増えれば大きな稼ぎになることを、つばきはだいこんの商いと、公事宿の弁当のことで、すでにわきまえていた。

おさちの父親は、煮売り屋のおかずは味が濃すぎると言っていた。このことも、つばきは見逃せない大事なことだと察した。

力仕事をする若いひとと、お年寄りとでは、好む味付けが違う。これもおさちの話から、初めて気づいたことである。

さっちゃんが持ち込んでくれたことは、うちの宝物になる……。

あれこれ思いを走らせながら、つばきは身体の芯からこみ上げる震えのようなものを感じていた。

五十九

天明元（一七八一）年八月五日の四ツ半（午前十一時）に、古骨屋連中七人がだいこんに顔を出した。つばきがおさちに頼んで、店に集まってもらったのだ。

昼飯の仕込みに追われて、店はもっとも忙しいときである。が、つばきはあえてこの時分どきにきてもらった。

吉次郎たち七人を、つばきは店の入口で出迎えた。

「勝手なお願いをしました」

つばきが先にあたまを下げた。

「こちらこそ、うちの不出来な娘を雇ってもらえて、ありがたい限りです」

応ずる吉次郎は、洗いざらしの半纏に股引姿である。間のいいことに、今日は曇り空で残暑もさほどにひどくはなかった。

「見たところ、随分とお客さんの入りがいいようだが……時分どきに押しかけて、店に迷惑じゃありませんかい」

七人とも、五十年配の人柄が練れた者ばかりである。七人が座れば、大きな卓をそっくりひとつ占めることになる。吉次郎たちは、それを案じていた。

「いいんです」

つばきが明るい声で、相手の心配を振り払った。

「あたしがお願いしたことですし、それなりの思案があってのことですから」

どんな思案なのか、つばきは中身には言い及ばずに招き入れた。七人全員が、半纏に股引姿である。

だいこんの客は、さまざまな職人と、力仕事の仲仕がほとんどだ。半纏に股引姿は、店でも一番に馴染みの身なりだった。

が、客の多くは二十代から三十代半ばである。身なりは同じでも、年格好が大きく異なっていた。

「どうぞこちらへ」

つばきが自分で、古骨屋の七人を卓に案内した。土間の真ん中に近く、四方の卓には客がすでに座っていた。

「だいこんを営む、つばきと申します」

全員が座ったところで、つばきがていねいな口調で名乗った。だいこんのような一膳飯屋では、あまり見かけない光景である。

土間にいるのは、ほとんどが常連客だが、つばきがあるじだと知らない者も多かった。名乗ったつばきに、方々から目が集まった。

「おさちの父親の吉次郎です」

座ったままだが、吉次郎があらためてあいさつをした。そして残る六人を、吉次郎が順に顔つなぎした。

本所割り下水の時三郎《ときさぶろう》。

高橋《たかばし》の定平《さだへい》。

冬木町の清兵衛《せいべえ》。

和泉橋の長兵衛《ちょうべえ》。

駿河台下の時松《ときまつ》。

赤羽橋の酉吉《とりきち》。

歳はだれひとり口にしなかったが、どの顔も日焼けしていて、しわが多い。商いに年季が入っているのが、顔つきにあらわれていた。

「それではさっそくに、お昼の支度をさせていただきます」

流し場に引っ込んだつばきは、手早く七人の食事を調えた。さくらとおさちが手伝って、それぞれの前に盆に載った昼飯が出された。

「これは美味そうだ」

箸をつける手前で、年配者の全員が声を揃えた。お世辞ではないのは、銘々が急いで箸を手にしたことでも分かった。

「いただきます」

いい歳をしたおとなが、こどものように弾んだ声を出した。

周りの客は、なにごとが起きたのかと、目を見開いている。常連客の様子を見て、つばきは胸のうちで手を叩いた。

昼の一番忙しいときに七人を招いたのは、その食べる姿を常連客に見せたかったからだ。

これが首尾よく運べば、お年寄りのお客さんにもだいこんにきてもらえる……。

そう思案して、この日の献立を考えた。

どんぶりには、飯が軽めによそわれていた。米と一緒に、ほぐした梅干が炊き込まれている。水加減が見事で、飯のひと粒ひと粒が立っていた。

菜のひとつは、だいこんとイカの炊き合わせだ。このふたつなら、季節を問わずに手に入るし、値段も安い。だいこんが、イカの旨味をたっぷりと吸い込んでいる。ていねいに煮ただいこんは、箸が気持ちよく通った。

もう一品は、里芋の煮付けだ。醤油と味醂《みりん》を利かせた、甘がらい煮付けである。だいこんとイカの炊き合わせが薄味なだけに、里芋の味が絶妙の対比をなした。

だいこんとイカの炊き合わせも、里芋の煮付けも、皿に載ってはいたが竹串に刺さっている。見た目にも趣向がいいし、食べるときは串を口に運べばいい。

食べやすさと見た目のよさとが、うまく釣り合っていた。

香の物は、細かく刻んだたくわん漬けに、大葉《おおば》（青ジソの若葉）の刻みと炒りゴマを混ぜ合わせた。

歯が丈夫ではなくなった者には、たくわんを噛み切るのは難儀だ。が、多くの年寄りがたくわんを食べたがったし、季節にかかわりなく、安く仕入れができた。

水にくぐらせたあと、刻んで大葉と炒りゴマを混ぜ合わせると、食べやすくて風味も豊かな香の物になった。

味噌汁は出さなかったが、代わりに青竹の吸筒に入った茶を銘々に供した。

卓に出したのは、つばきが思案した年配者向けの弁当である。味噌汁を出さなかったのは、弁当には付けられないからだ。

どんぶりの梅ごはんは、握り飯三個分である。力仕事の若い者には物足りないだろうが、吉次郎たちには充分な量だった。

「いやあ、美味い」

「久々に、おいしいごはんを口にしたよ」

「だいこんの煮付けが、なんとも上品でいい味だ。外でこんないい塩梅の味付けを口にできるとは、思ってもみなかった」

「炒りゴマと大葉の刻みがいいねえ」

七人は箸を止めずに、それでもゆっくりと平らげた。

「青竹の吸筒とは嬉しいじゃないか」

「竹の香りがごちそうだよ」

和泉橋の長兵衛と、赤羽橋の酉吉とが昼飯を褒め合った。ふたりはともに耳が遠いらしく、声がひときわ大きい。

周りの客が、青竹の吸筒から注ぐ茶をうらやましげな目で見ていた。

七人が食べ終わったころを見計らって、つばきが土間に出てきた。

「いかがでしたか」

答えを聞くまでもなかった。

大満足の顔を見せる仲間を座らせたまま、吉次郎が相好を崩して立ち上がった。

「このまえのおにぎりも絶品だったが、今日ここでいただいた昼には、だれもが美味さに舌を巻いた」

吉次郎も声が大きい。立ち上がって話す吉次郎を、何人もの常連客が見詰めていた。

「これと同じものを、あたしらの弁当に作ってもらえるんですかね」

「そうです」

つばきが言い切ると、古骨屋連中が手を叩いて喜んだ。

「日替わりというわけにはいきませんが、おかずは季節ごとに目先を変えます」

「それをしてもらえたら、文句のつけようがない」

赤羽橋の酉吉が、立ち上がってつばきのそばに寄ってきた。

「この味なら、あたしは毎日同じでも充分に満足だが、目先が変わればそれにこしたことはない。いやはや、大したもんだ」

つばきに向かって話しているのだが、なにしろ酉吉の声は大きい。だいこんの土間の隅々にまで、喜び声が響いた。

「それで、いつからあんたは弁当を拵えてくれるんですかい」

酉吉が勢い込んで訊いた。

「そんなにせっついても、つばきさんにも段取りがあるだろうに」

座ったままの本所の時三郎が、せっつく酉吉をたしなめた。

「それは分かるが……」

酉吉がきまりわるそうに、白髪混じりのあたまを搔いた。

「年寄りは気が短くて申しわけない」

つばきを正面に見ながら、酉吉が詫びた。

「そんなことありません。あたしも精一杯に早く仕上げられるように、今日からがんばりますから」

「そうとも、つばきさん。ぜひとも、気張ってもらいたい」

酉吉が真顔で応じた。残りの六人に苦笑いが浮かんだが、酉吉は気にしていなかった。

「こんな美味いごはんが食べられるなら、あたしは毎日でも赤羽橋から出向いてきてもいい。つばきさん、あたしは本気だよ」

西吉の目に力がこもっていた。

だいこんから赤羽橋までは、日本橋・京橋・尾張町・土橋を通り過ぎる、片道一里（四キロ）を超える道のりだ。

だいこんに集まった七人のなかで、赤羽橋の西吉は一番の遠方である。その西吉が毎日でも並木町までくると、熱のこもった目でつばきをせっついた。

「いいぞ、とっつあん」

隣の卓で飯を食べていた蔵前の仲仕が、手を叩いて西吉を囃《はや》した。

「ありがとよ、お若いの」

礼を言った西吉が、仲仕に軽い辞儀をした。

「おまいさんがたは、この美味い飯が好きなときに食べられて、うらやましい果報者だ」

「だったらとっつあんも、並木町に越してきねえな」

仲仕の声には、年長者に対する敬いと、親しみの調子が含まれていた。

「できることなら、ほんとうに越したいぐらいだが、お得意さんがあるからねえ……」

西吉が沈んだ語尾を残して腰掛に座った。仲仕も、その先の口を閉じた。

「とにかく、支度を急ぎますから」

つばきがしっかりした声で請合った。

「細かなところを、あたしなりに詰めます。三、四日のうちには、答えをさっちゃんに言付《ことづ》けますから」

「どうぞ、よしなに……」

七人が口を揃えてあたまを下げた。

七つの盆に載った皿には、ひとかけらの食べ残しもなかった。

六十

仕上がった弁当を、毎日どんな手立てで届けるか。

つばきは、このことにあたまを痛めた。

七人それぞれに、商いの場所が違っていた。

だいこんから一番遠い赤羽橋の西吉は、毎日並木町まで取りに来てもいいと言う。しかし片道一里の道を季節にも晴雨にもかかわりなく出向くのは、できることではない。

はるかに歳若いつばきでも、雨が降ったり、風が強かったり、冬の雪道だったりのときは、市場まで通うのは億劫だった。しかも赤羽橋に比べれば、日本橋の魚市場は半分の道のりなのに、である。

いかに客の申し出とは言え、五十を過ぎた酉吉に毎日出向かせることは論外だった。

酉吉のほかにも、冬木町だの高橋だの駿河台下だのと、離れた町を商いの場所とする者がいた。幾日かのことであれば、届けるなり出向いてもらうなりも考えられた。

しかし毎日となっては、続けられる話ではない。

なにかうまい手立てはないか。

七人が大喜びして楽しみにしているだけに、つばきは思案に詰まって焦れた。

八月七日は、朝から雨降りとなった。傘が役に立たないほどの降り方である。つばきはいつもよりも半刻（一時間）早く、五ツ（午前八時）に合羽姿で市場に着いた。

半刻早いと、市場の客の顔ぶれが大きく違っていた。

「どうしたよ、つばきちゃん。今朝はやけにはええじゃねえか」

顔なじみの魚屋、魚金《うおきん》の信次《しんじ》が怪訝《けげん》な顔で問いかけた。

「雨がひどいから、早出をしたの」

言いながら、つばきは市場を行き交う蓑笠姿の男たちに見入っていた。

「棒手振《ぼてふり》連中がめずらしいのかよ」

蓑笠姿を見詰めるつばきの様子を、信次はおもしろがった。

「あのひとたちは、みんな棒手振さんなの」

「その通りさ」

信次がひとりの棒手振を指差した。

「あの男は、いわしだけを仕入れて深川の裏店を売り歩くのさ。連中は少々の雨でも、商いを休んだりはしねえんだ」

「だからみんな、蓑笠を着ているのね」

信次が大きくうなずいた。

「市場に来る棒手振は、魚か青物を仕入れる連中で、目利きぞろいだ」

「きびきび動いていて、気持ちがいい」

つばきの物言いが、棒手振の仕入れぶりに感心していた。

「気になるなら、棒手振の若い衆と話してみねえな」

「そんな……」

つばきが顔を赤らめたとき。

蓑から雨のしずくを垂らしながら、若い男が魚金に寄ってきた。

「まいどありい……」

信次が威勢のよい声を棒手振にかけた。

「今朝は、なにが安くて美味いんでえ」

棒手振はつばきには目もくれず、店先に並べられた魚に目を向けた。

「飛びっきりの鯛がへえってるが、辰治《たつじ》あにいには用なしかもしれねえな」

信次が、相手を煽り立てるような物言いをした。辰治はいっとき目つきを強くしたが、すぐに口元をゆるめた。

「その手は食わねえ。いわしを見せな」

「やっぱり乗ってはこねえか」

ふたりが小気味のよいやり取りをしているところに、別の棒手振が近寄ってきた。

「おめえにちょいと、言付けてえものがあるんだ」

大柄な棒手振が、辰治に包みを差し出した。油紙に包まれた、小さな包みである。

「なんでえ、これは」

「吉兵衛店の差配さんから頼まれた、佃煮なんでえ。すまねえが、こいつを届けてやってくんねえな」

「お安いご用だ」

辰治は受け取った包みを、盤台《ばんだい》の柄にくくりつけた。

「差配さんは昼飯までに欲しいてえことだったが、でえじょうぶかい」

「まかせときねえ。あすこに行くのは、四ツ半と決まってるからよう」

辰治が雨に濡れた蓑の胸元を強く叩いた。雨のしずくが飛び散り、つばきにかかった。

「ねえさん、すまねえ」

辰治が詫びた。棒手振を見るつばきの顔が、上気して頬が桃色に染まっていた。

「少々、うかがいますが」

つばきが辰治に近寄った。その様子を見て、辰治がうろたえた。それほどに、つばきは気を昂ぶらせていた。

「棒手振のひとたちは、毎日同じ場所に出向くんですよね」

「その通りだが、どうかしたかい」

「顔を出す刻《とき》も同じなんですか」

「あたぼうさ」

蓑を着たままの辰治が、胸を張った。

「先々の時計代わりになるてえのが、おれっちの自慢だ。降っても晴れても、四半刻（三十分）と違わねえよ。そうだよな？」

相槌を求められた大柄な棒手振が、しっかりとうなずいた。

「あたし、並木町でだいこんという一膳飯屋を営んでいる、つばきと言います」

魚金の店先に立ったまま、つばきは声を弾ませながら弁当の話をした。七人の年配者が毎日の昼に食べる弁当だと聞いて、棒手振ふたりが顔つきをあらためた。

「おにぎり三個に、おかず二品と香の物を竹皮に包みます。それに、青竹の吸筒に入ったお茶がつきます」

弁当の中身を話してから、届け方の思案に詰まっていたと話した。

「本所割り下水と、高橋と、冬木町と、和泉橋と……」

場所を思い出しながら、駿河台下と赤羽橋とを付け加えた。

「いま言った所に、お昼ごろに出向く棒手振さんはいないでしょうか」

その連中に言付ければ、毎日の弁当が届けられるというのが、つばきが思いついた思案だった。

「探すのはわけねえが、つばきさんは七人のとっつあん相手だと言わなかったかい」

「そうです」

「いま聞いたのは、六カ所だぜ」

辰治に言われて、つばきはもう一度場所をなぞり返した。吉次郎が漏れていた。

「ごめんなさい……もうひとり、霊光寺さんの近くのひとがいるんですが、商いの場所を訊くのを忘れてました」

吉次郎の宿は霊光寺だが、商いの場所までは吉次郎からもおさちからも、聞かされてはいなかった。

「いいてえことさ。霊光寺なら、吾妻橋の近所を売り歩くやつを探せばいいやね」

明日までには五カ所を回る棒手振を探し出すと、辰治がまた胸を叩いた。雨のしずくは、もう飛び散らなかった。

「おれは辰治てえんだが、冬木町から仲町がおれの受け持ちでね。このでけえのは、おれと同い年の小吉《しようきち》だ。なめえは小せえが、なりはでけえてえ、妙なやつさ」

軽口を叩きながら、小吉は高橋が得意先だとつばきに聞かせた。

「つばきさんから聞かされた場所の、どこで弁当を受け渡すかを決めなきゃあなんねえが、竹皮包みと吸筒一本なら、どうてえことはねえ。そうだろう、小吉」

「とっつあんたちが喜んでくれるてえなら、お安いことさ」

小吉がしっかりした物言いで請合った。

「明日には間に合いませんが、あさっての朝には、しっかりした受け渡し場所を決めてきますから」

つばきの声が弾んでいた。

「おれっちも、そんときまでにはだれに頼むかの目星をつけておくからさ」

辰治がつばきに笑いかけた。棒手振の顔は日焼けしていたが、歯は真っ白だった。

六十一

小雨模様のなかをだいこんに帰ると、かえでがつばきを出迎えた。

「おさちねえちゃんが、今夜からうちに泊めてほしいって」

かえでが鼻声で話しかけてきた。

すでに十四歳になっているのに、嬉しいときや、ものをねだりたいときのかえでは、鼻が詰まったようなしゃべり方をする。

いつものつばきなら、わざと甘えた話し方をする妹を、強くたしなめた。しかしこの朝は、どうやって七人に弁当を届けるかの手立てが、はっきりと見え始めていた。

「泊まるって、どういうことなの」

つばきの問い方がやさしかった。

「お弁当のことがはっきりするまでは、ここに泊まり込んで手伝えって、おさちねえちゃんのおとっつあんに言われたって……」

語尾が消えそうになるのも、甘えたいときのかえでのくせだ。つばきは妹のあたまを軽くコツンとしてから流し場に入った。

「おかえりなさい」

おさちとさくらが声を揃えた。

「かえでの言うことがよく分からないんだけど……おさっちゃん、今夜から泊まり込みで手伝ってくれるの？」

そばに寄ってきたおさちが、こくんとうなずいた。

つばきとはひとつ違いでしかないのに、おさちの仕草にはこどもっぽさが残っている。顔も、身体つきも、おさちは充分に娘盛りである。それなのに、こどものような振舞いを見せることがあった。

その釣り合いのわるさが、だいこんの客に大受けしていた。

あたしも、あんなふうにできたら……。

おさちの仕草を見て、つばきはふっと自分の来し方《こかた》に思いを走らせた。

「どうかしましたか」

おさちが心配顔で問いかけてきた。いきなり、つばきが黙り込んだからだろう。

「いいの、いいの」

こどもをあやすような物言いで、おさちに答えた。

「それより、おさっちゃんのおとっつあんが、うちに泊まり込みで手伝えって言ったの？」

「はい」

もう、うなずくことはせず、はっきりと言葉で答えた。つばきの様子が変わったのは、うなずき方を見たからだと察したようだ。

「自分たちの弁当のことだから、きちんと仕上がるまでは、おまえも居残りしろって言われました。勝手に着替えまで持ってきたんですけど、泊めてもらってもいいですか」

「もちろんよ」

つばきは本気で喜んだ。その顔を見て、おさちがほっと安堵の吐息を漏らした。

「お店を閉めてから、一緒に考えましょう」

いつの間にか、おさちの後ろに立っていたさくらとかえでが、つばきの言ったことを聞いて手を叩いた。

食べ物商いは、雨降りの日には客足が落ちるのが常である。外に出かけるのが億劫になり、ありあわせの物で済ませようとするからだ。

ところがだいこんは、晴れの日と変わらなかった。ときには、雨降りのほうが客の入りがよかったりもする。

雨の中、わざわざ足を運んでくれる客に、つばきは心底から感謝をした。そのあらわれとして、お新香と味噌汁の盛りをよくした。客にそれを伝えるわけでもないし、わずかに量を増やすだけのことだ。

盛りのことは、客あしらいをするさくらとおさちにも黙っていた。それでもつばきの思いは、客に伝わっていたのだろう。

八月七日の雨降りの昼も、だいこんはいつも通りに繁盛した。ひっきりなしに客がきて、吉次郎たちの弁当の中身を考えるひまがなかった。

店の提灯を取り込んだのは、五ツ半（午後九時）を過ぎてのことになった。手早く賄い飯を終えたあと、つばき、おさち、さくら、かえでの四人が土間の卓を囲んだ。

手伝いのおせきは帰ったあとだし、みのぶと安治は、すでに店の二階に上がっている。

「あたしたち四人で、ずうっとだいこんをみていければいいいね」

かえでが何気なく口にした言葉が、つばきの胸に突き刺さった。考えてもみなかったことだが、だいこんの所帯を切り盛りしているのは、まさしく、この年若い四人だと思えたからだ。

胸の奥底からこみ上げるものがあり、つばきの顔色が動いた。

「おかしなことを言うんじゃないの」

姉の様子を見て、さくらが妹の口をたしなめた。

「あたし、なにかへんなことを言ったの？」

かえでが口を尖らせた。三人姉妹の末っ子は、周りに気を遣うのが苦手である。さくらが妹を軽く睨んだとき、つばきが割って入った。

「七つのお弁当は、市場の担ぎ売りのひとたちが、それぞれの場所に届けてくれることになったから」

話し合いの始めに、つばきは今朝の成り行きを聞かせた。

「おねえちゃんて、やっぱりあたまがいい」

かえでが手を叩いて姉の知恵を称えた。さくらもおさちも、感心しきった目でつばきを見た。

「もう夜も遅いし、これからは毎朝早く市場に行くんだから、さっさと手立てを決めましょう」

つばきは照れ隠しに、邪険な物言いで先へ進めようとした。

棒手振連中に弁当を託すためには、いままでよりも半刻以上も朝が早くなるのは、まことの

れがそれぞれ思案を持っていた。

ことである。

手早く話を片づける気でいたが、新しい弁当の趣向には、おさち、さくら、かえでのそれぞれが思案を持っていた。

たかだか、一日七食しか拵えない弁当である。それは四人とも分かっていた。それなのに、さまざまな思案が薄暗い土間で飛び交った。

「お握りは、ひと口で食べられる大きさじゃないと駄目だから」

「毎日、おかずがおんなじだと、最初は喜んでくれても、きっと飽きがくる」

「盤台の柄にぶら下げて運んでもらうなら、煮物のおつゆがこぼれないようにしないと」

「重たくても駄目だよね」

浅草寺が四ツ半（午後十一時）の鐘を撞いたときも、まだ話し合いは続いていた。

「今夜はここまでにしましょう」

大きな土瓶にいれた茶を、すっかり飲み干していた。

「おまえたちは手早く片づけたら、さっさと寝なさいね」

「おねえちゃんのその言い方って、おっかさんそっくり」

かえでの口を、さくらが手でふさいだ。

卓に座ったまま思案を続けるつばきは、三人が片づけ終わったことにも気づかなかった。

「おねえちゃん……」

さくらに三度呼びかけられて、つばきは思案を途中で止めた。

「片づけが終わりました」

「ごくろうさま」

立ち上がったつばきの前に、三人が並んでいた。

「火の始末はあたしが確かめるから、三人とも、二階に上がっていいわ」

「おさちねえちゃんも、おんなじ部屋で寝ていいんでしょう？」

かえでが鼻声で訊いてきた。

「はなっから、おまえはその気でしょうが」

「おねえちゃんにも分かったんだ」

おさちと一緒に寝られることが、かえでは嬉しくて仕方がないらしい。つばきの言ったことを、軽く受け流した。

「いいわよ。あたしのお布団を、ふすまのそばに移しておいてね」

強くうなずくかえでを先に立てて、三人は二階に上がった。

店の明かりは、さくらがすっかり落としていた。卓に載った、小さな瓦灯《がとう》ふたつが灯っているだけである。

安い魚油を燃やす瓦灯は、明かりが頼りない。風が吹き込んでくるわけでもないのに、小さな明かりがゆらゆらと揺れた。

客がいるときのだいこんは、百目ろうそくを用いた。明かりが足りないと、食べ物がまずそうに見えるからだ。

二階の居間で使うのは、菜種油を燃やす上質の遠州行灯である。

卓に載った瓦灯は、流し場の明かりが切れたときの、備えに残してあるもので、いつもは使ってなかった。

いま、つばきはあえて瓦灯を灯していた。市場から帰ってきたときに見た、おさちの仕草が忘れられなくてのことだった。

こども時分から、つばきはいつも家を支えていた。働いてカネを稼いだのは、父親の安治と、母親のみのぶだ。が、苦しい暮らしのなかで家族がばらばらにならないように、いつも気遣っていたのはつばきだった。

安治が賭場の借金に追い立てられていた長い月日のころ、夜の明かりは瓦灯だけだった。食事のときも、洗い物をするときも、ひとつの瓦灯を持ち運んだ。

さくらはことあるごとに、姉の背中に隠れた。そして、つばきの指図に従った。

かえでは、好き勝手に泣いたり笑ったりしながら育った。それでも、いつもつばきの目に見守られていることを、末っ子ならではの本能で感じ取っていた。

つばきが近くにいるからこそ、かえでは好きなようにできたのだ。

母親は、こどものことよりも、安治を大事にした。カネに詰まって夫婦喧嘩は絶えなかったが、それでも安治が一番だった。

父親は、つばきのことを気にはかけていた。が、自分でやりたいことが先にあり、気持ちにゆとりがあるときのみ、つばきをかまってくれた。

つまるところ、両親と妹ふたりをいつも気にかけていたのは、つばきだった。

はっきりしたつばきの気性は、顔立ちにあらわれていた。

眉は細くて黒い。ものをしっかりと見定める瞳は、漆黒で、しかも大きい。

わずかに尖ったあごは、ひとたび決めたことを貫き通す、芯の強さをあらわしていた。

つばきの目元の強さを、厚めで紅色の唇がやわらげて見せた。目と口元とがうまく補い合って、つばきを器量よしに見せてくれた。

だいこんの客のなかには、つばきの器量のよさに惹かれている者も少なくない。そのことは、つばきも分かっていた。

商いの才覚があり、知恵も働くし、飯を炊かせれば江戸でも抜きん出ていた。それに加えての、ひとを惹きつける器量である。

さくらもかえでも、つばきに憧れていた。新しく雇い入れたおさちも、つばきを見る目には深い敬いの色が宿っていた。

しかし、いま卓に座って瓦灯を見つめているつばきは、寂しさを抱え持っていた。

あたしもあんなふうにしたかった……。

あんなふうにとは、おさちが見せた、こどもっぽい仕草である。

利発なこども。

面倒見のよいこども。

しっかりしたこども。

逆境にもめげない、芯の強いこども。

飯炊きの上手なこども。

多くのひとが、言葉を換えてつばきを褒めた。しかし、こどもらしいとか、可愛らしいと言ってもらった覚えはなかった。

さくらもかえでも、つばきを慕っている。憧れてもいる。だが、おさちに見せるような、構えのない親しさを姉に見せることはなかった。

おとっつあんもおっかさんも、さくらもかえでも、あたしが面倒を見なければいけない。

揺れる瓦灯の明かりを見ながら、つばきはそれを強く思った。

つらいとは思わなかった。

こどものころから、家族を支えるのは自分だと思ってきた。商いがうまく転がり始めたことで、カネの心配をすることはなくなった。

安治は、あいかわらず一日一貫文の高い手間賃を稼いでいる。暮らしの費えの心配がないいまは、安治は稼ぎをそっくり遊びに遣うこともできた。

が、やがては年老いて、身体が動かなくなる。そうなったときには、両親の世話をするのは自分だと、つばきは決めていた。

両親だけではない。ふたりの妹を、確かな相手に嫁がせるのも、姉の役目だとわきまえている。

「あたしたち四人で、ずうっとだいこんをみていければいいね」

かえでは、深い考えもなしにこう口にした。

姉妹三人ではなしに、おさちも入っていた。

いつも気にかけている妹の、本音を垣間見《かいまみ》た思いがした。

そうであっても、おとっつあんもおっかさんも、さくらもかえでも……。

面倒を見るのは自分だと、つばきはあらためて思い定めた。

ふうっとため息が漏れたのは、つらいからではなかった。思いがどこか通じないことへの、寂しさゆえである。

ため息が、瓦灯の明かりを揺らせた。

六十二

「お芋の煮付けに刺す串は、おとっつあんが集めてくる古骨を使うのがいいと思うんですが……」

だいこんに泊まり込みを始めた二日目の夜に、おさちが知恵を出した。

「いい思いつきだわ」

つばきは即座に受け入れた。そして、おさちの思いつきに、自分の知恵を重ねた。

「煮物のおつゆがこぼれないようにするのにも、吉次郎さんの紙が使えるでしょう」

番傘に張った渋紙は、雨を弾き返す。これで竹皮を包めば、棒手振が揺らして運んでも、つゆが漏れる心配がなかった。

「さっそく明日にでも、おとっつあんに話してきます」

おさちが顔をほころばせた。

「おさちねえちゃん、もう帰っちゃうの？」

かえでが、顔と声とを曇らせた。

「なに、半べそかいているのよ。おさちねえちゃんだって、おうちに帰りたいに決まってるじゃないの」

さくらが妹のあたまを軽く小突いた。

「つまんないなあ……ずっと一緒に暮らせばいいのに」

かえでのつぶやきを背中で受けながら、つばきは土間から流し場に向かった。

一夜明けた、八月九日の朝五ツ（午前八時）。

つばきは魚河岸場外のうどん屋で、辰治、小吉と向かい合わせに座っていた。うどん屋といっても、体《てい》のいい屋台である。

安いサバ節のダシだが、サバを惜しまずに使ったダシは、香りのよさでも味の美味さでも、町場のうどん屋を上回っていた。

つゆに使う醬油は、銚子の造り醬油屋から樽で仕入れている。江戸には数限りなく屋台のうどん屋がいるが、醬油を銚子から仕入れているのは、魚河岸のこの店だけだった。

八月も中旬に差しかかろうとしていたが、晴れた日の残暑は厳しい。まだ朝の五ツだというのに、魚河岸に届く朝日は尖っていた。

「夏の朝に汗だくで食ううどんは、真冬よりもうめえんだ。騙されたと思って、食ってみねえな」

辰治に強く勧められて、つばきもうどんに箸をつけた。

周りの空気がすでにぬるくなっているだけに、つゆから立ち上る湯気は見えない。が、どんぶりに手を触れると、持てないほどに熱かった。

「うどんは熱さが値打ちだからさ」

つばきに笑いかける辰治の歯は、磨き立てのように真っ白だった。

「つばきさんは、ネギは嫌いかい」

「嫌いじゃないけど、どうして?」

「だったら、刻みネギをつゆに入れてみな。味がまるで違ってくるから」

立ち上がった辰治は、屋台の親爺からどんぶりに山盛りのネギを受け取った。

「好きなだけ入れていいぜ」

どんぶりにささった匙《さじ》で、辰治は刻みネギをすくった。

「たっぷり入れるけど、いいかい」

自分のうどんに散らした残りを、つばきにも振りかけようとした。

「そんなにたくさんだと、お店にわるいでしょう。おネギだって、安くないもの」

「ねえさん、気にしなくていいぜ」

辰治とのやり取りが聞こえたらしく、屋台の向こう側から親爺が声をかけてきた。

「残りもんを捨て値で分けてもらったネギだ。好きなら、遠慮はいらねえ。そのどんぶりを、そっくり空にしていいぜ」

「なんでえ、とっつあんはよう。おれっちには、そんな豪気なことを言ったことはねえじゃねえか」

辰治が口を尖らせた。

「しゃあねえだろう、おれは器量よしには滅法弱いんでえ」

「いい歳をして、よく言うぜ」

言葉は乱暴だが、親しい間柄ならではのやり取りである。微笑を浮かべて聞いていたつばきだったが、不意に顔つきが変わった。

箸をどんぶりに載せて立ち上がると、うどん屋の親爺に近寄った。

「お野菜の残り物って、おネギのほかにもあるんですか」

「そりゃあ、あるさ。なんたって、ここには江戸中から青物が集まってくるからよ」

言ってから、親爺はつばきの顔をのぞき込んだ。

「ねえさん、なにか思うところでもありそうだな」

丁度、客が途切れたところだった。うどんを茹《ゆ》でていた手を止めて、親爺が屋台から出てきた。

「なんでえ、なんでえ」

親爺の様子を見て、辰治もふたりのそばに近寄った。

「あたし、並木町で一膳飯屋を商っている、つばきって言います」

「へええ……並のねえさんじゃあねえとは思ったが、その若さで一膳飯屋をやってるてえのか」

「とっつあんよう、妙な了見を起こすんじゃねえぜ」

辰治が軽口を叩いたが、親爺は真顔で感心していた。

「それで、青物屋がどうかしたかい」

あたまのなかで思案がぐるぐる回っているつばきは、問われても言葉に詰まった。

白い歯を見せていた辰治が、案じ顔でつばきのそばに立っていた。

六十三

青物の残り物が安値で手に入ると分かった、八月九日の夜。つばきはだいこんの土間で、安治と向かい合わせに座っていた。

妹ふたりは、二階で好きなように過ごしている。みのぶは、腰の痛みがつらくて臥《ふ》せっていた。

「おとっつあんと、こんな風に話をするのは久しぶりね」

つばきは父親に燗酒の酌をした。

「言われてみりゃあ、その通りだぜ」

盃を干した安治は、身体に伸びをくれて背骨を後ろに反らした。

「くたびれてるの？」

父親のしぐさを見て、つばきが案じ顔で問いかけた。

「気にするこたあねえ」

空になった盃を、娘に突き出した。

「こんところ、降ったりやんだりで、仕事の運びにむらがあるからよう。根詰めてカンナを使った夜は、背中と腰とが重てえんだ」

安治は今年で厄年である。身体はひと一倍丈夫なつもりでいるが、夜には腰と背中にどんよりとした疲れが溜まった。

「気をつけてね」

父親を気遣いつつも、安治に酌をした。

昼間の暑さがまだ残っており、土間はぬるい。それでも燗酒にしたのは、父親の翌日の仕事を考えてのことだ。

冷酒なら、安治はいまでも五合は平気で呑む。が、燗をつければ一合徳利二本を限りでやめた。

仕入れの段取りを、おとっつあんに相談してみよう……。

昼間からこう決めていたつばきは、自分で煮つけたいわし二尾を、安治の肴に残しておいた。

温気《うんき》のさなかだが、醬油と味醂とで強く味付けをしたいわしは、夜まで傷まずに持った。

煮汁のなかには、しょうがの薄切りが混じっている。母親みのぶの煮つけ方だ。

「おめえが煮たのかよ」

安治はほぐしたいわしの身と、しょうがとを一緒に食べている。うなずくつばきの口元が引き締まった。

「てえしたもんだ。知らねえ間に、みのぶとおんなじ味になってるぜ」

「ほんとう?」

父親の前で、両手を打ち叩いて喜んだ。

飯炊きの上手さでは、つばきに敵《かな》う者はいなかった。しかし魚の煮つけは、いまだにみのぶには歯が立たないと、つばきはわきまえている。

とりわけいわしは、鍋に入れる水の分量と、醤油・味醂の按配、七輪の火加減、いつ鍋をおろすかの見極めのどれを間違えても、味がひどいものになる。

早すぎると生煮えだし、遅れたら醤油と味醂とが焦げついてしまう。そこそこはできるようになったと、胸のうちでつばきは思っている。が、みのぶの煮つけたいわしを食べたあとでは、まだまだだといつも思い知った。

ところが安治は、みのぶと同じ味だと娘の仕事を褒めた。世辞を言う父親ではないと分かっているだけに、つばきには嬉しかった。

「飯炊きに加えて、この煮つけができるようになりゃあ、怖いものなしじゃねえか」

「おっかさんの、お・か・げ」

つばきはおどけた調子で、二階で横になっている母親に礼を言った。娘が母親に感謝するさまを見て、安治は目を細めていわしの残りを平らげた。

つばきは、二本目の徳利が空になったところで、居住まいを正して父親を見た。

「おとっつあんの知恵を貸して」

「なんでえ、妙にあらたまってよう」

盃を干した安治が、娘を見詰めた。顔から笑いが失せていた。

「おめえがそんな顔で物を言うのは、芳田屋の跡取りと、ややっこしくなったとき以来だぜ」

つばきの顔色が曇ったのを見て、安治は口を滑らせたと気づいたようだ。

「すまねえ、つばき……つまらねえことを言っちまった」

「いいのよ、おとっつあん」

つばきは、すぐさま顔つきを元に戻した。そして父親に余計な気遣いをさせぬように、仕事の相談ごとを切り出した。

「日本橋の市場で、青物と魚の残り物が安く手に入ることになったの」

「なんでえ、残り物てえのは」

「市場は明け六ツ（午前六時）前から開いていたって、おとっつあん、知ってる？」

「いや、知らねえ」

安治は見栄を張らず、正直に知らないと答えた。

「市場の肝煎にお願いすれば、鑑札がもらえるのよ。それを見せれば、町木戸も好きにくぐれるって……」

この日の朝方に辰治から聞かされた話を、つばきは父親に受け売りした。

公儀は御府内と、大川東側の深川や本所、亀戸《かめいど》、向島、などの各町には、隣町との境目に大《おお》木戸《きど》を構えさせた。江戸の治安を守るためにである。

大木戸は明け六ツに開き、夜の四ツ（午後十時）に閉じた。そして、深夜から夜明けまでは、格別の用のある者に限り、行き来を許した。

盗賊が町に入り込むと、自身番に詰めた目明しや役人たちは、町木戸を厳重に閉ざして盗人を町に封じ込めた。

四ツから明け六ツまでの間に木戸を通り抜けるときは、番太郎（木戸番）にわけを話して、木戸わきの潜り戸から通してもらうのだ。

「なんでえ、おめえは。そんな用じゃあ、通すわけにはいかねえ」

番太郎は、町内の住民がカネを出し合って雇った男である。が、木戸の開け閉めを役人から委ねられていることで、気に食わない者には難癖をつけて通さなかった。

なんとか潜り戸を抜けても、番太郎に『送り拍子木』を打ってもらわなければならない。拍子木なしに隣町の大木戸に差しかかると、その町の木戸番と揉め事を起こすことになる。

通り抜ける町の数だけ、番太郎と掛け合いをしなければならない。それが面倒で、多くの者は町木戸が閉じられたあとは、夜の外出を控えた。

しかし深夜まで町を流す、二八そばなどの担ぎ売りや、未明から仕入れで市場に出向く棒手振などに、その都度送り拍子木を打つのは、木戸番も億劫である。

そのために、仕事にたずさわる者には、町木戸御免の鑑札が交付された。長さ三寸、幅二寸の杉板に、町役人が焼印を押した鑑札を見せれば、江戸の木戸はどこでも通り抜けることができる。

明け六ツ前から、日本橋の魚市場と青物市場で仕入れをする商人や担ぎ売りには、市場の肝煎が鑑札を交付した。

早くても五ツを過ぎなければ市場に出向かなかったつばきには、鑑札は無用だった。が、いまは様子が違っていた。

「夏場に市場が安売りを始めるのは、五ツ過ぎからなの」

「そいつあまた、えらくはええじゃねえか」

「いまのような暑い時季に、足の早い野菜やおさかなを見切るには、そのころが限りなんだって」

「そりゃあ、道理だぜ」

安治もあっさりと得心した。

いわし、アジ、サバなどの青魚は、江戸湾でも毎日揚がった。しかし大森や羽田の漁師が市場に納めにくるのは、早くても獲ってからほぼ一日を過ぎてである。

房州の銚子から運ばれる魚は、さらに半日のときが過ぎていた。

少しでも活きのいい魚がほしい料亭や料理屋の板場は、夜明け前に仕入れにきた。高値で売れる鮮魚は、仲買人も選り分けて料理人に売った。

二番手の品を町場の魚屋が仕入れ、さらに残った魚を棒手振に回した。

それでも豊漁のときには、売り残しが出る。冬場はともかく、温気のころの仲買人は、五ツを過ぎたころから投売りを始めた。

「ものによっては半値で買えるんだけど、バラ売りはしてくれないの」

「魚も青物もかよ」

うなずくつばきの目には、暗い土間でも分かる強い光が宿っていた。

「残り物をまとめ買いする、豊島屋さんというお店があるんだけど、市場のひとには好かれていないの。あたしが毎日決まった数を買うなら、豊島屋さんの品を回してもいいって言ってくれたの」

「決まった数てえのは、どれほどなんでえ」

「いわし、アジなら、二足《そく》（二百尾）だって」

安治の口からは、すぐに言葉が出なかった。

だいこんが流行っているのは分かっていた。が、毎日二足の魚が売りさばけるかどうかを判じることは、安治にはできない。それを見極めるほどには、だいこんの内証に通じていなかったからだ。

「おめえにはわるいが、その話を受ける受けねえは、おれには判じようがねえ」

「あら……おとっつあん、勘違いをしてる」

つばきが声の調子を変えて、父親を見た。

「なにが勘ちげえなんでえ」

「二足のお魚を買うことは、もう決めてきたんだもの」

魚だけではなく、ねぎや根菜なども、毎日、決まった数を仕入れると決めていた。

「てえした豪気だがよう。それを決めといて、おれになんの相談ごとがあるんでえ」

安治が尖り口調である。自分にできるかどうか分からないと考え込むほどの量を、娘はすでに決めたと言う。

安治の物言いが尖っているのは、父親の面子《メンツ》を潰された気がしてのことだろう。

「あたしの物言いがわるかったんなら、おとっつあん、勘弁して」

父親の胸のうちを察して、つばきは詫びた。

「おめえがあやまることはねえさ」

安治の語調は尖ったままである。つばきは父親の手に自分の手を重ねて、さらに詫びた。

安治の息遣いが落ち着いた。

「おとっつあんに相談したいのは、それだけの仕入れ物を、どうやって市場からここまで運ぶかなの。お願いだから、知恵を貸して」

つばきが手を合わせて頼み込んだ。

「どうやって運ぶかなんざ、車をつかやあ、なんてえことはねえだろう」

娘が本気で知恵を借りたがっていると、安治にも分かったようだ。物言いが穏やかになっていた。

「だれが、どんな車を引くの？」

「そんなこたあ市場の車屋にききゃあ、すぐにおせえてくれるだろうがよ」

「それが、そうでもないの」

つばきが声を曇らせた。

「毎日、市場から並木町まで運ぶなら、月ぎめで雇うしか、手立てがないの」

「向こうだって商売だ、月ぎめにしろてえのは、無理もねえさ」

「費えが、ばかにならないのよ」

つばきはたもとから、折り畳んだ一枚の半紙を取り出した。今朝方、市場の車屋で聞かされたことを書き留めた、心覚えである。

「車力さんひとりと、車一台の借り賃を合わせて、月に二分（二千五百文）はかかるって」

「かかるかも知れねえ」

出面《でづら》（日当）で千文を稼ぐ安治は、職人の手間賃には物分かりがよかった。

「ほかにも雨降りだの日照りだの、雪だの野分だのと、お天気次第で車力さんには酒手《さかて》がいるらしくて……」

内輪に見積もっても車一台の月ぎめには、毎月三分の費えがかかるという。一年雇えば三十六分、小判で九両の大金である。

「そいつあ、たけえ」

九両の車代と知って、安治があとの言葉を飲み込んだ。

「もう一本だけ、つけてくんねえ」

安治が燗酒を催促した。

酒が入ると、安治が思いがけないことを思いつくのを、つばきは知っている。いやな顔をせずに、空の徳利を盆に載せて、流し場に向かった。

安治は盃を手にしたまま、思案をめぐらせていた。

六十四

安治に知恵を求めた翌日の午後、つばきは小伝馬町の車屋に出向いた。この町には、大小さまざまの車を商う店が軒を連ねている。

安治と相談した結果、つばきは車を一台、誂えることに決めた。

小伝馬町の町並みは、芳田屋に長逗留した折りに見知っていた。何軒かの車屋とは、そのときに心安い口もきいていた。

なかでも常盤屋《ときわや》佐五郎《さごろう》の店には、つばきのみならず、さくらもかえでも心安く出入りをした。職人がしらの傳吉《でんきち》が、かえでを大層気に入っていたからだ。

車の誂えなら、職人とも親しく話ができる常盤屋がいいに決まっている。しかしつばきは足を運ぶのが、どこか気詰まりだった。

常盤屋佐五郎とも、職人の傳吉とも、揉め事を起こしたわけではない。むしろ逆で、つばきがだいこんを再開したときには、かならず一度は顔を出すと請合ってくれたほどに、親しい口をきいていた。

佐五郎と傳吉が口にした約束は、まだ果たされていない。顔を出すと相手が負い目に感じるだろうと思うがゆえに、つばきは店をたずねるのが億劫だったのだ。

さりとてほかの車屋には、常盤屋ほどの心安さはない。つばきは息を深く吸ってから、常盤屋へと向かった。

小伝馬町の車屋小路は、名前は小路でも、道幅は五間（九メートル）もある立派な通りだ。しかし道の両側に並んだ車屋の店先には、車輪を外した荷車が何台も立てかけてある。通りがいつも込み合って、道幅が狭く見えるのは、店のわきに売り物の車が並べられているからだ。

気を抜いて歩くと、先を急ぐ車力がまともにぶつかってきたりする。つばきは胸の前で両手を重ねて、通りの端を歩いた。

「おめえさんは……」

後ろから呼びかけられて、つばきは振り返った。袖なしに股引姿の傳吉がそこにいた。

「やっぱり、つばきちゃんか」

「常盤屋さんに行く途中です」

「そうかい……口約束が果たせてねえで、面目ねえ」

五十を来年に控えた傳吉がきまりわるそうに、手拭いでひたいの汗を拭った。

「ずっと待ってるんですからね」

わざと強い調子で言ってから、つばきが笑いかけた。それを見て、傳吉も気が楽になったようだ。ごしごしっと強く汗を拭ってから、手拭いを首に回した。

「しかしなんだって、つばきちゃんがうちに用があるんでえ」

「おとっつあんに相談して、車を一台誂えることにしたんです」

「へええ……」

通りには、晩夏の日差しが降り注いでいる。

「ここじゃあ、暑くてしゃあねえ。うちでゆっくり聞かせてくんねえ」

前に回った傳吉は、足を急がせて常盤屋へと戻った。店先では、数人の職人が車の荷台を拵えているさなかだった。

「おかえんなせえ」

戻ってきた傳吉に、若い職人が声をかけた。後ろに立ったつばきを見て、職人たちが手を止めた。

唇に薄く紅を引き、眉墨で形を整えたつばきは、色白の顔にくっきりとめりはりができている。

「おひさしぶりです」

顔見知りの職人たちに、つばきのほうから声をかけた。化粧をしたつばきを見て、若い職人は気後れしたらしい。うろたえ気味に、銘々があたまを下げた。

「あがんなせえ」

傳吉に言われて、つばきは履物を脱いだ。妹ふたりと一緒に、何度も招き上げられた座敷である。傳吉はすでに客間に入っていたが、つばきは迷わずにあとを追った。

客間では、佐五郎と傳吉が並んで座っていた。あるじの佐五郎は、傳吉と同い年の四十九歳である。

ふたりとも、先代に車造りを仕込まれた職人だ。あるじと職人がしらの身分を越えて、傍目《はため》には仲のよい兄弟のように見えた。

あいさつを交わしたつばきは、手早く用向きに入った。店の支度はみのぶとおせきに任せてきたが、飯炊きはつばきの役目である。

晩飯の客が押しかけてくる前までには、だいこんに帰りたかった。

「日本橋の市場で、その日の残り物をまとめて買えることになったんです」

安治と昨夜話し合ったことを、佐五郎と傳吉にかいつまんで話を始めた。


この朝、市場の肝煎と掛け合ったつばきは、三枚の鑑札を交付してもらえる運びとなった。一枚はつばきで、残り二枚は車力用である。

月に三分の費えがかかると分かって、安治は自前の車を誂えたほうがいいと判じた。

「残り物のまとめ買いとは言っても、いわし、アジを二足と、にんじん、でえこにねぎぐれえなら、大して重たくはねえ」

荷が重たくはないと判じた安治は、車力にこどもを使う知恵を思いついた。

「こどもならふたり雇っても、おとなひとり分もかからねえ」

「それはそうだけど……」

思案を聞かされたとき、つばきは気乗りしない返事をした。こどもの車力などは、考えてもみなかったからだ。

「車は、こどもでも引ける小さな拵えにする。荷台を杉板で囲って、桃太郎の絵を描くんでえ。桃太郎にはでえこを持たせて、お供には魚と野菜とを持たせるのよ。この車を毎日、日本橋から並木町まで、こどもに引かせてみねえ……てえした評判になるぜ」

聞き終わったとき、つばきは父親に抱きついて喜んだ。

まさに安治の言う通りだと思った。魚と野菜を運ぶだけなら、小さな荷車ですむ。囲いに屋根もつければ、大雨のなかを運んでも魚も野菜も濡れて傷むことはない。

こどもに引ける、小さな荷車。

昨夜のつばきは、気が昂ってほとんど眠れなかった。


「おもしれえじゃねえか」

佐五郎と傳吉が口を揃えて、安治の思案を褒めた。

「どんな車にするかは、こっちに任せてくれ。囲いの絵描きも、腕のいいのを見つける」

大乗り気になった佐五郎は、車力のこどもも、心当たりを当たってみると請合った。

「車が仕上がったら、今度はかならずだいこんに顔を出させてもらうぜ。そうだよな」

相槌を求められた傳吉は、返事の代わりに手拭いで顔を拭った。一日ずつ過ぎ行く夏を惜しむかのように、力を振り絞った蟬時雨《せみしぐれ》が客間に流れ込んできた。

六十五

八月十日は、まだ厳しい残暑が往来を焦がしていた。神田川べりの土手に出ると、斜面の雑草から強い草いきれが立ち昇っていた。

ひとによってはいやがられたりもするが、つばきは夏草が発する香りが好きだ。草と土とが混ざりあったにおいは、だいこん裏の畑を思わせた。

常盤屋との話し合いがうまく運び、つばきは気分がよかった。それに今夜の仕込みは、小伝馬町に出かける前に終わらせていた。もしも早い客がだいこんに来たとしても、店にはみのぶもおせきもいる。

野菜と魚の味付けは、みのぶのほうが上手だ。手が足りなければ、おせきも調理を手伝える。

いつも追い立てられるような気でいるつばきは、土手の草いきれをかいだことで、ふっとひとときの休みを自分に与えてやりたくなった。

なにごとも、決めたあとは素早く動くのがつばきの気性だ。浅草橋のたもとを西に折れて、柳原の土手に向かった。

このあたりには、茶店が軒を連ねている。通りに面した茶店の縁台に座ったつばきは、麦湯と団子を注文した。

『おそめ茶屋』と染め抜かれた、小豆色の暖簾が軒下にかけられている。のれんのわきには、黒い鉄製の風鈴が下がっていた。

「今日はことのほか、寒天のできがいいからさあ。よかったら団子じゃなしに、うちのところてんを食べてごらんよ。麦湯も団子もところてんも、どれも四文でおんなじだから」

茶店の婆さんが、しきりにところてんを勧めた。つばきの身体は、甘いものを欲しがっていた。しかし婆さんの勧めをむげに断るのは、はばかられる気がした。

「分かりました。ところてんもください」

「ところてんもって……団子はそのまま出してもいいのかい」

「お願いします」

「なんだか、ところてんを押し売りしたようだねえ……」

婆さんは、わずかに顔つきを曇らせて店に入った。

陽は徐々に西空へと動いていた。それでもまだ、日差しには晩夏の暑さがたっぷりと残っている。たもとから汗押さえの手拭いを取り出したつばきは、ひたいを軽く押さえた。

日暮れまでは、まだ一刻近く残っている半端な時分どきだ。茶店には、ほかの客がいなかった。つばきが注文した麦湯、団子、ところてんの三品は、頼んでから間をおかずに出てきた。

「いただきます」

婆さんがその場から立ち去らないうちに、つばきはところてんに箸をつけた。勧められた品から食べるのが、礼儀だと思ったからである。

「おいしい……」

つばきは本気で美味いと思った。

ところてんからは、強い磯の味がした。適度に海の塩気が残っており、口に含むと荒磯の香りが広がった。

つばきが驚いたのは、つゆの味だった。

どこの茶店や甘味処で食べても、ところてんは酢醤油がつゆである。二杯酢の合わせ加減に違いはあるものの、どこで食べても味に大差はなかった。

ところが、おそめ茶屋の品はつゆの味がまるで違った。二杯酢ではなく、ダシ汁である。ところてんにはゴマが振られており、おろした生姜が載っていた。

「気に入ってくれたかい」

「とってもおいしい」

あっという間に平らげたつばきは、お代わりを頼んだ。

「なんとまあ、嬉しい食べっぷりを見せてくれるよ」

しわの寄った顔をほころばせて、婆さんはなかに入った。縁台には、麦湯と団子が載っている。つばきは麦湯をひと口含んでから、団子を口にした。

漉《こ》し餡《あん》の甘味が上品で、口には雑な甘さが残らない。とても土手の茶店で出す団子の味ではなかった。

麦湯も味が強く、ほどよく冷えている。土手の先を流れる神田川は、上流では水道の水源に使われている清流だ。しかし河口に近いこのあたりでは、川面にはごみが浮かんでいたりもする。

川底まで大して深さもなく、夏日を一日浴びる川水は、さほどに冷たくはないはずだ。麦湯を川水につけたとしても、これほど冷たくはならない。

それはつばきが一番分かっていた。

夏場のだいこんでも、客の注文に応じて麦湯を出した。沸き立った湯に麦茶をいれて、そのまま煮立たせる。

冷ませば夏場の飲み物として格別の風味だが、だいこんの裏を流れる大川につけても、ぬるくなるだけで冷えはしなかった。

冷えていて、おいしい……。

ひとりごとをつぶやきながら、つばきが麦湯を飲み干したとき、茶店の婆さんが、新しい器にところてんをいれて運んできた。

「少し盛りをよくしといたけど、無理をして食べることはないからね」

「無理なんか、しません」

明るい声で答えて、つばきは二杯目のところてんを口に運んだ。二杯目も変わらぬ美味さである。

つばきはつゆの味を吟味しながら、ところてんを三本ずつ、ゆっくりと口にいれた。

「やはり、おなかにきついんだろう」

しっかりと味わうつばきの食べっぷりが、一杯目とは大きく違っている。そのさまの意味を取り違えた婆さんが、案じ顔になった。

「とってもおいしいです」

言うなり、残りをぺろりと平らげた。

「こんな味のところてんを食べたのは、生まれて初めてです」

「それはそうだろうさ」

ほかに客がいない気安さから、婆さんはつばきの隣に腰をおろした。

「このつゆは、西国生まれのあたしの連れ合いが拵えた味だからさ。江戸のひとには、作れないだろうね」

「西国って、どこの国ですか」

「四国の土佐だよ。あの国は、鰹がいっぱいとれるらしくてさ、ダシをとるのにも、鰹節を削るんだよ」

「やっぱりこのつゆのダシは、鰹節を使ってるんですか」

驚いたつばきが、目を見開いた。

つばきが煮物や味噌汁に使うダシの元は、いわしの煮干しである。強いダシがとれるが、上品さには欠けた。

が、一膳飯屋の客は、煮物でも汁でも強い味付けを好んだ。日がな一日、身体を使う職人や人夫たちには、醬油と味醂をたっぷり使った濃い味にしないと受け入れられない。

ゆえにダシの元は煮干しだった。

「鰹ダシが分かるなんて……まだ若いのに、なにかそんな仕事をやってるのかい」

「あたし、つばきっていいます。吾妻橋近くの並木町で、だいこんという屋号の一膳飯屋をやってます」

つばきが名乗ると、今度は茶店の婆さんがびっくりした。

「あんた、いったい幾つなのさ」

「十八です」

「十八で、一膳飯屋のあるじとはねえ」

「おっかさんと、妹ふたりが手伝ってくれてます。ほかにもふたり、手伝いに入ってくれていますから」

つばきは気負いのない物言いで、だいこんのあらましを話した。

「あたしは茶店の屋号の通り、おそめという名前さ。これでもずいぶん早くから商いを始めた気でいたけど、十八のあんたにはとってもかなわないよ」

おそめは本心から感心していた。つばきが気持ちよく二杯のところてんを平らげたことで、気をよくしたらしい。

客がいないことを幸いに、つばきを相手によもやま話に花を咲かせた。

「あたし、おそめさんにお願いがあります」

つばきは真正面から頼みごとを切り出した。自分がなにを欲しがっているかに、つばきは迷わなかった。

「うちの店で、おそめさんのところてんを売らせてください。毎日、市場からの帰りにここに立ち寄って、仕入れさせてもらいます」

いま、歯がわるくなった年配者を相手に、新しい味付けの献立を考えている……つばきは、正直にそれを口に出した。

「このところてんなら、つゆの味もおいしいし、おかずにだってできます」

海草は身体の滋養になる。上品な味付けだから、年配客にも、きっと受け入れてもらえる。一杯四文なら、だいこんの客に売っても負担にならない……。

つばきは胸のうちで思ったことを、一気に吐き出した。聞き終わったおそめは、涙目になっていた。

「昨日が、あたしの連れ合いの七回忌だったんだよ」

つばきがたもとから取り出した手拭いで、おそめが両目を拭った。

「ひとりで店をやるのには、あたしもくたびれてたところでさ。ところてんの作り方と、つゆの味付けは、全部亭主が教えてくれたんだけど……大して売れなくなってたしね」

そろそろ店仕舞いをしてもいいかと、昨日の夕暮れ前に、おそめは亡夫の墓前で問いかけた。

七回忌法要のために、昨日は茶店を閉めた。それで、作り置きしておいた寒天を、すべて駄目にした。

すっかり気分がめげていたが、気持ちのいい夜明けの空を見て、今朝は心持ちを入れ替えた。

しっかり鰹節でダシを取り、つゆを拵えた。寒天も作った。いつも以上に美味くできたのに、

つばきがくるまで三杯しか売れなかった。

気落ちしていたところに、つばきが顔を出した。勧めると美味いといって、お代わりまでし

てくれた。

今日、こうして店で出会ったのは、七回忌を越えた亭主が、元気を出せということで、引き

合わせてくれたに違いない……。

「あたしのところてんでよければ、ぜひとも売ってちょうだい。それがあのひとへの、なによ

りの供養になるから」

おそめはつばきの両手をしっかりと握った。しわの多い手だが、握る力は強かった。

「あたしのほうこそ、ぜひとも仕入れさせてください」

つばきとおそめが、手をさらに強く握り合った。

「あっ……つばきさん……」

茶店の前で立ち止まった男が、驚き声で呼びかけた。公事宿芳田屋の浩太郎だった。

六十六

「思いがけないところで、つばきさんに出会ったもんだからさ。話の途中に、つい割り込んでしまって」

「いいのよ、気にしなくても」

おそめとの話に区切りをつけて、つばきは浩太郎と連れ立って柳原の土手に上った。西日を浴びた神田川に、ダイダイ色の光の帯が伸びている。

芳田屋に長逗留していたころ、つばきは浩太郎と一緒に何度もこの眺めを見た。

「浩太郎さんは、どこに行ってたの？」

つばきは何気なしに、あいさつ代わりに問いかけた。ところが浩太郎がうろたえた。なにかわけがありそうだと察したつばきは、それ以上の問いかけをしなかった。

大川のほうから飛んできた都鳥が、神田川の真上で舞い始めた。夕暮れが近くなって、川の魚が水面近くで泳いでいるのだろう。

神田川の真上で都鳥が舞い飛ぶさまも、ふたりは何度も一緒に見ていた。

浩太郎が言いよどんでいるわきで、つばきは餌を狙って川面に降りる、鳥の動きを見ていた。

「あっ……」

　つばきが大声をあげた。

「あんなに大きな魚をくわえて……」

　群れのなかの一羽が、くちばしからはみ出すほどに大きな魚をくわえて舞い上がった。

「つばきさんて、ほんとうに変わらないなあ」

　川面を見詰めたまま、浩太郎がつぶやいた。

「変わらないって、どんなことがなの？」

「ひとの目を気にしないで、思ったことを大きな声で言い切ることさ」

　浩太郎と夕景を眺めに神田川べりを歩いていたとき、つばきは思うがままを口にした。ときには、土手を歩いている者がつばきの顔を見るほどの大声も出した。

「ひとが見てるぜ」

　そんなときは、いつも浩太郎がつばきの口を閉じさせた。

「おれが、どこに行ってたかはさあ……」

「いいのよ、無理に話さなくても」

　都鳥を見ていたつばきが、浩太郎に目を戻した。浩太郎も、川面を見ていた顔を上げて、つばきを見た。

「おれ、来年の二月に所帯を構えることになったんだ。いまは、そのひとのところからの帰り道さ」

「そう……」

口を閉じたつばきが、浅草寺の方角に目を移した。西日を浴びた五重塔が、本瓦をきらきらと照り返らせている。遠目にも、眺めの美しさがよく分かった。

この眺めも、浩太郎と何度も見たことがあった。それを思い出したつばきは、五重塔から空に目を移した。


つばきが思いついた弁当は、公事宿の泊まり客に大いに喜ばれた。なにより値段が安かったし、つばきの炊いた飯の美味さが抜きん出ていた。

浩太郎は吸筒に使う竹を仕入れたり、おかずの材料を買い込んだりと、裏方の段取りを受け持った。

つばきが飯炊きをし、みのぶがおかず作りを受け持った。浩太郎は細々とした雑用を、みずから買って出て手際よくこなした。

つばきと浩太郎は、息遣いが見事に合っていた。芳田屋の両親も、みのぶも安治も、ふたりが楽しげに弁当作りに励む姿をこころよさそうな目で見ていた。

弁当作りを一緒に始めて、ふた月が過ぎたころ。浩太郎が、一緒になって欲しいと切り出した。

「つばきさんを、おれは生涯大事にする」

暮れなずむ神田川べりで、浩太郎は強い目でつばきを見詰めた。相手を憎からず思っていたつばきも、同じような目で浩太郎を見詰めた。

「おれと所帯を構えて、芳田屋を守《も》り立ててくれ。つばきさんが一緒なら、きっといままでにない公事宿ができる」

つばきは、喜びと戸惑いとが混ぜこぜになったような顔つきになった。

芳田屋は小なりといえども、御上の御用を手伝う公事宿である。そこの惣領息子と、一膳飯屋を切り盛りする自分とでは身分が違う。それゆえに、浩太郎への思いは実らぬものだとつばきはつらいわきまえを抱いていた。

ところが浩太郎は、一緒に芳田屋を守り立ててほしいという。公事宿の女将《おかみ》になってくれということなのだ。身分違いを分かっていながらの申し出が、つばきには嬉しかった。

しかし……。

だいこんを営むことで、つばきは家族の暮らしを支えている。芳田屋に嫁ぐということは、家族を見捨てることにつながる。そんなことは、つばきには思案の埒外だ。

やさしくても、ひとの想いが汲み取れないところのある惣領息子。嬉しさのかたわらでそれを感じてしまい、十七歳のつばきの顔には戸惑いの色が浮かんだ。

「芳田屋を守り立てるって……だいこんはどうなるの」

つばきの目が曇った。

「それは……つばきさんのおっかさんと、妹たちに任せればいいさ。おっかさんの拵える煮物は、言ってはわるいけど、つばきさんより上手だと思う」

母親の煮つけが自分よりも上手だということは、つばきもわきまえていた。しかし浩太郎は、つばきが命がけでだいこんを切り盛りしてきたことには、ひとことも触れなかった。

のみならず、店は母親と妹に任せればいいと言う。だいこんが繁盛している大きなわけは、自分の働きがあってのことだと、つばきは胸のうちで思ってきた。その誇りが、ここまでの苦労を乗り越えさせた。

大水に遭って公事宿に長逗留しているいまも、一日たりともだいこんを忘れたことはない。ないどころか、弁当を拵えながらも、あたまのなかではだいこんで出す新しい献立、だいこんの新しい店構えを思案していた。

つばきにとってのだいこんがどれほど大事なのかは、浩太郎も分かっていると思っていた。

建て直したときの店の趣向を、ここまで何度も口にしてきた。

その都度、浩太郎は大きくうなずいた。

それなのに、所帯を構えたあとは、だいこんは母と妹に任せればいいと、あっさりと言われた。

浩太郎への思いが、強い引き潮のようにつばきから失せた。

「あたし、浩太郎さんのことを思い違いしていた」

つばきの物言いは固かった。

「せっかくのお話だけど、あたしはだいこんを続けます」

それだけを言い残して、つばきは足早に芳田屋に帰った。翌日、つばきは芳田屋のあるじと向かい合った。

「お弁当作りを手伝えるひとが見つかり次第、並木町に帰ります。申しわけありませんが、口入屋さんにお願いして、お手伝いのひとを見つけてください」

ひとたび決めたあとは、ぐずぐず迷わず、未練を断ち切るのがつばきの生き方である。浩太郎とは二度と神田川べりを歩くこともなく、手伝いが見つかった三日後につばきは芳田屋を出た。


「おめでとう」

つばきは心底から出た声で、浩太郎が来年に挙げる祝言を祝った。

「ほんとうは、おれ……」

浩太郎が開きかけた口を、つばきは自分の口に指を立てて封じた。

「あたしたちって、ご縁がなかったのよ。そのひとを、大事にしてあげてくださいね」

浩太郎にあたまを下げたつばきは、ひとりで土手から降りた。浩太郎を残して柳原から立ち去るのは、これで二度目である。

三度目は、なしよね。

口に出して、自分に言い聞かせた。

おそめとのかかわりが始まると思うことで、つばきは涙をこらえた。

天明元年八月十日。

断ち切ったつもりでいながらも、ほのかにくすぶっていた残り火を……消した。

六十七

小伝馬町の車屋あるじ常盤屋佐五郎は、つばきの頼みをしっかりと呑み込んでいた。そしてつばきの思いがかなうように、職人の仕事ぶりに目配りを怠らなかった。

荷台の囲い板に、職人は丈夫な樫を使おうとした。常盤屋に誂えを頼んでくる客は、おしなべて樫板の囲いを注文した。

重さは増すが、雨風にさらされても狂いが生じない。しかも使うほどに板の内側から脂がにじみ出て、それが味わいとなるからだ。

「ばかやろう」

樫板に磨きをかけている職人を、佐五郎が怒鳴りつけた。

「こどもが引く車だと言ったじゃねえか。そんな重たい木を使っちゃあ、空車を引くだけでも難儀だろうがよ」

「樫じゃなけりゃあ、親方はなんの木を使えといわれるんで」

あたまごなしに怒鳴られた職人のひとりが、口を尖らせて問いかけた。

「桐だ」

「なんですって？」

「おれは桐だと、そう言ったんだ。聞こえなかったか」

「いいや、しっかり聞こえやしたぜ」

職人が呆れ顔になった。雨風にさらされながら往来を行き来する荷車だ。いくら軽い木を使うといっても、桐ではやわらか過ぎた。

「ほんとうに桐を使うんで」

「思案があってのことだ。念押しには及ばねえよ」

あるじの指図を確かめるために、念押しすることが続いた。佐五郎はその都度、声を荒らげた。

あるじといえども、仕事の運び具合には口をはさまず、職人がしらに任せるのが車屋の仕来りだ。いつもの佐五郎は、それを守った。

つばきの誂えに限っては、朝から晩まで、身体のあいている限りはつきっきりで目を配った。

職人がしらの傳吉も似たようなものだった。

「遠州屋さんが九月十日までに、いつもの車を三台欲しいてえんですが」

遠州屋は日本橋の鰹節問屋で、常盤屋の大得意先である。傳吉が七年前に職人がしらに就いてから今日まで、ざっと三十台の荷車を納めていた。

荷台の枠組みから車輪の回り具合まで、遠州屋の車は傳吉が目配りをした。納める前には、自分の手で車を引いて転がりの調子を確かめた。

ところが。

たかが一台だけのつばきの車造りに、傳吉も佐五郎同様につきっきりになった。遠州屋の仕事は、職人に任せた。

「輪っかが大きすぎやしねえか」

「そんなことはねえ。これぐらいなら、こどもでも引けるさ」

あるじと職人がしらが互いに譲らず、口げんかとなったのも、一度ならず生じた。

「なんだって親方とかしらは、こんな一台の車に熱くなっちまうんでえ」

「決まってるじゃねえか。誂え主が、つばきちゃんだからさ」

常盤屋の職人たちも、芳田屋で弁当作りをしていたつばきを見知っていた。

余計な世辞を言わない代わりに、物事を真正面から捉えるつばきである。その気性は、物づくり一筋の職人が、なによりも好むところだ。

気立てがはっきりしていることに加えて、つばきは器量よしでもある。年ごろの娘ならではの、肉置きにも恵まれていた。尻と両胸の膨らみは、つばきが好んで着る絣《かすり》の生地越しにも見た目に分かった。

細い眉はくっきりと濃く、潤んだ瞳とともに、まっすぐな気性をよくあらわしている。つばきが媚びを売るわけでもないのに、いい歳をした男がなぜかつばきに気持ちを動かした。

しゃあねえさ、つばきちゃんの車だ。

このひとことで、常盤屋の職人のだれもが得心した。そして車造りの道具を持つ手に、一層の力がこもった。

車が仕上がったのは、八月十九日。つばきの注文を受けてから、十日足らずという早い仕上がりだった。

「つばきちゃんが見にきても、余計なことを言うんじゃねえよ」

車が仕上がったあとも、傳吉はつばきに見せようとはしなかった。桃太郎の絵がまだだったからだ。

八月二十一日に、常盤屋には白く濁った液の入った桶が届けられた。房州茂原《もばら》の山で採ったばかりの、生漆《きうるし》である。

「明日から五日の間、絵描きの師匠が泊まり込みで仕事を始める。おめえたちはくれぐれも、粗相のねえように気をつけろ。それと桶には触るんじゃねえ。うっかり触ったりすると、ひでえかぶれかたをするぜ」

職人を呼び集めて、傳吉が言い置いた。生漆は、絵描きが先に送ってきた品だった。

八月二十二日から、弟子三人を引き連れた絵描きが、常盤屋に泊まり込みを始めた。奥の十畳間を明け渡すほどに、佐五郎は絵描きを大事にもてなした。

絵描きは深川万年橋に暮らす、吉野香蘭《こうらん》という名の女絵師である。なにを描くかを聞かされていた香蘭は、桐の囲い板に下絵を描き始めた。

三人の弟子は、庭の隅で漆作りを始めた。

「親方は大八車の囲いに、漆を塗る気だぜ」

「ちげえねえ。三人の弟子が、ひたすら生漆の桶を混ぜてらあ」

佐五郎は桐の囲い板に描いた絵に、透漆《すきうるし》を塗って雨風から守る算段をしていた。香蘭が描く桃太郎は、三日で仕上がった。

透漆を塗るのに丸二日、乾かすのに三日を要した。傳吉は絵描きは五日間寝泊まりすると言ったが、香蘭たちが仕事場を出たのは、泊まり始めて九日目の朝だった。

九月三日の朝五ツに、佐五郎と傳吉は連れ立って魚河岸に顔を出した。そして青物屋わきのうどん屋で、かけうどんをすすりながらつばきを待った。

つばきは棒手振の辰治、小吉のふたりと笑顔で語らいながらうどん屋にやってきた。

「あっ……常盤屋さん……」

佐五郎と傳吉の顔を見るなり、つばきが駆け寄った。両手には、アジの入った布袋を提げていた。

「どうしてここに?」

「おめえさんを待ってたのよ」

佐五郎の言ったことを聞いて、つばきは手に提げた袋を地べたに置いた。

「車が仕上がったんですか」

「ああ。きれいなのが仕上がった」

答えたのは傳吉だ。つばきを喜ばせる役を、佐五郎は傳吉に譲っていた。

「うれしいっ」

つばきの声が、青物屋の店先にまで届いたらしい。店の親爺がいぶかしげな顔で、つばきと車屋のふたりを見た。

「どうだ、つばきちゃん。これからうちまで、車を見に行くひまはあるかい」

「もちろんです」

つばきは両目を見開き、手を叩いて大喜びした。

「よかったじゃねえか、おめでとうさん」

車を誂えていることを聞かされていた辰治と小吉が、声を揃えて祝いを伝えた。

「辰治さんたちは、これから小伝馬町には行けないわよね」

「行きてえのは山々だが、なにしろ客が待ってるからさあ」

「それに、こいつも届けねえとよう」

小吉が、盤台にぶら下げた弁当を手で示した。だいこんで拵える弁当は、いまでは毎日棒手振たちが届けていた。

「どのみち、近々市場でお目にかかれるだろうしさ。そうだろう、つばきさん」

辰治に向かって、つばきはしっかりとうなずいた。目が潤んで見えたのは、車が仕上がったことへの喜びだけではない。辰治を見るときには、つばきの瞳はいつも潤んでいるように見えた。

「つばきさんもはええとこ店にけえらねえと、せっかくのアジが傷むぜ」

アジは足の早い魚である。豊島屋には売りたくない魚金の信次は、店に残っていた三十尾のアジを、そっくり見切り値でつばきに売ってくれた。

つばきが辰治たちと笑顔で話していたわけは、アジが見切り値で買えたからだった。

「それじゃあ、小伝馬町まで連れてってください」

市場の雑踏を、つばきは両腕に布袋を抱えて通り抜けた。


ふうっ……。

仕上がった車を初めて見たとき、つばきから出たのは吐息だった。

嬉しい。

きれい。

当たり前の言葉は、吐息を漏らしたあとからこぼれ出た。

桐板は、大八車の前後左右の四面を囲っていた。左右の二面は、幅八尺（約二・四メートル）、高さ四尺（約一・二メートル）。いわゆる四八《しはち》と呼ばれる大きさである。大きな四八の全面に、桃太郎と、家来の犬・猿・雉が描かれていた。

桃太郎が手にしているのは大根で、家来は御伽草子《おとぎぞうし》でなじみの通り、それぞれが擬人化して描かれていた。

御伽草子では、家来は宝物を持っている。桐の板に描かれた家来は、野菜と魚とを抱えていた。

前後の囲いは高さ、幅ともに四尺である。後ろの囲いには『一膳飯屋　並木町だいこん』と太文字で描かれていた。

初対面の驚きから覚めたつばきは、車に近寄り、桐の囲いに触れた。

「つるつるして、なんだか漆のお椀に触ってるみたい……」

「その通りさ。漆塗りだ」

つばきに教える佐五郎は、抑えようとしても、胸が反り返るのをとめられないでいた。

六十八

市場から並木町のだいこんまで、車を引くこどもをどうやって雇えばいいか。

知恵を授けたのは、辰治だった。

「飴細工売りのとっつあんに訊けば、どこの町内がいいか、一発で分かるさ」

どんぶりに残った三本のうどんをずずっとすすった辰治が、つばきに笑いかけた。つばきは箸を手にしたまま、黒い瞳を潤ませて辰治の思案を受け止めた。

「なんでえ、なんでえ」

小吉が口を尖らせた。

「おれがここにいるのを、おめえもつばきちゃんも忘れてやしねえか」

わけありの目で見詰め合うのは、わきに行ってやってくれと小吉が毒づいた。

「すまねえ、すっかりおめえを忘れてた」

軽口をきく辰治に、つばきが見とれた。

「ばかばかしくて、やってらんねえ」

食べ終わったどんぶりを手にして、小吉が先に立ち上がった。

「おれが知ってる飴細工売りは、深川黒江町の源助《げんすけ》さんだけど……とっつあんは小伝馬町だの並木町だのは知らねえだろうなあ」

「でも、飴売りのお仲間なら、心当たりがあるんじゃないかしら」

「ちげえねえ」

辰治も小吉に負けないほどに、勢いをつけて卓から立った。

「今夜にでも、とっつあんからおせえてもらうよ」

明日の朝には首尾が伝えられると言い残して、辰治は魚河岸から出て行った。ひとり卓に残ったつばきは、残りのうどんを箸でつまんだ。

あたまのなかでは、桃太郎車をこどもが引く姿を思い描いている。辰治の知恵で、きっとこどもが集まると確信していた。

棒手振を使って弁当を配ることができているのも、野菜や魚の残り物を安値で仕入れられるのも、辰治や小吉たちが道を開いてくれた。さらに今度は、車引きのこどもの集め方まで、辰治が知恵を授けてくれた。

辰治さんとだったら……。

辰治と所帯が構えられたらと、つばきは夢を描いた。

芳田屋の浩太郎とは、商いに対する姿勢が違って実らなかった。辰治はおのれの力で客を切り開く棒手振だ。親だの親類だの力をあてにせず、すべてを自分ひとりでこなしている。

それはつばきとまったく同じだった。

辰治さんとだったら……。

つばきは、何度も同じことを思った。箸を握ってはいるが、うどんは一本も口に入っていない。

「ねえさんよう……食わねえんなら、卓を代わんねえな」

半纏姿の男に尖った声を投げられて、つばきは物思いからわれに返った。

「ごめんなさい。すぐにどきますから」

慌てて立ち上がろうとして、右手がどんぶりにぶつかった。残っていたうどんとつゆが、立っている男の半纏にかかった。

つばきは素早くどんぶりを元に戻し、卓にこぼれたうどんをすくい入れた。

「ばかやろうっ」

男の大声は、市場の喧騒にも勝っていた。周りの目がつばきと男に集まった。ひとの目を浴びたことで、男は一段といきり立った。

「こんなに混んでる市場で、うどんも食わずに卓をひとりじめしやがってよう。挙句の果てに、ひとの半纏をうどんで汚すたあ、なんてえ了見をしてやがる」

男はあごを突き出してつばきに詰め寄った。吐く息が酒くさくて、目が赤い。見るからに男は酔っ払っていた。

つばきは酒癖のわるい男は、虫唾が走るほどにきらいだった。賭場の借金取りに追い立てられていた当時の、父親を思い出すからだ。

「ごめんなさい」

あたまを下げて、男から離れようとした。が、男はつばきのたもとを摑んで引き止めた。

「ひとの半纏を汚しといて、ごめんなさいで済ませようてえのか」

「それじゃあ、どうすればいいんですか」

つばきの物言いが切り口上になった。男の顔色が青く変わった。

「なんでえ、その言い草はよう」

「なんの騒ぎだ」

半纏姿の男の後ろから、別の声が聞こえた。豊島屋が立っていた。

「なんだ、もう終わったんですかい」

豊島屋を見て、半纏姿の男はいきなりおもねるような口調に変わった。

「そんなことはどうでもいい。なんの騒ぎだ」

豊島屋に問われて、男はことのあらましを聞かせた。話の様子から、男は豊島屋の奉公人だと察せられた。

「あんた、あたしと魚金でよくぶつかるねえさんだろう」

豊島屋は、初めてつばきを見るような物言いをした。よくぶつかるもなにも、つい先日も魚金の信次は豊島屋に売りたくないばかりに、三十尾のアジをそっくりつばきに売り渡した。

あの朝も豊島屋は、別の魚屋の店先からつばきと信次のやり取りを見ていたのだ。

「並木町でだいこんを切り盛りしている、つばきと言います」

酔っ払いの奉公人といい、当主といい、豊島屋はろくな相手ではない。つばきは目元を険しくして豊島屋を見た。

「だいこんだか、にんじんだかは知らないが、ひとの半纏を汚しておいて、詫びだけで済ませようとするのは、真っ当な商人の振舞いじゃないね」

豊島屋は、わざと周りに聞こえるように大声を出した。つばきの目の前には、つゆがこぼれたどんぶりがあった。うどんが七、八本と、つゆがどんぶりの底から三分の一ほど残っている。

「ふできな商人で、まことに申しわけありません」

詫びながら、どんぶりにぶつかるように右手を大きく動かした。ガタンッと音を立てて、どんぶりが豊島屋のほうに倒れた。器に残っていたつゆとうどんとが、豊島屋めがけて飛んだ。

身代は大きいと評判だが、豊島屋が着ているのは、季節を問わずに木綿の長着である。うどんとつゆとが、まともに豊島屋の着物にかかった。

「あらまあ、重ね重ねごめんなさい」

怒りで言葉も出なくなっている豊島屋に、つばきはしらけた声で詫びを重ねた。帯にはさんだ巾着を取り出し、小粒銀五粒を取り出した。

「お詫びにならないかもしれませんが、これでお召し物と、そちら様の半纏の洗い張りをしてくださいな」

小粒銀五粒は、およそ四百文である。木綿の長着と半纏なら、二百文も出せば上質の古着が買える。つばきが卓に置いたカネは、文句のつけようがない額だった。

「ほんとうに、粗相を重ねてごめんなさい。これからおうどんをいただくときは、飛び散らないように気をつけますから」

言い置いたつばきは、カラになったどんぶりを手にして卓を離れた。市場の男の大半が、つばきの振舞いに見とれている。どんぶりを返しながら、うどん屋の親爺にぺこりとあたまを下げた。

親爺が目を細めてつばきを見た。

市場から出たところで、つばきは豊島屋の方角に向かって、あかんべえをした。

六十九

五と十のつく日、だいこんはいつにも増して大賑わいになる。これらの日は、職人が手間賃を受け取る給金日に当たるからだ。

そうでなくても、だいこんの昼飯どきは込み合う。九月五日は朝からの晴天に給金日が重なり、だいこんの土間は客で埋まっていた。

五《ご》・十日《とおび》はおさちとさくらに加えて、かえでも客あしらいに加わった。しかし九月五日の昼は、三人がかりでも手が足りないほどに込み合っていた。

「飯がまだだぜ」

「はええとこ、味噌汁だけでもくんねえな」

土間には、客の声が飛び交った。

「ただいま、お持ちしますから」

たすきをきつく縛り上げたおさちとさくらが、愛想のいい返事に努めている。かえでも姉たちを真似てはいるが、ついつい返事がおろそかになった。

「おい、ねえちゃん。茶がねえぜ」

ねえちゃんと呼ばれると、かえではその都度、頬を膨らませる。客はおもしろがり、かえでを狙い打ちにして用を言いつけた。

「あたいにばっかり、言いつけないで」

とっくにこどもの歳を超えているかえでが、思わず「あたい」と口にした。

「へぇえ……かえで坊は、まだおっぱいが欲しいってか」

ひとしきり土間が沸き返ったとき、六十年配の男がひとりでだいこんに入ってきた。おさちとさくらは、飯と味噌汁運びに追われていて、客に気づかなかった。

「いらっしゃい」

すぐそばにいたかえでが、客に応じた。

「ひとりだが、入ってもいいかい」

店の混雑ぶりを気遣ったらしい。年配の男が、かえでに問いかけた。

おさちかさくらなら、土間の様子を見極めてから、適した卓に案内しただろう。昼飯どきの客は、ほとんどが仲間連れである。

たとえ空席があったとしても、無造作に入れ込みにはしない。顔見知り同士を座らせることで、気持ちよく客が飯を食べられるようにと気遣った。

かえでには、その知恵がまだなかった。しかも、散々にからかわれた直後である。気が回らなかったかえでは、仲仕衆五人が座っている卓に、年配客を案内した。

御米蔵で、一度に五俵の米を担ぐのが仲仕である。だれもが力自慢で、身体つきも大きい。

しかも、おしなべて気が短くて荒いのだ。

毎日だいこんで昼飯を食べる上客だが、おさちもさくらも、仲仕衆と他の客とを相席にはしなかった。

仲仕衆も、自分たちの卓に見知らぬ顔が案内されるとは思っていなかっただろう。どんぶり飯を口に運びつつ、眉にしわを寄せた。

土間がふっと静まり返った。

店の気配が変わったのを、さくらは感じたようだ。盆に味噌汁を載せたまま、足をとめて土間を見渡した。かえでがしていることを見るなり、盆を抱えて料理場に飛び込んだ。

手ぶらになって出てくると、仲仕衆の卓に駆け寄った。

「ごめんなさい、気がつかなくて」

さくらは年配客と仲仕衆の両方に詫びた。

「気がつかなくてとは、なんのことだ」

だいこん初顔の客が、さくらに真顔で問いかけた。

「別の卓にご案内しますから」

「それは無用だ」

客はためらいなく言い切った。

「このひとたちはみんな大きいが、卓には空きがある。あたしはこの席で結構だよ」

「ですが……」

さくらが戸惑い顔を見せた。

わきに立ったかえでは、なぜ姉が年配客を別の席に移そうとしているのか、わけが分からないらしい。いぶかしげな目で、さくらを見ていた。

「とっつあんさえよけりゃあ、おれたちは相席でもいいぜ」

仲仕の兄貴分らしい男が、野太い声でさくらに伝えた。

「あたしはここでいい」

言うなり、客は腰掛に座ろうとした。柄の大きな男たちが、詰め合って場をあけた。

「余計な年寄が混じって、すまないね」

仲仕衆に客が詫びた。兄貴分の男が、どんぶりを卓に置いて顔つきをゆるめた。

「おれたちはどうてえことはねえが、とっつあんこそ、よく座る気になったなあ」

「あたしは、柄の大きな男が好きなんだ。ガキ大将は大柄だと、昔から相場が決まっているからさ」

客は、気負いなく言い放った。

「ちげえねえ」

仲仕が破顔して応じた。

「言われてみりゃあ、ここにいるのはみんなガキ大将だった者ばかりだ」

年配客が気に入ったらしく、おれは徳力《とくりき》だと仲仕が名乗った。

「あたしは飴売りの八兵衛《はちべえ》だ」

客が応じた。飴売りと聞いて、徳力が怪訝そうな顔つきになった。

「とっつあんの身なりは、とっても飴売りにはめえねえぜ」

徳力がいぶかしく思ったのも、無理はなかった。八兵衛は、鏝《こて》のあたった紺色の細縞木綿を着流していた。

「今日はわけありで、こんななりをしているだけだ」

八兵衛が湯呑みの茶を飲み干したとき、かえでが飯と味噌汁、それにイワシの煮付けを運んできた。八兵衛が笑いかけた。

かえでの顔から仕事向きの拵えが消えて、あどけなさが戻った。

脂ののったイワシは、皮と煮汁がギラギラと光っている。味醂を利かして甘がらく煮付けられたイワシのわきには、千切りのショウガが一緒に盛られていた。

八兵衛は、イワシよりも先にショウガを口に運んだ。

「うまい……」

しわの寄った八兵衛が、顔つきをほころばせた。一段としわが深くなった。八兵衛の食べ方を見て、徳力が身を乗り出した。

「おれもとっつあんとおんなじだ。イワシよりも、ショウガの千切りが好きなんでえ」

同じ好みと分かり、飴売りと仲仕とが笑顔を見交わした。

「とっつあんはなんだって、ガキ大将が好きなんでえ」

徳力は、すっかり八兵衛に気を許している。いかつい仲仕が年配者と和やかに話すさまを見て、周りの客もさくらも、安堵していた。

「銭を持っているときのガキ大将は、仲間を引き連れて買いにくる。しかもあれこれ迷っているこどもに、あたしに代わって手際よく飴を仕切ってくれるんだ」

ガキ大将になる子は、小さいうちから男気に富んでいる……八兵衛は、さらりと言ってのけた。徳力たちが深くうなずいた。

「ところであんたらは、毎日ここで昼飯を食べるのかね」

「あたぼうでさ」

徳力の物言いが、ていねいになっていた。

「ここぐらい、飯がうめえ店は滅多にあるもんじゃねえ。しかも八兵衛さんが食ってるイワシにしても、味噌汁にしても、味のよさも飛びっきりなんでさ」

「あんたの言う通りだ。こんなうまい飯は、食べたことがない」

八兵衛はおかずは口にせず、どんぶりの飯だけを頬張った。

「漬物もいけますぜ。好きなだけ、ただで食ってもいいんでさ」

仲仕のひとりが、大皿に盛られた漬物を八兵衛に取り分けた。秋大根の糠漬けである。

「食べたいのはやまやまだが、あたしは歯がわるくてねえ。固い漬物は、噛み切ることができないんだ」

心底から惜しそうな言い方だった。徳力は手を振って、さくらを呼び寄せた。

「八兵衛さんが、漬物を食べたいてえんだ。すまねえが、刻んでくんねえ」

「分かりました」

取り分けられた漬物を、さくらは料理場に運んだ。戻ってきたとき、漬物は細かく刻まれていた。八兵衛が目を見開いた。

「この漬物は、ただだと言わなかったか」

そうだと仲仕が答えるのを聞いてから、八兵衛は漬物を口にした。刻まれた大根は、歯のわるい八兵衛にも味わえたようだ。

「飯も味も扱いも、大したもんだ」

「それだけじゃあ、ありやせんぜ」

徳力は飯代の安さも、よそでは真似ができないと胸を張った。あたかも、おのれの店であるかのように自慢をした。

「どんだけ店が込み合っていても、狭いことに文句を言う客はおりやせん。みんなが肩をすぼめあって、ひとりでも余計に座れるようにと、客のほうが気遣うんでさ」

仲間が食べ終わるのを見届けた徳力は、あごをしゃくって四人を立ち上がらせた。

「食い終わると席を立つのも、ここの仕来りなんでさ。この店が気に入ったんなら、また会いやしょう」

人数分の銭を卓に置き、仲仕衆は出て行った。当初は煙たそうに見ていた他の客が、感心した目で徳力たちを見送った。

「こちらにお客さんを案内しますが、構いませんか？」

「無論だ、訊くまでもない」

八兵衛は箸をとめず、おさちに答えた。半纏姿の四人連れが、卓に案内されてきた。戸口には、仲間とおぼしきひとりが立っている。

「あのひとは、お連れさんか」

「そうでやすが、気にしねえでゆっくりやってくだせえ」

職人風の男が、年長者をうやまうような物言いをした。

「いい店だ……」

ひとりごとのようにつぶやいてから、八兵衛は漬物を口にした。わきを通りかかったさくらが、八兵衛の湯呑みに茶を注いだ。

「いい店だ」

漬物を呑み込んでから、もう一度同じ言葉を口にした。つぶやき声が大きくなっている。さくらの耳にも届いた。

「ありがとうございます」

答えたさくらは、両目がうるんでいた。

七十

昼の客足に区切りがついた、八ツ（午後二時）下がり。客のいなくなっただいこんの土間で、八兵衛とつばきとが向かい合わせに座っていた。

「黒江町の源助から聞かされた話は、細かなところで要領を得なかった」

源助とは、辰治が心安くしている飴売りである。だいこんをおとずれた八兵衛は、その源助から話を通された男だった。

「源助が伝えてきた話は、あたしらの商いに格別、得のあることじゃない。正直なところは面倒くさくて、うっちゃっておこうかと思ったんだが……」

桃太郎の絵を描いた大八車を、こどもに引かせようという趣向に、八兵衛の気持ちが動いた。

さりとて、だいこんがどんな店なのかも、店を切り盛りしているつばきの人柄も分からない。

八兵衛が暮らすのは、新大橋たもとの深川元町である。並木町までは、大川伝いに歩いても大した道のりではなかった。

大八車を誂えたのも、だいこんという変わった屋号の一膳飯屋を切り盛りしているのも、十八歳の娘だという。

どんな娘だ、つばきというのは……。

それが知りたくて、顔を出した。

「こちらから出向くのが筋ですのに、わざわざ新大橋からお越しいただいて、ありがとうございます」

来訪にいたったあらましを聞かされたつばきは、立ち上がって辞儀をした。頃合を見計らって、さくらが焙《ほう》じ茶と、お茶請けの梅干とを運んできた。

つばきの指図である。

八兵衛は梅干を箸でほぐし、茶を含んでから口に運んだ。

「梅干とは、嬉しい心遣いだ」

八兵衛の顔が、刻んだ漬物を口にしたときと同じようにほころんだ。

昼の客がわずかに減り始めた、九ツ半（午後一時）ごろ。つばきは八兵衛から、店の外に呼び出された。

「あたしは深川元町の、八兵衛という飴売りだ」

名乗られて来意を告げられたときには、驚きで目を見開いた。飴売りだと言われたつばきは、すぐさま辰治に頼んだ一件に思い至った。が、まさか相手のほうから出向いてくるとは、思いも寄らなかった。

「あんたから話を聞きたいから、昼の客が終わるまで待たせてもらおう」

八兵衛の口調は、物静かだった。

「お気遣いのほどを、ありがたく頂戴いたします」

つばきは、八ツ下がりまでお待ちくださいと申し出た。

「それで結構だ。あたしは、雷御門のあたりを歩いてくる」

八兵衛が雷御門へと続く辻を曲がるまで、後姿を見送った。

わずかな間、立ち話をしただけである。相手は、深川元町の飴売りだとだけ名乗った。

しかしつばきは、八兵衛はただの飴売りではないと察していた。

着ているのは、紺木綿の長着である。しかし糊の利いた着物には、袖の先まで鏝があたっていた。

帯は上物の献上帯だったし、雪駄の鼻緒には鹿皮が使われていた。

父親の安治は、雪駄に凝っている。八兵衛の履物が安くないのは、ひと目で分かった。

八兵衛さんは、ひとに指図をしなれたひとの物言いだった……。

身なりと物腰から、八兵衛は飴売りの元締めかもしれないと判じた。

なぜ元締めが、だいこんに顔を出したのか。つばきは、そこまでは推し量ることができなかった。が、八兵衛の様子を思い返すにつけても、一介の飴売りではないと確信した。

お茶請けに、なにを出そうか。

最初は並木町の舟和《ふなわ》から、芋ようかんを買ってこさせようと思った。川越特産のさつま芋で作る芋ようかんは、ほどよい甘さで人気があった。

かえでを使いに出そう……そう決めたあとで、ふっと思い当たった。

もしも飴売りの元締めだとしたら、芋ようかんは喧嘩をふっかけるも同然だ。飴売りの飴は、芋を元に拵えていたからだ。

しかもこども相手に二文の安値で売る飴は、芋ようかんに比べれば雑な作りだ。いかに並木町名物とはいえ、芋ようかんは出せないと判じた。

あれこれ思いめぐらせるなかで、梅干が浮かんだ。

おさちを口入れしてくれた周旋屋に、つばきはどんな手土産がいいかと訊いたことがあった。

八兵衛は、周旋屋のあるじと同じ年格好だった。

「もらうなら、梅干がいい」

周旋屋は、言下に梅干だと答えた。

「この歳になると、飯のあとの梅干ひと粒が、寿命を延ばしてくれる」

話しているうちに、口のなかが酸っぱくなったらしい。あるじは言い終わるなり、口にたまった唾を呑み込んだ。

それを思い出したつばきは、おせきとみのぶに台所を任せて、吾妻橋東詰に向かった。そして橋のたもとの水戸屋で、大粒の梅干を買い求めた。

思案は大当たりで、八兵衛は種までしゃぶってつばきの心遣いを誉めた。

「桃太郎の大八車という趣向には、心底から感心したが……車はどこにあるんだね」

「小伝馬町の常盤屋さんに、お預けしてあります」

「だったら、あたしを連れて行ってくれ」

自分の目で確かめてから、話を煮詰めたいという。車の出来栄えがよければ、こどもの手配りは引き受けると八兵衛は言い切った。

「日本橋だろうが小伝馬町だろうが、あんたの望み通りの町で、入り用なだけのこどもに声をかけさせよう」

つばきが判じた通り、やはり八兵衛は飴売りを束ねる元締めだった。

「いまからでもよろしいですか」

つばきが声を弾ませた。

「もとより、その気だ」

手早く身づくろいを調えたつばきは、八兵衛と連れ立って小伝馬町に向かった。

「あんたの店は、なによりも客がいい」

道々、八兵衛はだいこんの客を誉めた。

「店が頼まなくても、客同士が席を詰め合うとは……よほどに客が店を大事に思ってなければ、できることじゃない」

飯のうまさ、値段の安さも、八兵衛は称えた。江戸の飴売り七十三人を束ねる、元締めの誉め言葉である。

湧き上がる喜びで、つばきは軽やかに下駄を鳴らした。

常盤屋で車を見たあとは、八兵衛の目の色が変わっていた。

「この車をこどもが引いたら、さぞかし評判を呼ぶだろう」

桐に塗った漆を撫でながら、八兵衛は成功間違いなしを請合った。

「ものは相談だが……」

どのこどもに車を引かせるかの目利きは、八兵衛がおのれの責めで引き受けるという。

「その代わり、この車のあとについて、飴売りをさせてもらいたい」

鉦《かね》を鳴らしてこどもに知らせるよりも、車のあとをついて歩くほうが、はるかに人集めができる。元締めとしての勘働きが、八兵衛にそれを教えたようだった。

つばきに異存はなかった。

「それでお役に立てるなら、どうぞお好きになさってください」

桃太郎の車を、こどもが引く。

そのあとには、赤い烏帽子《えぼし》をかぶった飴売りが続く。

しわの寄った八兵衛の顔を見ながら、つばきは町を行く車の姿を思い描いていた。

七十一

桃太郎の大八車は、日本橋住吉町のこどもが引くことになった。魚河岸に近くて、元気のよいこどもが多く暮らすのは、住吉町の裏店だった。

金太郎、十歳。通い大工金八の長男で、四尺六寸（約百四十センチ）。

長吉、十歳。太物仕立職人伝助のひとり息子で、四尺三寸（約百三十センチ）。

鶴太郎、十一歳。魚河岸仲買人の長男で、四尺九寸（約百四十八センチ）。

飴売りの元締めが選び出したのは、三人のガキ大将である。

「この三人は、それぞれが違う裏店に暮らしているが、だれもが十人近いこどもを従えている」

どの子も、こどもながらに仲間内の人望があると、八兵衛が請合った。

だいこんの商いは、天気にはかかわりなく営まれる。地べたが焦がされる真夏だろうが、雪が降り積もる真冬だろうが、魚河岸が開いている限りは、つばきは商いを休まない。

「三人のガキ大将をかしらに据えて、こども車引きを三組構えておけば安心だろう」

八兵衛の思案を、つばきは受け入れた。

こどもたちの装束は、長吉の父親がふたつ返事で請負った。

「何十ぺん洗濯しても、びくともしない拵えで仕立てましょう」

仕掛かり途中の仕事をわきにどけて、伝助は桃太郎、サル、犬、キジの装束に取り掛かった。

天明元年九月八日。江戸の空は、すっきりと高く晴れ上がった。

伝助の衣装が仕上がるまでの間を使って、こどもたちは小伝馬町の常盤屋に出向き、車引きの稽古を始めた。

梶棒を引くのが桃太郎で、三人の家来が車の後ろについた。こどもたちの着物は、丈が短くて色落ちした木綿物だ。

江戸中の裏店暮らしのこどもなら、どの町でも同じような身なりである。

質素な身なりだけに、常盤屋が拵えた車はひときわ目立った。

小伝馬町は、公事宿が連なる町だ。旅籠の泊まり客のほとんどは、奉行所からの呼び出しを待つのみで、手持ち無沙汰に過ごしている。

そんな町のなかを、こどもたちは桃太郎車を引いて稽古を続けた。

「なにが始まったのかね」

「こどもが物売りを始めたそうだ」

わけの分からない泊り客たちは、勝手なことを言い交わした。

「大した評判だ」

「おとなの目の色が違ってやしたぜ」

車のあとをついて歩く常盤屋佐五郎と傳吉が、嬉しさでゆるんだ目を見交わした。

秋は夜が長くなる。衣装を請負った伝助は、日のある間を目一杯に使い、仕立に没頭した。

九月十五日六ツ半（午前七時）。桃太郎の羽織を縫い上げて、装束のすべてが仕上がった。

車の引き始めは伝助の息子、長吉に任された。

「縁起がほしいから、残っている青物を総ざらえにさせてください」

つばきは費えにはこだわらず、店先の青物をそっくり買い入れた。

「おんなにしとくのは惜しいぐらいの、気風《きっぷ》のよさだよ」

青物屋のあるじは、奉公人に指図して車まで品物を運ばせた。青物のわきには、木箱いっぱいのいわしが積み込まれた。

日を追って秋が深くなっている。桃太郎車に、斜めの空から朝日が差し始めた。青物屋が積み込んだナスが、目に鮮やかな紫色に輝いている。

いわしもまだ新しく、背の青と腹の銀色が色味を競い合っていた。

「こいつあ、すげえや……」

積荷の彩りを見て、辰治が心底からの声を漏らした。

「間違いなく、この車は評判を呼ぶぜ」

「それにつけても、つばきさんはてえしたもんだ」

辰治と小吉が、見開いた目のままうなずき合った。

桃太郎車の初荷を祝うかのような、晴天である。おとなが口を揃えて感心するさまを見て、長吉たちが張り切った。

梶棒を握った長吉が、車を引こうとしたとき、八兵衛がこどもを押しとどめた。

「これを、車のわきに立てなさい」

八兵衛は、二本ののぼりをつばきに差し出した。

『吾妻橋並木町　一膳飯屋だいこん』

白地の木綿に、墨文字で屋号がくっきりと描かれていた。

「ありがとうございます……」

つばきが言葉を詰まらせた。

八兵衛はつばきには内緒で、初荷の祝儀にのぼり二本を誂えていた。車の後ろに回ったつばきは、両側の溝にのぼりを差し込んだ。木綿の生地が、朝日を弾き返して照り輝いている。屋号がひときわ目立って見えた。

車のわきに集まった市場の面々に、つばきは深々と辞儀をした。男どもは拍手で応えた。

「長坊、支度はできた？」

「おいらなら、とっくにできてるさ」

長吉の返事を聞いて、つばきはうなずきで合図をした。梶棒が上がり、車が動き始めた。市場の面々は、車が角を曲がって見えなくなるまで、拍手で見送った。

浅草橋を渡る手前で、車の後ろに飴売りがついた。調子をつけて、鉦を叩いている。

まだ五ツ半（午前九時）にもなっていないのに、こどもたちが出てきた。

「桃太郎の飴売りだよう」

大八車に合わせて、飴売りは新しい口上を考えていたらしい。こどもたちが群がって、行列が長くなった。

橋を渡った先は、蔵前の御蔵通りである。十月の大切米《おおぎりまい》（冬に支給される禄米）を控えて、通りにはひとと車が溢れていた。そんななかに、飴売りの鉦が鳴り渡った。

「なんでえ、なんでえ」

肩に何俵もの米を担いだ仲仕が、声を尖らせた。が、車ののぼりを目にするなり、目つきを和らげた。

仲仕衆の多くが、だいこんの飯の美味さを知っていた。御米蔵の賄い飯に飽き足らない仲仕連中は、だいこんまで足を延ばして飯を食べに出向いた。

車のわきを歩くつばきを見て、なじみの仲仕が荷を担いだまま笑いかけた。

浅草橋北詰から四町（約四百四十メートル）にわたり、札差が軒を連ねている。飴売りは札差の店が途切れたところで足を止めた。

あとをついてきたこどもは、五十人以上にも膨らんでいた。

「それでは、あっしはここで商いをしますんで」

つばきに近寄った飴売りが、あたまを下げた。

「どの町でも、こどもが五人も集まれば上出来でやしてね。八兵衛さんが言った通り、この車のご利益《りやく》は大したもんだ」

顔を大きくほころばした飴売りは、もう一度つばきに礼を言った。

「明日は、違う町で後ろにくっつきやす」

「どうぞよろしく」

つばきの返事を聞いてから、飴売りはこどもの群れに戻った。

蔵前からだいこんまでは、さほどの道のりではない。長吉はだいこんに着くまで、ひとりで梶棒を握り通した。

飴売りがいなくなったあとも、車の後ろには町々のこどもが群がった。こどものみならず、目を見張ったおとなも通りに出てきた。

「並木町の一膳飯屋、だいこんです。どうぞごひいきに願います」

おとなに向かって、つばきは呼びかけながら歩いた。

この車のおかげで、新しいお客さんがきっと増える……。

胸をわくわくさせるつばきの顔に、やわらかな秋の陽が当たっていた。

七十二

桃太郎車が動き始めて十日が過ぎた、九月二十五日、八ツ半（午後三時）。朝から降り続く雨のなか、身なりの整った男がだいこんをたずねてきた。

四十半ばの年格好で、背丈は五尺三寸（約百六十一センチ）の見当だ。しかし雨用の高下駄を履いており、二寸は背が高く見えた。

「秋の雨は、降り出すと止まらないものですなあ」

男は蛇の目傘のしずくを払わぬまま、土間に入ってきた。蛇の目は上物の柿渋を重ね塗りしているらしく、雨粒を弾き返している。土間にしずくが垂れ落ちた。

「どちらさまでしょう」

卓の拭き掃除を続けていたさくらが、男に問いかけた。

「どちらさまとは、またごあいさつだ。あたしは、こういう者だがねえ」

男は羽織の襟に染め抜かれた紋を、さくらに示した。紋は抱き茗荷《だきみょうが》で、紋の真ん中には『広』の字が描かれていた。

「お嬢ちゃんにはまだ、この紋は分からないかねえ」

男は見下したような物言いをした。

さくらはすでに十六歳である。身体つきは五尺（約百五十二センチ）と、さほどに大きくはなかった。しかし尻には丸みがあらわれており、胸元は膨らみを見せている。

なにより店に出る前には、毎朝、頬紅と紅とで軽い化粧をほどこす、年ごろの娘だ。そのさくらに向かって、男はこどもを相手にするような調子で、お嬢ちゃんと言った。

三姉妹のなかで、だれよりも人当たりのいいさくらが目元をきつくした。

「ご用はなんですか」

いつもは穏やかなさくらが、切り口上で問いかけた。

「おたくには、よだれが垂れそうないい話を持ってきたんだ。もう少し、愛想よくしてもらえないかね」

さくらの物言いに、男も気色ばんだ。

「いまは夕方の仕込みのさなかで、お店は閉じているときです。ご用はなにかを聞かせてください」

さくらは尖った物言いを変えなかった。

「どうしたの、さくら」

いつにない妹の強い調子が、流し場にも届いていた。暖簾をかきわけて、つばきが土間に出てきた。

「あんたが、つばきさんですな」

男はさくらには取り合わず、つばきに近寄った。

「つばきはわたしですが、どちら様でしょうか」

妹の様子を見て、つばきの問いかけがきつくなっていた。

「日本橋青物町で広目《ひろめ》（広告・宣伝）を営んでいる、広目屋大三郎《だいざぶろう》です」

さくらにしたのと同じように、広目屋は襟元の紋をつばきにも示した。あたかも、広目屋の紋はだれもが知っているといわんばかりの振舞いである。

「うちは、広目をお願いするような商いではありません」

たすきがけのまま、つばきはきっぱりと言い切った。男は格別に気をわるくした様子も見せず、さらにつばきに近寄った。

「おたくの広目をどうこうしたくて、雨の中を歩いてきたわけじゃない。少しの間、あたしの話に付き合ってもらいたいんだが」

広目屋は勧められもしないのに、土間の腰掛に座った。相手の用向きが分からないだけに、邪険なことも言えない。つばきは仕方なく、広目屋と向かい合わせに腰をおろした。

「あたしのところは、日本橋の老舗のほとんどがお得意先でね」

呉服の越後屋、焼物の岩間屋、海苔と茶の山本屋、刃物の木屋……口を閉じたままのつばきを前にして、広目屋は日本橋大店の屋号を幾つも口にした。

「そのなかの一軒が、あんたの拵えた桃太郎の車を大層気に入った様子でね。この先で入り用になる車の修繕代と、こどもの衣装代はそっくり持つから、その店ののぼりを立てて歩いてもらいたいと言うんだよ」

広目屋は、店の名は明かさなかった。が、口ぶりから、江戸の隅々にまで名の通った老舗だと察せられた。

その店のあるじが三日前の朝に、こどもの引く桃太郎車を目にした。すでに日本橋界隈にも、評判は聞こえていた。あるじは車を見たくて、朝の魚河岸に出向いていた。

その日の梶棒を握ったのは、三人のなかではもっとも上背のある鶴太郎だった。

桃太郎の衣装を、伝助は息子の長吉に合わせて拵えていた。それでも丈は長めにしてあり、長吉より三寸大きい金太郎でも、充分に着られた。

しかし鶴太郎は四尺九寸もあり、長吉よりは六寸（約十八センチ）も大柄だ。これだけ背丈が違っては、着付けで調節するのはむずかしい。

鶴太郎が梶棒を握るとき、桃太郎の衣装は丈が足りず、ふくらはぎが見えていた。

「つんつるてんの衣装では、せっかくの趣向が台無しだと、そちらの旦那さんは心配してくれていてねえ……」

老舗ののぼり二本を車の後ろに立てる見返りに、車の修繕代と、こどもの丈に合った衣装の誂え代を負担するという。

のぼりを立てるのは、一年間。車を見に通りに出てきた者に引札《ひきふだ》（宣伝チラシ）を配れば、修繕代とは別に、一枚につき二文の手間賃を払う。これが、広目屋の持ち込んできた話だった。

「うちでは引札配りも請負っているが、鉦と太鼓を鳴らして配っても一枚三文だ。おたくに払う一枚二文は、並外れて高い手間賃だよ。こんなおいしい話は、ふたつとない」

広目屋は恩着せがましい物言いで、次第を話し終えた。

「とにかくそちらの旦那さんは、あんたの趣向にぞっこんなんだよ。この話を受けてもらえたら、月に一度は奉公人を飯に差し向けてもいいとまで言っている」

よもや断りはしないだろうねえと、広目屋は上目遣いにつばきを見た。

「ありがたいお話ですが、お断りします」

つばきは迷いなく答えた。

「なんだって……よく聞こえなかったが」

広目屋は、顔を歪めて問い直した。

「お断りすると言ったんです。今度は聞こえましたか」

つばきは、広目屋を前にして立ち上がった。

「ほかにお話がなければ、夜の支度がありますのでお引取りください」

両目を吊り上げている広目屋を、つばきは強い調子で立ち上がらせた。

「あたしと豊島屋とは、幼馴染だ。あんたの無礼さは、豊島屋が言った通りだな」

この礼はかならずさせてもらうからと言い残して、広目屋はだいこんから出て行った。

「いやなやつだけど、おねえちゃん、大丈夫なの？」

さくらが心配顔で問いかけた。

「豊島屋さんの仲間だもの。気にすることはないわよ」

流し場に戻ったつばきは右手に塩をつまみ、店の戸口に振りまいた。

あっという間に、雨に溶けた。

しばらく雨空を見たあとで、つばきは土間の腰掛に座った。姉の曇った顔つきを案じて、拭き掃除に戻っていたさくらが寄ってきた。

「おねえちゃん、やっぱり広目屋さんを追い返したのが気になってるんでしょう」

さくらの顔色も、雨空のように沈んでいる。

「ばかいうんじゃないわよ。あんないやったらしい男のことで、くよくよ悩むわけがないでしょう」

つばきは両目に力を戻して、妹の不安を追い払おうとした。

「そう言うけど、おねえちゃん、なんだか考え込んでるみたいだもの」

さくらは得心せず、つばきに食い下がった。

「考えていたのは、まるで別のこと。心配することじゃないの」

「だったら、なにを考えているのか教えて」

いつになく、さくらが引かない。根負けしたつばきは、思っていることを口にし始めた。

「桃太郎車の評判は、これから、もっともっと高くなるわ」

「あたしもそうだと思うけど、それってわるいことなの？」

「まさか……そんなわけないでしょう」

つばきは、心底から笑い飛ばした。

さくらの言い分とは逆のことを、つばきは案じていた。

評判を聞きつけて、桃太郎車を使いたいという店が、幾つも出てくる。つばきはそれを案じていた。

広目屋には、なんの義理もない。それゆえ、強い調子で追い返すことができた。

しかしこの先で、もしもつばきや安治が義理を感じている相手から、桃太郎車を使わせて欲しいと言われたら……。

果たして断りきれるだろうかと、つばきはおのれに問うた。気持ちとしては断りたい。が、それができるかどうかは、分からないというのが正直な思いだった。

せっかく評判が高まっているのに、まさかこんなことを案ずるなんて……。

いやな話を持ち込んできた広目屋が、恨めしかった。

妹が見詰めているのは分かっていたが、ふうっと、ため息がこぼれ出た。

七十三

天明元年九月三十日、六ツ半（午後七時）過ぎ。だいこんの土間には、ほとんど客の姿が見えなかった。

この夜に限らず、月末の夜のだいこんは空席が目立った。開業して初めて晦日の夜を迎えたときは、客の入りのわるさにつばきは顔を曇らせた。

「大丈夫さ、つばきちゃん。今夜はお客さんがこなくて当たり前だよ」

つばきを初めとして、だれもが暗い顔になっていたとき。おせきひとりが、明るく笑い飛ばした。

「みんな給金をいただいて、ふところ具合があったかだからさあ。早くから、なか（吉原）に繰り出しているんだよ」

吾妻橋から吉原までは、さほどの道のりではない。そしてだいこんの常連客の多くは、ひとり者である。

おせきが判じた通り、晦日の夜の客はだいこんに立ち寄る間も惜しんで遊びに出た。晩飯はお茶屋か、上がった先の見世《みせ》で楽しめたからだ。

以来、つばきは月末夜の仕込みは加減をして、いつもの日の三割減に控えた。

天明元年の九月晦日は、三割控えたいわしやアジが、五ツ（午後八時）近くなっても、半分以上も売れ残っていた。

「もしも残ったら、おせきさんとさっちゃんとで、全部持ち帰ってください」

陽気がずいぶん涼しくなってきたから、明日の朝でも平気でしょうと、つばきは付け加えた。

商いの首尾は日替わり……。

つばきはそのことを、わきまえられる歳になっていた。ゆえにたとえ売れ残りが出ても、苛立ちを見せなくなっている。

しかしこの夜の不入りは尋常ではなかった。

「そういえばさあ……」

洗い物を手伝う手を休めずに、裏店で聞き込んだ話をおせきが話し始めた。

「なんでも吉原に、新しい大見世ができたらしいよ。見世は大籬《おおまがき》の拵えで、仕上がる前から大きな評判を呼んでいたらしいからさあ」

おせきの話を聞きながら、つばきは今朝の仕入れどきに辰治と小吉が話していたことを思い出した。

今夜から、なかの大見世がひとつ開くらしいぜ……小吉がぽろりと漏らしたとき、辰治は目配せして口を閉じさせた。

そのときつばきは、大籬の大見世という言葉を初めて耳にした。

辰治が慌てて小吉の口を抑えたとき、つばきは格別になにを思ったわけでもなかった。しかしいま、不意に辰治のことがあたまに浮かんだことで、つばきは目を曇らせた。

名の通った遊郭は、通りに面した部屋に見世の女を座らせて、外を行く客に見せた。その部屋の窓に拵えた格子戸を籬と称した。

のこぎりひとつで、一寸五分（約四・五センチ）角の木を挽き出すのは難儀だ。腕のよい職人でも、日に百本の木を挽くのが精一杯だった。

見栄を張る大見世は、籬に樫や檜を用いた。樫は使い込むほどに艶が出るし、檜は香りがひとを楽しませる。

見世全体に籬を回した大見世が、おせきが口にした大籬である。総籬とも呼ばれるこの拵えの見世は、吉原で最も格式の高い遊郭とされていた。

大籬の見世で遊ぶためには、まずはそこに案内してくれるお茶屋で遊ぶのが仕来《しきた》りだ。お茶屋代は、安くてもひとり一分（四分の一両）。銭に直せば、千二百五十文である。

辰治の稼ぎがどれほどか、つばきは知らない。しかし一膳飯屋を切り盛りするつばきは、五百文の儲けを出すのは相当に大変だろうと判じていた。

大見世に上がれば、若い者や、客あしらいのねえさん衆にも祝儀がいる。それに加えて、敵《あい》娼《かた》への遊び代がかかった。

お茶屋代に、祝儀と敵娼の費えを合わせれば、最も安く遊んだとしても、四両のカネが入用だった。

辰治の儲けを日に五百文としても、四両を稼ぐには四十日もかかる。

もしも辰治さんが、その大見世に遊びに行っていたとしたら……。

遣うカネの算段も大変だと思った。しかし辰治が稼いだカネだ。幾ら遣おうとも、どうでもよかった。

白粉《おしろい》を塗った敵娼と一緒にいると思うと、つばきは胸の奥にざらつきを覚えた。

辰治さんの遊びに、やきもちを焼いているのかしら……。

辰治が遊びに行っているかどうかも分かっていないのに、つばきは胃ノ腑のあたりに違和感を覚えた。

「つばきちゃん、どっか気分でもわるいのかい？」

つばきの顔つきを見て、おせきが洗い物の手をとめた。かえでも皿を手にしたまま、心配そうな顔で姉を見た。

「ごめんなさい、なんでもないから」

つばきが取り繕いを口にした、そのとき。

吾妻橋の半鐘番が、激しく擂半を打ち始めた。外は雨降りではなく、洪水の心配はなかった。

「どこだろう……」

少々のことでは驚かないおせきだが、擂半を耳にしたいまは、顔がこわばっていた。

つばきは急ぎ足で外に出た。

浅草寺の五重塔が、赤い夜空を背にして浮かび上がっていた。

「あの空の様子だと、吉原だぜ」

外に出てきたただいこんの客が、火元の見当を口にした。吉原の大門《おおもん》までは、近いといっても半里（二キロ）は隔たっている。それなのに半鐘が擂半なのは、よほどに火事が大きいからだ。

浅草寺の裏で、夜空を紅蓮《ぐれん》の色に焦がす火事……火元は吉原のほかにはなさそうだった。

「勝手ですが、今夜はこれで店じまいをさせていただきます」

飯を食べている客に、つばきは追加の誂えを断った。擂半を聞いて、客も落ち着かないらしい。文句も言わず、どんぶりの飯を大慌てでかきこんだ。

客が全員帰ったあとも、半鐘は擂半を打ち続けている。その忙《せわ》しない鳴り方が、不安な思いを駆り立てた。

「今夜はここまででいいですから、すぐに帰ってください」

「わるいけど、そうさせてもらうわね」

おせきとおさちが、手早く帰り支度を終えた。ふたりがだいこんを出ようとしたとき、かえでが呼び止めた。

「これを忘れないで」

大き目の鉢に、残り物のいわしとアジの煮付けが入っていた。

「ありがとう、かえでちゃん」

礼を口にしながらも、おせきの顔は不安で曇っていた。

たとえ吉原が火元だったとしても、浅草寺の手前には三千坪を超える大きな火除け地が構えられていた。それに今夜は、幸いなことに風はない。

「大丈夫だとは思うけど、おカネと印形はおまえが持っていてね」

さくらに言い置いたつばきは、たすきを外し、履物を下駄から薄い草履に履き替えた。

「おねえちゃん、どこかに行くの？」

「火元の様子を確かめに行ってくるから」

吉原からのもらい火はないと思いつつも、つばきは不安な思いを消せなかった。せっかく建て直しただいこんが、またもや災難に遭うかもしれないと思うだけで、立っているのもつらくなった。

自分の目で確かめないことには、つばきは胸のうちの不安が消せないのだ。

それだけではない。

ことによると、辰治と小吉が吉原に遊びに行ってはいないかと、それをも案じた。が、さくらやみのぶには言えなかった。

「火元の様子さえ分かれば、すぐに帰ってくるから。あとのことは、おとっつあんが帰ってきたら、言われた通りにしてね」

かえでにきつく言い置いてから、つばきは夜の町を駆けた。雷門を過ぎて浅草寺が近くなると、野次馬で広い通りが埋まっていた。

「火元は、吉原の新見世らしいぜ」

「新見世てえのは、今夜開いたばかりの大見世かよ」

「定かじゃあねえが、なかから慌ててけえってきたやつが、そう言ってたぜ」

半纏姿のふたりが交わす話を聞いて、つばきはさらに不安を募らせた。

「すいません、通してください」

ひとをかき分けながら、つばきは大門へと駆け続けた。走りながら、辰治と小吉の無事を祈った。

どうか辰治さんが、今夜は吉原に行ってませんように……。

胸のうちで念じ続けた。大門まであと二町（約二百二十メートル）のところで、駆ける足を止めた。火事場に向かう火消しと、物見高い野次馬で、身動きがとれなくなった。

それでもつばきは進んだ。さらに一町ほど火元に近づいたら、夜空に飛び散る火の粉が見えた。

燃える炎が風を呼んでいる。が、それは火元に向かって吹いており、だいこんとは逆方向である。

並木町まで燃え広がる心配は消えた。それでもつばきは、なんとしても吉原に行きたかった。

先を急ぐつばきは、前に立ちふさがっている男の背中を強く押した。

「なんでえ、ねえさん。後ろから押すんじゃねえ」

振り返った男が口を尖らせた。

「知り合いの者が、吉原にいるんです。すみませんが、通してください」

「知り合いって、ねえさんのか？」

不安そうな顔でうなずくつばきを見て、男が大声を発した。

「わけありのひとが、火事場に行くてえんだ。みんな、わきにどいて道をあけつくんねえ」

男の声で、人の波が割れた。野次馬たちは前に申し送りをして、つばきの進む道をこしらえた。

大門を間近に見るところで、つばきは火消し装束の男に止められた。

「ここから先は、駄目だ」

仁王立ちになった火消しの後ろで、炎まみれのお茶屋や大見世が、次々に焼け落ちた。今夜店開きをしたばかりの大見世は、大門のすぐ先である。

つばきの目の前で、その大見世は轟音を立てて屋根を落とした。

「火消しさんよう。死人は出てねえのかよ」

野次馬のひとりが火消しに問いかけた。

「宵の口の火事だ。けが人は何人も出てるが、やけどを負ったぐれえだ」

「そいつあ、なによりだぜ」

野次馬連中が、安堵の顔を見交わした。燃え盛る火事には目の色を変えて集まる野次馬も、死人が出るのは見たくはなかったのだ。

つばきの顔つきが、見る間にやわらかくなった。

吉原に遊びに出かけたかもしれない辰治に、つばきは焼餅を焼いた。あたしのことをどう思っているのかと、腹も立てた。それでいて、やはり辰治の身が心配でならなかった。死人は出ていないと分かり、嫉妬だの腹立ちだのは、すっかりつばきの胸のうちから失せた。

安堵したら、火事の様子がよく見え始めた。屋根が焼け落ちた大籬の見世を見て、ふたたびつばきの顔が曇った。

大籬の費えだけで、三百両。

檜の廊下や、幅広の階段の費えが同じく三百両。

銘木を選りすぐった床柱。上客を迎える床の間の軸。伊万里焼のうつわ。

四千両の大金を投じたといわれる大籬の見世が、開業の夜に焼け落ちた。

どれほど見世の拵えに費えを投じても、焼ければ灰しか残らない。

だいこんを大きくするときに、店の造作に費えをかけるのはよしにしよう……。

吉原の火事場で、つばきは胸のうちできっぱりと思い定めた。

七十四

火事は吉原を丸焼けにしたが、他町には燃え広がらずに鎮火した。

十月朔日《ついたち》の魚河岸は、前夜の大火事の話で持ちきりだった。

青物屋のわきでつばきを見つけた小吉が、駆け寄ってきた。辰治は魚金の信次と、仕入れの掛け合いを続けている。

ふたりの無事な顔を見て、つばきは小吉に気づかれないように、安堵の吐息を漏らした。

「つばきさんところは、吉原の近くだろう。空が焦げてて、おっかなくはなかったかい」

いつもの店に座り、うどんをすすり始めた小吉は、つばきを案じた。

「辰のやろう、半鐘を聞いてからは酒も大してやらずに、つばきさんのしんぺえばかりしてやがってさ」

　昨夜の小吉と辰治は、冬木町の縄のれんで酒を酌み交わした。そのさなかに、深川の火の見やぐらが半鐘を鳴らした。

「そんなに気がかりなら、いまからだいこんの様子を見に行ってみろと、おれはそう言ったんだ」

　酒が入っていて走れないと、辰治は口を濁した。が、店を出たあとも、だいこんは無事かと案じていた……小吉の話を聞いて、つばきは上気したような顔つきになった。

　そんな顔のままで、辰治と話すのは落ち着かない。

「今日は仕込みが大変だから、先に行きます」

　辰治によろしくと言い残して、つばきは桃太郎車と一緒に魚河岸を離れた。

「おねえちゃん、どうかしたの？」

　梶棒を握った鶴太郎が、つばきの様子をいぶかしむような声で問いかけた。

「どうしてそんなことを聞くの」

「だって、歩き方がふわふわしているみたいだからさあ。気をつけて歩かないと、怪我するよ」

「気にしてくれて、ありがとうね」

　礼を言った直後に、つばきは小石につまずいて前のめりになった。

「だからそう言ったのに……今朝のおねえちゃん、普通じゃないよ」

鶴太郎の声を背中で聞きながらも、つばきの目元はゆるんでいた。


昼の常連客がひと段落した九ツ半（午後一時）下がり。昨夜の火事騒動が嘘のように、秋空は高く晴れ渡っていた。

「どこに座ってもいいのかね」

だいこん初顔の客が、入口でさくらに問いかけた。六十見当の年配客で、一膳飯屋にはそぐわない羽二重《はぶたえ》のあわせを着ていた。

履物は鹿皮鼻緒の雪駄で、錦織の袋を提げている。さくらに問いかけた物言いからは、ひとに指図をしなれているのが感じられた。

「このあとはお店もすいてきますから、どこでも好きなところに座ってください」

さくらは若い客よりも、ものにわきまえのある年配客が好きだ。客のいない、大きな卓を指し示した。相客を気にせず、ゆっくり食事ができるようにとの気遣いからだ。

「わたしはひとりだが、あんなに大きな卓でいいのかね」

「平気です。もしも込んできたら、そのときは移ってもらいますから」

明るい声で応じたさくらは、すぐさま茶を供した。客に茶を出すのは、だいこんの売り物のひとつである。

卓に座った年配の客は、味見をするかのように茶をすすった。

「いい番茶だ」

客の漏らしたつぶやきを聞いて、さくらが顔をほころばせた。

「今日のおすすめは、いわしの煮付けと、だいこんと昆布の炊き合わせです」

常連客は勧められるまでもなく、骨ごと食べられるいわしの煮付けを注文した。刻み生姜といわしを、強い味で煮付けた一品は、だいこん開業からの人気の献立である。

さくらがだいこん煮も勧めたのは、客の歯を思ってのことだ。五十の峠を越えた客の多くがだいこん煮を喜ぶことは、毎日拵える弁当でも分かっていた。

「だいこん煮とは嬉しい」

客は迷わず、だいこんと昆布の炊き合わせを注文した。

「ごはんはどんぶりとお茶碗と、どっちがいいですか」

「それも選べるのかね」

さくらは、こっくりとうなずいた。

「どんぶりのごはんが多すぎたら、お客さんが大変ですから」

「それは大した気遣いだ」

茶碗に軽目のごはんをと、客は飯の盛り方を口にした。さくらが運んできた飯は、まだ湯気の立っている熱々の茶碗飯だった。だいこんの煮付けには、小鉢に入ったおから煮と、刻みたくわんが添えられていた。

おから煮も刻みたくわんも、吉次郎たち古骨買いから、これを食べたいと聞かされた献立である。

なかでも刻みたくわんは、ぜひとも拵えて欲しいと強く求められた。

「この歳になると、固いたくわんをかじることができないんだよ」

さりとて、たくわんはなによりの好物だという。つばきは吉次郎と話し合うなかで、歯がわるくても食べられるように、細かく刻むことを申し出た。

ひと口食べるなり、吉次郎たち全員が「これだよ、これ」と、大喜びした。

さくらが供した刻みたくわんは、初顔の年配客にも大受けした。

「ここは大した店だ」

勘定を払うとき、客はかならずまた顔を出すと言い切った。

「お待ちしています」

応じたさくらは、九ツ半を過ぎれば店もすきますからと付け加えた。

翌日、年配客は約束通りだいこんに顔を出した。前日と同じ、九ツ半を過ぎた時分にである。

まさか二日続けてくるとは思っていなかったさくらは、客の顔を見て驚いた。

「いらっしゃい……」

さくらが、あとの言葉を呑み込んだ。客はひとりではなく、四人の連れを伴っていた。いずれも同年輩で、しかも身なりの整った者ばかりだ。四人のうち、ひとりは落ち着いた色味のお召しを着た内儀風の女だ。

職人や仲仕の仕事着ばかりのだいこんの土間が、いきなり華やかになった。

「昨日の場所に、座ってもいいかね」

どうぞとさくらが案内しているとき、つばきが土間に出てきた。店の様子がいつもと違うと感じたからだ。

「あんたがつばきさんか」

客の問いに、つばきはなぜ名前を知っているのかと、戸惑い顔でうなずいた。

「日本橋駿河町の、備後屋新兵衛《びんごやしんべえ》です。幾日か前に、広目屋さんに頼みごとをした者だが、覚えておいでかな」

駿河町の備後屋といえば、まんじゅうときび団子の美味さで知られた菓子屋の老舗である。その名高い店のあるじが名乗るのを聞いて、だいこんの客が目を丸くした。

客の素性を知ったさくらは、手にした盆を取り落としそうになった。

備後屋新兵衛が、さくらに笑いかけた。

慈愛に満ちた笑顔だった。

七十五

備後屋がつれてきた三人と備後屋当人とは、全員が幼馴染の間柄だった。

「あたしは三年前に隠居したんだが、新兵衛と芳之助《よしのすけ》のふたりは、代を譲りもせずに居座っている」

鼈甲問屋、義兼屋菊之助《よしかねやきくのすけ》が毒づいた。

十月二日の八ツ（午後二時）下がり。客がいなくなったあとのだいこんの土間では、日本橋老舗の四人が気のおけない話を始めた。

日本橋駿河町の表通りに店を構えた、菓子屋備後屋の当主、新兵衛。

同じく駿河町で焼物と漆器を商う大店、松本屋当主の芳之助。

室町二丁目表通りの鼈甲問屋、義兼屋隠居の菊之助。

旅支度ならなんでも揃う、室町三丁目の日本橋内山の家付き内儀、松野。

どの店も、江戸中に名を知られた老舗ばかりだ。四人はともに、今年の正月に還暦を迎えていた。

「新兵衛と芳之助が還暦を過ぎても跡目を譲らないから、あたしらが若い者から邪険に言われたりするんだ。松野さんも、そう思うだろうが」

問われた松野は、笑みを浮かべただけで答えなかった。白髪だが、手入れの行き届いた松野の髪には、気品すら感じられた。

「おまえは自分勝手に隠居を決めておきながら、その言い草はないだろう」

「いいんだ新兵衛、まともに相手をすることはない」

芳之助が、横目で鼈甲屋の隠居を見た。

「こいつは仕事を続けているおれたちを、やっかんでいるだけだ」

芳之助は図星を言い当てたらしい。菊之助が顔をしかめた。そのさまがおかしいらしく、松野が口元に手をあてた。六十歳になっても、松野は唇に紅をひいていた。

いい歳をした男三人が好き勝手なことを言い合っているところに、つばきは茶を出した。湯呑みから湯気の立っている、熱々の番茶である。店には煎茶の備えもあった。しかし卓に座っているのは、日本橋老舗の当主や隠居である。

飲みたければ、駿河や宇治の新茶や極上の煎茶がいつでも味わえる身分である。そんな客に、つばきは半端な煎茶を出したくはなかった。

気持ちをこめていれた番茶に、つばきは甘酢漬けの薄切りだいこんを茶請けに添えた。

甘酢作りには和三盆をおごり、唐辛子で味に尖りを加えていた。薄切りにしただいこんは、店の裏庭で拵えた自家製である。

「これは見事な味だ」

「ほんとうに、おいしいこと」

松野までが、甘酢漬けからは箸を放さなかった。

「これは、あんたが拵えたのか」

漆器屋の当主が、見開いた目でつばきを見た。太い眉は、まだ黒々としていた。

「みなさんのお口にあえば、なによりです」

つばきが応えるのを聞きつつ、芳之助はまたもやだいこんを口に運んだ。歯がわるくても嚙みやすいようにと、薄切りにした甘酢漬けである。

還暦を過ぎた四人は、一杯の番茶でだいこんをきれいに平らげた。

「お代わりをお持ちいたしましょうか」

四人の食べっぷりが嬉しくて、つばきは代わりを取りに立ち上がろうとした。それを新兵衛が引き止めた。

「今日は折り入って、あんたの話を聞きたくて出向いてきたんだ。少しの間、わたしらに付き合ってくださるか」

「わたしでよろしければ」

つばきは腰掛に座り直した。

わたしらと言ったものの、話があるのは新兵衛のみのようだ。身体を動かした新兵衛は、つばきと正面から向き合った。

「訊きたかったのは、どうして広目屋にあんたが……あんなに……」

あとの言葉が言いにくいのか、新兵衛は軽い咳払いをした。つばきは静かな目で相手を見ている。新兵衛は羽織の紐をいじってから、話に戻った。

「強欲と言ったほうがいいような言い分を、突きつけたのかということだ」

強欲と言われて、つばきは目の光を強くした。が、新兵衛の話は終わっていない。すぐに表情を戻すと、あとの話を待った。

「あんたがまだ年若いひとだったと、広目屋はわたしに伝えにきた」

つばきに追い返された広目屋は、散々にわるく言っていた。

「だいこんのあるじは、まだ十七、八の小娘です。ところがこれが、大したしたたか者でしてなあ」

桃太郎の車を使って広目をしたければ、日本橋の表通りに店を出させてくれ。普請の費えはすべて、広目をしたい者に負ってもらう。それがいやなら、話は聞かない。江戸の方々から、桃太郎の車を使いたいという者が押しかけてきている……。

こんな話を、広目屋はでっち上げていた。

「わたしは、聞いたことを鵜呑みにしたわけじゃない。そんな強欲なことを、それこそしたたかな広目屋相手に言ってのけたのは、どんな娘さんなのか、一度見てみたいと思ったものでね」

それが昨日、新兵衛がだいこんをおとずれたわけだった。

「ところが客のあしらいを見ても、出されたものを口にしても、広目屋から聞かされた話とは、どうしても重ならない」

芳之助と菊之助に話したところ、一度、首実検をしてみようという運びになった。女の目利きには女がいいと、菊之助が言い出した。ゆえにこの日は、幼馴染四人がそろってだいこんに出向いてきた。

「もう一度、あんたの口から聞かせてもらいたい」

新兵衛たち四人の目が、つばきに集まった。だれが相手でも、つばきは物怖じをすることはなかった。が、いまは勝手が違った。

なにしろ、何十人もの奉公人を使う大店のあるじ四人が相手である。

「さくら……」

妹に湯呑みを運ばせたつばきは、返事をする前に番茶で口を湿した。

「広目屋さんがお見えになったのは、まことです。あとの話は、わたしもいま初めて聞きました」

広目屋が嘘をついているとは、つばきは言わなかった。

「あんたを見れば、広目屋が新兵衛に嘘八百を並べ立てていたのがよく分かった」

腹のなかは煮えくり返っているだろう。それでも相手を嘘つきだと言わず、初めて聞いたと新兵衛に切り返すのは、半端な器量ではできないことだ……漆器屋の当主が、大層に感心した。

「昨日、こちらにうかがったときから、わたしも広目屋から聞かされたことは、そっくりドブに捨てた」

新兵衛の物言いには、広目屋への怒りが強くにじんでいた。

「そこで、いま一度うかがいたい」

新兵衛が口調をあらためた。

つばきも座り直した。

「どうしてあんたが広目屋の話を断ったのか、その次第を聞かせてもらえないか」

「分かりました」

つばきは新兵衛の目を見詰めた。

「桃太郎車を引くこどもの手配りは、飴売りの元締めの八兵衛さんです」

桃太郎車の後ろで、飴売りをする。これが八兵衛との取り決めごとだった。

「桃太郎の車を使って広目をするということは、八兵衛さんもわたしも考えてもみませんでした」

八兵衛に、広目をしてはだめだと言われたわけではなかった。しかし、もしも他店の広目をしたりすれば、八兵衛に義理が立たなくなる。

こどもの手配りのみならず、八兵衛はだいこんののぼり二本まで拵えてくれた。

「そういう次第ですから、八兵衛さんの商いに障ることはしたくないんです」

勝手なことを言ってごめんさいと、つばきはあたまを下げた。

「しっかり聞いたか、新兵衛」

鼈甲屋の隠居が、強い口調で新兵衛に文句を言い始めた。なにかあれば口を尖らせるのは、菊之助のくせらしい。

「広目屋ごときの言い分を真に受けて……」

「真に受けてはいない」

新兵衛は、穏やかな物言いで菊之助の口を抑えた。

「そうは言っても新兵衛、おまえは広目屋の話を一度は聞いている。あの男を撥ねつけたわけじゃない」

芳之助も、新兵衛に文句をつけた。

口を閉じて男三人のやり取りを見ていた松野が、つばきに目を合わせた。

「あなたは、新兵衛さんに広目屋さんの仕置きをしてもらいたいと思いますか」

「いいえ、思いません」

松野の問いに、つばきはきっぱりと答えた。

「それはまた、どうしてでしょう」

松野の静かな目に力がこもった。

ひとのこころの奥底までを見抜くような、隙のない目である。だいこんにきて初めて見せた、大店に生まれ育った者のみが放てる眼光だった。

「わたしは、広目屋さんのような横柄なひとは大嫌いです」

言ってから、つばきはきまりわるそうな顔つきになった。口にしたことの激しさと、つばきの表情とが、まるで調子外れだ。松野の目から光が消えた。

「嫌いですから、備後屋さんから叱っていただいたあとで、あんなひとの恨みを買うのは真っ平です」

このうえのかかわりは持たず、そっと離れていさせてください……表情を元に戻したつばきは、一気に言い切った。

「それがなによりです。わたくしも、そうしますよ」

松野は笑みを浮かべて、つばきを見た。

あたかもおのれの孫娘を見るような、慈愛に満ちた眼差しだった。

七十六

日本橋の四人組は、だれもがつばきに深く感心して帰って行った。人柄と、商いの才覚の両方においてである。

「生まれたときから、わたしらは四人ともが、日本橋の身代があって当たり前だった」

帰り際、だいこんの戸口で新兵衛がしみじみとした口調でつぶやいた。六十を数えた四人のだれもが、考え方にも気性にも、思いのほか柔らかなところがあった。

「暖簾にあぐらをかいていては身代を潰すと、いつも奉公人に言っておきながら、おのれの足元はまるで見えてはいなかった」

だいこんの切り盛りで示しているつばきの知恵を、しっかりと見習うと言い残して四人は帰った。戸口でつばきに言い置いたことは、言葉だけではなかった。

五日が過ぎた十月七日。鼈甲問屋の番頭が、だいこんをおとずれてきた。八ツ下がりに顔を出したのは、菊之助にきつく言われてのことだった。

「こちらさまが毎日拵えておられて、担ぎ売りの者を配り手に使っておられる弁当を、てまえどもの大旦那様がことのほか気に入っておりまして……」

ぜひとも一緒に、商いを始めさせてもらえないかと、掛け合いに出向いてきた。

「義兼屋さんとご一緒に？」

つばきには、番頭の申し出がまるで呑み込めなかった。室町表通りの老舗大店と、並木町の一膳飯屋では、格も商いのありかたも、重なるところなど皆無である。

そんな相手から商いを一緒にと言われても、つばきは首をかしげるばかりだった。

「つばきさんもご承知の通り、大旦那様はただいまは隠居の身でございます。それゆえ、義兼屋の商いとはかかわりのない、新しくて世のためになる仕事を始めたいと、申しております次第でして」

つばきはいぶかしげな顔つきのまま、番頭の話を聞いていた。

だいこんの土間で、あの日の菊之助は言いたいことをずばりと口にした。その気性は、いまでも好ましく思っている。

そのかたわら、菊之助がふっと見せた哀しさと口惜しさがまぜこぜになった顔を、つばきはありありと思い出すことができた。

いまでも当主の座にある者を、やっかんでいるだけだ……松本屋がこれを口にしたとき、菊之助は言葉に詰まった。

世のために役立つ仕事をしたい。

こう思う気持ちは、あのときの菊之助の顔を思えば充分に得心できた。商いでも仕事でも、義兼屋の隠居であれば、始める元手にも人手にも事欠かないだろう。

こころざしに卑しさがないだけに、なにを始めたとしても、ひとに迷惑をかけることはないはずだ。

そのことには、充分に得心がいった。だからと言って、つばきと一緒にというのは、まるで呑み込めなかった。

還暦を過ぎた隠居と、十八歳のつばきとでは、祖父と孫も同然である。それに加えて、生まれも育ちもまるで違うのだ。

「大旦那様がなにをお考えかは存じませんが、わたしと義兼屋さんとでは、ご一緒させていただくには身分が違い過ぎます」

お話をうかがうまでもなく、なにとぞご勘弁くださいと、つばきは番頭の話を聞くことを拒んだ。

つばきに断られても、番頭はまったく動じなかった。それどころか、提げてきた巾着袋から、キセルと煙草入れを取り出した。

「一服させていただけましょうか」

煙草を断る理由はない。腰掛から立ち上がると、つばきは煙草盆を運んだ。

番頭が取り出した煙草入れには、鼈甲の根付《ねつけ》がついていた。

「てまえは、大旦那様に取り立てていただきました。この根付は、その折りに大旦那様からお祝いにいただいた品です」

清作と申しますと、番頭が名乗った。

煙草を吹かしながら、菊之助がいかに人情味の篤《あつ》い、正直な男であるかを問わず語りに話した。

「大旦那様は、ひとの目利きでも抜きんでておいでです。てまえはつばきさんにお会いできるのを、楽しみにしてまいりました」

それほどに、清作は菊之助の目利きには信を置いているようだった。

「日本橋の表通りに店を構える商家は、およそ百店ございます。その八割近くがてまえども同様に、大旦那様や大内儀様がご存命でいらっしゃいます」

つばきに断られながらも、清作はひとり語りで菊之助が考えている仕事の話を続けた。

「どこの商家でも、奥付きの女中や料理番を抱えてはいますが、なかなかご御隠居様のお世話にかかりきりにはなれません」

とりわけ三度の食事は、当主の好みに味付けが合わされる。その味付けや調理方法は、隠居の好みとは違うことが多い。

菊之助が始めようと考えたのは、大店の隠居相手に、年寄りが好む味の弁当を、毎日の昼に届けることだった。

番頭の清作を差し向ける前に、菊之助は商家の隠居衆と下話を済ませていた。

「そんな弁当が食べられるなら、願ってもないことだ」

「費えにうるさいことは言わないが、ほんとうにわたしら好みの味付けができるのかね」

菊之助から話を聞かされた者は、ほとんどが諸手《もろて》をあげて喜んだ。

菊之助がこの仕事を思いついたのは、古骨買い相手に毎日弁当を拵えている話を聞いたことが端緒だった。

だいこんで昼飯を食べて、年寄り好みの味付けがつばきにできるということは、自分の舌で確かめ済みである。

それに加えて、だいこん薄切りの甘酢漬けがあった。

あの甘酢漬けは、ぜひとも毎日の弁当に添えたいと、つばきの返事を聞きもしないうちから、菊之助は決めていた。

「仕事をご一緒にと切り出せば、つばきさんは話を聞く前に断るだろうと、大旦那様はおっしゃいました」

おのれの身の丈にわきまえのあるつばきなら、大店と一緒と言われただけで断るに違いない。断られたら、なにがあっても頼み込むこと。

もしも話に乗ってくるようであれば、それは身の丈を過信している者の振舞いだ。先々で揉め事を起こすに決まっているから、そのときは通り一遍の話をして帰ってくること。

菊之助は、こう番頭に指図をしていた。

「大旦那様の目利きに、誤りはございませんでした。ぜひにもこの話を、お受けくださいますように」

番頭は、すべての手の内を正直に明かした。それほどまでに、菊之助はつばきの人柄を買っていたということだ。

「いまのいままで、思ってもみなかったことですから……」

受けるとは言わないまでも、つばきの物言いが変わっていた。

「今日この場でお答えいただけるとは、大旦那様も手前も、毛頭考えてはおりません。ただだ、お考えいただけるとのご返事さえ頂戴できれば、充分でございます」

もしも考えてもらえるならば、弁当作りの差配一切は、つばきとだいこんに任せる。弁当の献立も、一食あたりの売値も、つばきの考え通りで構わない。

売り先は、菊之助が切り開く。

ことを運ぶにおいて、菊之助が望むことはふたつだけだった。

ひとつは、弁当の器は松本屋の漆器を使うということである。料理の中身をおごる必要は毛頭ない。だいこんで食べたと同じものを、盛り付けてくれればいい。

が、ものは器で食べるという。日本橋の大店隠居に届ける、昼の弁当である。器だけは、漆器を用いてほしいと望んだ。

もうひとつは、だいこん薄切りの甘酢漬けを、毎日の弁当に添えるということだった。

「あの味なら、毎日口にしても飽きることはない。飽きないどころか、唐辛子がピリッと口を引き締めてくれるから食が進む」

菊之助は、正味《しょうみ》で甘酢漬けを気に入っていた。

「考えをめぐらせてみます」

つばきの答えを聞いて、番頭の顔つきが明るくなった。

「ご返事をさせていただくまで、五日だけお待ちください」

「結構でございますとも」

幾日でも待たせていただきますと、清作は請合った。

番頭の喜び顔を見ながら、つばきはすでにあたまのなかで段取りを考えていた。

おそめさんに相談してみよう。

つばきは、おそめのところてんの美味さを思い出していた。

七十七

天明元年十月二十日、八ツ（午後二時）下がり。日本橋小網町二丁目には、秋の日差しが降り注いでいた。

堀に面した通りには、小さな商家と仕舞屋が建ち並んでいる。なかの一軒の平屋では、造作普請が進んでいた。

材木だの土だの竹だの建材が、家のわきに小山を築いている。が、八ツどきのいまは、職人の一服休みである。普請の物音は聞こえず、町は秋の午後の心地よい静けさに包まれていた。

日に日に秋が深くなっていた。風もなく、河岸の柳はだらりと枝葉を垂らしている。その堀を見ながら、三人の年配者が杉板の縁台に腰をおろして茶をすすっていた。

「いままでだれも思いつかなかったというほうが、あたしには不思議だ」

義兼屋菊之助が、湯呑みを手にしたままでつぶやきを漏らした。

「思いつかなかったからこそ、いまがあるんだ。知恵が回らなかったことに、感謝をしたほうがいい……おそめさんは、そう思わないかね」

「そういうことかねえ……」

松本屋の当主に同意を求められたおそめは、湯呑みを見て返事を濁した。

「うまい具合に日和《ひより》続きだ」

菊之助は、目を細くして秋空を見上げた。小さな雲が浮かんでいるが、濁りのない青色である。この先幾日も上天気が続くと、空の色味が請合っていた。

「この調子なら、あと三、四日で普請は仕上がるだろう」

菊之助は見上げていた空から、おそめに目を戻した。

「賄いのひとたちは、予定通りにきてくださるのか」

ていねいな口調だが、大丈夫なのかと、案じていることを隠していない。

「あたしらのことだったら、心配することはないさね」

おそめはしわのよった顔を、菊之助に向けた。日焼けしているが、肌艶はよかった。

「あたしらの歳の者は、引き受けたことはかならずやるようにと、しつけられて育ってきたからねえ」

おそめは今年で六十四である。物言いには、菊之助を年下扱いにする調子が含まれていた。

「それは、あたしだって同じだ」

菊之助が言い返した。還暦を迎えてから、菊之助の負けん気はさらに強くなっているようだ。

芳之助が呆れ顔になって、幼馴染の顔を見た。

「どうした……なにか言いたいことでもあるのか」

「あたしにまで、食ってかかることはないだろう。おそめさんだって、おまえに文句をつけたわけじゃない」

芳之助は、穏やかな口調で菊之助をいさめた。菊之助が小さな吐息を漏らした。

「どうもこのところは、ちょっとしたことでもすぐに気が立ってしまう」

おそめに目を合わせた菊之助は、むきになって言い返したことを詫びた。

「開業が迫ってくれば、だれだって気が立つのはしょうがないさ」

立ち上がったおそめは、ところてんの入った小鉢をふたつ、盆に載せて戻ってきた。

「これでも食べて、気持ちを落ち着けなさいよ。日が迫っているったって、まだ十日以上もあるんだからさ」

菊之助と芳之助は、素直にところてんの鉢を受け取った。

つゆを張ったところてんには、おろし生姜と炒りゴマがのっている。つゆは、鰹ダシに醤油と味醂で味付けがされている。

「うまい」

「これで三度目だが……何度食べても、おそめさんのところてんは絶品だ」

六十の男ふたりが、縁台に腰をおろしてところてんに舌鼓を打った。

八ツの休みが終わったらしい。威勢のよい普請の物音が、平屋の奥から聞こえていた。

職人が働き始めたことで、菊之助は安心したようだ。ところてんのつゆを、美味そうに飲み干した。

このところてんから、このたびの普請が始まった。

「あたしはおそめさんのところに立ち寄るから、先に運んでおいてね」

十月八日の朝五ツ半（午前九時）。桃太郎車と浅草橋のたもとで別れたつばきは、神田川沿いを歩いておそめをたずねた。

「元気そうで、なによりだね。あんたが拵えた桃太郎の車は、とっても評判がいいよ」

そのうち折りがあれば、浅草橋まで出向いて車を見るつもりだと言う。

おそめから桃太郎車を切り出されて、つばきはあとの話がしやすくなった。

「ここにうかがったのは、あの車がきっかけで出てきた話なんです」

日本橋界隈の年配者に配る弁当の一件を、つばきはかいつまんで聞かせた。義兼屋がだいこんをおとずれたきっかけが、桃太郎車であったことも付け加えた。

「おもしろそうな話だけど、それであたしにどうしろと言うんだい」

「おそめさんに、弁当作りの差配をお願いしたいんです」

献立から味付け、賄いの差配までのすべてを、おそめに頼みたいと申し出た。

「いい話を聞かせてくれて、ありがとう」

おそめは心底から喜んだ。

「でもねえ、つばきちゃん……ところてんならだれにも負けないけど、ほかは煮物にしても焼物にしても、ひとに食べさせることはしてこなかったからさ」

尻込みする気はないが、カネの取れる献立が拵えられるかどうかは分からないと、正直な気持ちをつばきに伝えた。

「あたしに味見をさせてください」

自分の舌でおそめの味付けを吟味したいと、つばきはためらわずに言った。

「ところてんのつゆだけで、おそめさんの味付けなら大丈夫だと、あたしには分かっています」

「嬉しいことを言ってくれるじゃないか」

おそめにも、つばきの言うことは追従ではないと分かったようだ。

「どこで、どうすればいいんだい？」

「いまから、うちの店にきてください」

つばきの顔つきが引き締まっていた。

これからだいこんまで出向くということは、おそめに茶店を休んでくれと言っているも同然である。

「いまから並木町にかい」

「そうです。うちなら火の支度も材料も、全部揃っていますから」

だいこんでは、そろそろ昼の仕込みが始まる時分である。そのことは、同じ食べ物商売のおそめもわきまえていた。

「いまは仕込みでせわしなくて、あたしが行ったら、お店の邪魔になるだろうにさ」

「邪魔なんかじゃありません」

「そんなことはないはずだよ」

つばきの言うことを、おそめは鵜呑みにはしなかった。

「へっついが幾つあるかしらないけどさあ、どれも昼の支度で大変だろうにさ」

「平気です。おそめさんに拵えてもらったものを、昼のお客さんに出しますから」

「なんだって」

おそめは言葉を詰まらせて、つばきを見た。

味の良さが評判のだいこんである。その要《かなめ》となる台所を任せるなどとは、半端な気持ちで言えることではない。

「ほんとうにつばきちゃんは、大したひとだねえ」

手早く着替えたおそめは、戸締りをして店を出た。小さな茶店だが、おそめにとっては『城』である。その店を閉めて、つばきと一緒に並木町に出向くのだ。

閉める者も、閉めさせた者も、互いに相手を深く敬っていなければできないことだ。

つばきは茶店に深くお辞儀をしてから、おそめの先に立って歩き出した。

歩き始めると、おそめは意外にも足が速かった。だいこんまでの道のりを、おそめは四半刻（三十分）もかけずに歩き通した。

「今日の昼は、おそめさんにいわしを煮付けてもらいますから」

おせきもみのぶも、おそめのことは何度もつばきから聞かされていた。が、いきなり台所に入ると言われて、顔には戸惑いの色が浮かんだ。

ところが。

煮付ける前の、いわしの下ごしらえをする手つきを見て、すぐさま得心顔になった。

右の親指でいわしの腹を裂き、素早くわたを取り除く。軽くひしゃくで水洗いをしただけで、いわしはすっかり仕上がっていた。

年季の入った者にしかできない、見事な手際の下ごしらえである。三十尾のいわしが、鍋に重ねられた。

七輪の火加減を確かめてから、大鍋を炭火に載せた。千切りにした生姜をたっぷりと散らし、醤油と味醂を加えた。

「生姜の薄切りを加えてもいいかい？」

煮付けには、それぞれの流儀がある。臭み取りに生姜の薄切りを加えるのは、つばきと同じだった。

煮付けの途中で、おそめは二度、味見をして調味料を加えた。煮汁が沸き立ってきたあとは、落し蓋をいわしに載せた。これもつばきやおせきと同じ流儀だった。

頃合を見計らい、おそめは一尾を皿に取り出した。

「味見をしてください」

おそめの物言いがていねいである。つばきを吟味役と認めての言い方だった。

半身をつばきが食べて、残る半身をおせきが吟味した。ふたりは満足顔を見交わした。

この日は、昼の客がすべて終わりになるまで、おそめはだいこんを手伝った。

「細かなことは、義兼屋さんを交えて話し合います。ぜひともお引き受けください」

客のいないだいこんの土間で、つばきはおそめにあたまを下げた。おそめは心底から嬉しそうな顔で引き受けた。

十月十二日は、菊之助に返事をする約束の日である。この日もいつも通りに魚河岸で仕込みを済ませたあと、つばきは義兼屋をおとずれた。

「お弁当の賄いを、ぜひとも請負わせていただきます」

返事を聞いた菊之助は、相好を崩した。が、おそめに任せると言われて、顔つきが曇った。

「おそめさんは、義兼屋さんよりも年上のひとです。お弁当を食べるひとの好みは、あたしなんかよりも、よほどに分かっています」

おそめの人柄と腕前のほどを、つばきは細かに話した。

「あんたの言うことだから、信じないわけじゃないが……」

菊之助がふたつ返事で応じるとは、つばきは考えてはいなかった。

「これからご一緒に、おそめさんの茶店に行っていただけませんか」

つばきに同行を求められた菊之助は、松本屋の当主を呼び出した。

「芳之助とふたりで会ったほうが、目に誤りがなくていい」

これはつばきの望むところだった。

菊之助は、決断も早いが、気性に短気なところがある。それを強く感じていただけに、人柄の穏やかな芳之助か、内山の松野に同行してほしいと、ひそかに思っていたからだ。

案の定、菊之助はおそめの茶店のたたずまいを見て顔をしかめた。

こども時分から、菊之助は日本橋大店の暮らししか知らない男である。ひとの目利きには長けており、ひとへの気配りも行き届いていた。

人柄も充分に練れてはいるが、物事の形にこだわるところが強かった。

「なんだ、菊之助。せっかくつばきさんが構えてくれた席じゃないか」

芳之助に言われて、菊之助は顔つきを元に戻した。とはいえ満足していないことは、両目にあらわれていた。

「うまいっ」

「これがところてんとは……」

おそめの拵えたところてんを口にするなり、菊之助の顔つきが変わった。その後もうまい、うまいを連発し、菊之助は二杯、芳之助は三杯のところてんを平らげた。

「ぜひとも、よろしくお願いします」

茶店を出るときには、だれよりも菊之助が顔をほころばせていた。

その後、二度の話し合いが持たれて、弁当屋の開業は十一月三日と決まった。この日を定めたのは、義兼屋出入りの八卦見《はつけみ》である。

「小網町の方角で空家を見つけられれば、それは大吉です。開業は十一月三日になさるのがよろしい」

易断を信じる菊之助は、周旋屋に小網町の空家を探させた。

「今年の春まで、蕎麦屋をやっていた店が空家になっております」

易者の見立て通りの場所に、格好の空家が見つかった。つばきとおそめを同道して確かめた菊之助は、その日のうちに借り受けた。義兼屋が借りると分かり、家主は大喜びした。

元々が食べ物商売に使っていた家である。それなりに台所は広かったが、弁当屋にはいささか狭かった。

「かならず商いは大きくなります。最初から、流し場は広くしてください」

つばきの思案を呑んだ菊之助は、家主と掛け合って改築を承知させた。

土間との境を取り外し、二十五坪の台所を拵えることにした。

「どんな普請にすればいいかは、つばきさんが思案してくれ」

菊之助にすべてを委ねられたつばきは、へっついの置き場所から水回りまで、充分に吟味して絵図を描いた。

空家には、蕎麦屋が水道を引いていた。

「水がふんだんに使えるのは、なによりありがたいねえ」

茶店には水道がなく、水売りから毎日買い求めていた。その不便さから解き放たれることを、おそめは喜んだ。

この弁当屋が仕上がったあとは、古骨屋の吉次郎たちの弁当も、ここで拵える算段をつばきはしていた。小網町から魚河岸までは、目と鼻の先である。この地の利を活かせば、棒手振に届けてもらう弁当も、さらに多くの数を請負うことができる。

それを考えて、つばきはおそめのほかにも何人かの手伝いを雇い入れてはどうかと菊之助に申し出た。

「それは構わないが、つばきさんの大事な客を、ここの弁当屋に回すというのかね」

「おそめさんの商売に弾みがついてくれれば、なにより安心ですから」

つばきはおのれの儲けが減ることよりも、この話に巻き込んだおそめの商いがうまく運ぶことを願っていた。

おそめも菊之助も、つばきの思いを重く受け止めた。

「かならずや、つばきさんの好意にはお返しをさせていただく」

強く言い切って、菊之助はつばきの申し出を受け入れた。

「あたしの周りには、嫁に台所を取られてぼやいている、料理自慢の年寄がいるんだよ。その連中に声をかければ、人助けにもなると思うけど……どうだろう、つばきちゃん」

「いいと思いますけど」

問われたつばきは、但し書きつきでおそめの思案にうなずいた。

料理に長けていること。

おそめの差配に従うこと。

勝手に休んだり、いきなりやめたりしないこと。

給金をもらって働くということに、しっかりとわきまえのあること。

「これが守れるひとなら、おそめさんの思案は妙案です」

つばきが口にした但し書きには、菊之助が大いに感心した。

商いの細部を詰めるなかで、おそめの茶店の始末をどうするかも話し合われた。

「あんな店だけど、ぜひにも欲しいというひとが何人もいるんだよ」

弁当屋を引き受けると決めたときに、おそめは周旋屋に売り渡しの一切を任せていた。

「六十四にもなって、新しい仕事を任せてもらえるんだものね」

おそめは居住まいを正して、つばきに目を合わせた。

「年寄りの冥利に尽きるというもんだよ」

二股をかけるような心構えでは、とてもこの歳で弁当屋は引き受けられない。小網町に骨を埋める気で取りかかる。住まいもここに越してくる。

おそめは、気負いなく心構えをつばきと菊之助に聞かせた。

「おそめさんの骨は、義兼屋がしっかりと拾わせてもらいます」

「それは嬉しいけど、まだ拾わないでおくれよ」

「そんな……滅相もないことを」

菊之助は、慌てておのれの口を閉じた。

おそめが混ぜ返して、場の気配が和んだ。

湯呑みに残った茶を飲み干した菊之助は、物事を思い定めた顔つきになっていた。

「この場で思いついたことを口にして、申しわけないが」

弁当屋開業に入用なカネを、つばきとおそめに応分に負ってもらいたいと切り出した。

「差配はすべて、おそめさんに任せます。おそめさんには、しっかりと給金もとってもらい、残った儲けを出したカネに応じて分けるということでいかがでしょう」

考えてもみなかった話である。つばきもおそめも、すぐには返事ができなかった。

「つばきさんは、大事なお客様をこの弁当屋に回してくださる。おそめさんは、茶店を畳んでまでして、小網町に越してこられる」

義兼屋が儲けをひとり占めにしては、道理に反する。ぜひとも一緒に弁当屋を営んでほしい
……菊之助がふたりにあたまを下げた。

弁当屋開業には、普請を含めて百五十両が入用だった。

つばきは蓄えから五十両を出した。

おそめも、茶店の売却代にこれまでの蓄えを加えて、五十両を出した。

弁当屋は、三人等分の持ち物になった。


「つばきさんは、商いをするために生まれてきたようなひとだ」

「その通りだねえ」

堀を見つめているおそめが、目を細めた。

「つばきちゃんは、並木町の一膳飯屋で終わる娘《こ》じゃない」

目を細めたのは、川面の照り返しがまぶしいだけではなさそうだった。

七十八

弁当屋開業を翌々日に控えた、天明元年十一月一日、朝五ツ（午前八時）。小網町の弁当屋には、多くの顔が揃っていた。

義兼屋菊之助。日本橋界隈の大店隠居連中に、日替わり弁当を届けることを思いついた当人である。

弁当の売り込みは、菊之助が担う。日本橋老舗隠居の顔は、界隈では幅が利く。

おそめ。柳原土手で茶店を営んでいた、六十四歳の差配役だ。

おのれの店を周旋屋に売却したうえで、この弁当屋にかけると肚《はら》をくっていた。

住まいも小網町に移した。文字通り、ここを終《つい》の棲家《すみか》と考えて、骨を埋める気でいる。

おかね。浅草橋たもとの船宿『おいかわ』の大女将だ。

歳はおそめと同い年の六十四歳。屋形船二杯を擁するおいかわは、柳橋、両国橋西詰の料亭を得意先としている。

暮らしに不足はなにもない。が、幾つになっても、おのれの身体で汗を流すことをしたい。大女将と、名称だけ敬われるのはまっぴらが信条。

本名は吉弥《きちや》だが、おかねと長屋の女房のように呼ばれたいという。

おきち。箱崎町の六十三歳の隠居。

家業は煙草屋。ひとり息子が嫁をとり、店は息子夫婦に任せている。こども時分から料理が好きで、亭主と息子、奉公人の賄いもすべておきちが担ってきた。

息子の嫁も料理好きで、いまは台所すべてを嫁が仕切っている。嫁に不満はないが、台所に立つことができないのがつらい。

自分の味付けで、ひとに喜んでもらえるなら、こんな嬉しいことはない。働きに出ることは、息子も嫁も大いに喜んでいる。

あとはつばきだが、五ツは仕入れのさなかである。この日の食材を仕入れたあとで、弁当屋に駆けつける段取りだった。

一日、二日の二日間、おそめたち三人は、開業日とまったく同じに弁当を拵えることになっていた。

届け先は十二軒で、いずれも菊之助が売り込んだ先である。

「大事なお客様に粗相のないように、開業手前の二日間は、吟味の日をもうけたほうがいいです」

つばきの強い意向で、十一月一日の仕事始めが定《き》まった。

日本橋本石町には『時の鐘』が置かれている。江戸で撞かれる時の鐘の、いわば元締めである。

ゴオーン。ゴオーン。ゴオーン。

捨て鐘三打が撞かれたあとで、五ツを告げる本鐘が鳴り始めた。

「そいじゃあ、しっかりやりましょう」

おそめの目配せで、女三人が動き始めた。いずれも還暦を過ぎた女性ばかりだ。が、流し場で立ち働く姿には張りがあり、しかも無駄な動きは皆無である。

へっついの火熾《ひおこ》しは、おそめが受け持った。いわば弁当屋の火入れである。他のふたりはおそめにその役を譲り、七輪の火熾しに備えていた。

へっついに火が入ったあとは、種火をふたつの七輪に配った。すでに敷かれた消し炭の上に、おそめは勢いよく燃えている薪の小片を載せた。

うちわを手にしたおかねとおきちは、小気味よい音を立てて、うちわで風を送り込んだ。薪の火が消し炭に移り、見る間に赤い火が熾きた。手早く炭をくべて、さらに強い調子でうちわを使った。

おかねもおきちも、驚くほどやすやすと七輪に炭火を熾した。

「いやはや、大した手つきだ」

菊之助が心底から感心をしていたとき、つばきが流し場に入ってきた。

「今日はいわしが、ことのほか生きがよくて安かったから」

本来ならひとり一尾のところを、二尾ずつ煮付けてほしいと言って、竹のザルに山盛りになったいわしを差し出した。

朝の光が、流し場の明り取りの天窓から差し込んでいる。この光を浴びて、いわしの青い背と白い腹が鮮やかな照り返しを見せた。

「これはおいしそうだわね」

料理自慢のおきちが、いわしの腹にさわって魚のよさを認めた。

「おそめさん……」

つばきからザルを受け取ったおきちが、おそめに呼びかけた。

「いわしの下ごしらえと煮付けは、あたしがやってもいいですか」

「だめです」

おそめは、流し場の全員が息を呑んだほどに強い調子でダメを出した。

「だれがなにをやるかを決めるのは、固いことを言うようだけど、あたしの役目。勝手なことはだめです」

威張ってはいないし、押しつけてもいない。それでいて、従わざるを得ない強さがあった。

「うっかり出すぎたことを言ってしまって、ごめんなさい」

おきちがこだわりなく詫びた。六十過ぎとも思えないほどに、詫び方は素直だった。

「いいのよ、おきちさん」

おそめはいつもの語調に戻っていた。

「あたしはこれが自分の役目だとわきまえているから、ちょっと強く言っただけだから」

おきちにもおそめにも、こだわりがない。つばきはおそめの息遣いを目の当たりに見て、目には強い敬いの色が浮かんでいた。

「それじゃあ、やり直しを言うみたいだけど、いわしの下ごしらえは二十四尾全部を、おきちさんに任せるから」

「分かりました」

あらためてザルを手にしたおきちは、大きな流しのうえにいわしをあけた。

「わたしはいまあらためて、おそめさんをこの仕事に推してくれた、つばきさんの眼力のほどに感服した」

菊之助が小声でつばきに話しかけた。

「それは誉めすぎです。おそめさんのほんとうの凄さは、いまのいままでわたしも知りませんでした」

「そうでしたか」

菊之助はそれ以上は言わず、ふっと話を変えた。

「いわしの生きがいいのは分かったが、ほかの野菜なんかは、なにを使うつもりですか」

「それは、きてみなければ分かりません」

つばきは当たり前の調子で答えた。が、菊之助は目を見開いて驚いた。

「きてみなければ分からないとは、どういうことですか」

「市場の余り物を、だいこんとこことで使うんです。五ツ半（午前九時）までには、小僧さんがここに届けてくれますから」

「ちょっと待ってもらいたい」

菊之助が気色ばんだ声を、つばきにぶつけた。顔もこわばっていた。

「つばきさんは、市場の余り物を日本橋のご隠居に食べさせようというのか」

「それがどうかしましたか」

「どうかしたかとは、またずいぶんな言い草だ。大いにどうかしている」

菊之助は、仲間内でも短気で通っている男だ。ひとたび声を荒らげ始めると、相手がだれであれ容赦がなかった。

「わたしは生まれてこのかた、日本橋義兼屋ののれんを背負って生きてきた。たとえ舎利《しゃり》になったあとでも、わたしは義兼屋だ」

「それは、義兼屋さんが好きにすればいいでしょうが」

いきなり頭ごなしに尖った物言いをぶつけられて、つばきも気分を害していた。菊之助に答える声にもとげがあった。

「市場の余り物を使うことと、義兼屋さんののれんと、どんなかかわりがありますか」

「あんたも分からないひとだなあ」

つばきさんという呼びかけが、あんたに変わっていた。

「ここの弁当を拵えるのも、それを食べるのも、どちらもが日本橋ののれんを背負った者ばかりだ。どんな了見で思いついたのかは知らないが、市場の余り物を料理に使うなどは、吾妻橋ならともかく、この日本橋では通用しない。きつくお断りする」

一気にまくし立てた菊之助は、つばきに向かってあごを突き出した。

「吾妻橋ならともかくですって」

つばきは両手を垂らして菊之助に詰め寄った。あたかも、殴り合いに向かうかのような形である。

流し場で下ごしらえを始めていたおそめたち三人は、菊之助とつばきとの間に割って入る気は毛頭なさそうだ。三人は一度顔を見合わせたあとは、それぞれが知らぬ顔を決め込んでいた。

「日本橋ののれんがどれほどのものかは知りませんが、吾妻橋をばかにした言い方を聞き逃すわけにはいきません」

「これはまた、大きく出たもんだ。聞き逃せないなら、どうしようというのかね」

菊之助の顔には、相手を見下したような笑いが浮かんだ。

「あたしがどうするかも分からないで、よくも偉そうな顔をしてられるわね」

流し場に向かったつばきは、ひしゃく一杯に水を汲みいれた。

「これであたまを冷やしなよ、このくそじじいっ」

ひしゃくの水を、思いっきり菊之助に振り撒《ま》いた。

やるもんだねえ、つばきさんも……。

おそめが小声でつぶやいた。

七十九

十一月一日の五ツ半（午前九時）ごろまでは、義兼屋菊之助も小網町にいた。が、つばきと派手にぶつかり合ったあとは、あたまから湯気を立てて出て行った。

つばきに水を浴びせられてのことだ。菊之助は、文字通り湯気を立てて出て行った。

これから開業を迎えようという弁当屋には、おそめ、おかね、おきち、つばきの女四人だけになっていた。

「みんなに、お茶を出させてもらってもいいですか」

四人の右端に座っているおそめに、おきちが許しを求めた。

だれがなにをやればいいか、指図はあたしがすると、おそめはきっぱりと言い切った。おきちはそれをしっかりと呑み込んだらしい。

「そうだねえ……」

思案顔をほどいたおそめは、ふうっと息を吐いてからつばきを見た。

「おいしいお茶でも呑んで、気分をすっきり切り替えたほうがいいだろうさ」

すぐさま立ち上がったおきちは、七輪に湯沸しを載せた。そして水屋から茶筒を取り出そうとしたが、途中で思いとどまって戻ってきた。

「どのお茶の葉を使っていいか、おそめさんに聞くのを忘れていました」

おそめは笑みを浮かべたあとで、桜の皮が巻かれている茶筒の上煎茶をいれてと伝えた。

一度きつく言われたことを、おきちは忘れない性分のようだ。おきちの動きを追うおそめの目には、満足の色が浮かんでいた。

「水屋の引き出しに、ようかんが入っているんだけど、それをお茶請けに出してもらえるかしら」

「分かりました」

おかねはすぐに動いた。

おかねもおきちも、おそめの指図に従うことを当然と受け止めている。開業を控えた大事な朝に、大きな揉め事が起きた。しかしおそめの差配でおかね、おきちが手早く動くという形は、しっかりと整ったようだ。

茶とようかんとが、同時に運ばれてきた。

小網町で使う食器だの茶器だのは、すべて菊之助が取り揃えていた。いずれも日本橋の老舗で吟味した品々である。湯呑みは薄手の磁器で、菓子皿は朱色の輪島塗である。

「ものは器でいただくと言うけれど、ほんとうにそうだわねえ」

おそめが口にしたことに、つばきは大きくうなずいた。ふたりとも、普段使いの湯呑みに磁器を使ったりはしなかった。

茶の葉は、おそめが気張って宇治の上煎茶を買っていた。真っ白な湯呑みは、薄緑色の茶を引き立てた。

「おいしい……」

茶を口にした三人が、おきちを見た。上煎茶がもっともおいしく呑める、ほどよいぬるさである。美味い茶を呑みつけている者でなければ、このいれ方はできない。

「あたしには、とってもこんないれ方はできないねえ」

おそめは心底から、おきちの手並みに感心していた。

おかねが切り分けたようかんも、見るからに美味そうだった。

ようかんは菊之助が持ち込んできた、日本橋うさぎ屋の本練りようかんだ。丹波特産の大納言あずきと、薩摩産の和三盆とで拵えたようかんは、切り分けたときに切り口が艶々と光るのが売り物である。

おかねが入れた庖丁にはためらいがなく、切り口がすっきりとしていた。しかも、切り分けた厚みが絶妙である。

ようかんは、薄く切り過ぎると貧相に見える。さりとて分厚いのは野暮だ。

見た目がもっとも美しい厚みに、ためらいのない庖丁を入れる。切り方ひとつにも、庖丁を使う者の暮らしぶりが出てしまうのだ。

茶のいれ方といい、ようかんの切り方といい、いずれも品よく暮らしていればこその出来栄えである。

つばきは茶の美味さと、ようかんの上品な厚みに言葉を失くしていた。

ごはんの炊き方と、商いの才覚には、ひとに負けないという自負がある。人柄の目利きとひと使いの両方においても、後れはとらないと思ってきた。

が、おそめはひとこと叱っただけで、自分と同い年のおかねと、年下とはいえ六十を幾つも超えたおきちとを、見事に従わせていた。

つばきには到底真似のできない、見事な茶のいれ方をするおきち。

スパッとためらいなく、上品な厚みにようかんが切り分けられるおかね。

ふたりとも、上品さがしっかりと身についている。おかねとおきちが何気なく示した作法のようなものを、つばきはこの日まで知らずに生きてきた。

ようかんの厚みを見て、絶妙のぬるさの茶を口にして、つばきはおのれに欠けているものが幾つもあると思い知った。

それに思い当たるなり、菊之助に水をかけたことをひどく悔いた。

おきちがいれた茶を呑むまでは、自分の振舞いを省みたりはしなかった。むしろ、あれでよかったと思っていたぐらいだ。

しかし……。

ほんとうに育ちのよいひとは、そんなことはしないと思い知った。

おそめは、柳原の土手で小さな茶店を商っていた婆さんである。

ところがおかねは浅草橋の船宿の大女将だし、おきちは箱崎町の煙草屋の隠居だ。どれほどおそめをひいき目に見ても、おかねとおきちのほうが、育ちのよさでは勝っていた。

それなのにおかねもおきちも、おそめの指図に従っていた。だれがあるじであるのかを、しっかりとわきまえているからだ。

それでいて、茶をいれたり、ようかんを切ったりすれば、育ちのほどがくっきりと出た。しかも、ひけらかしたりはしない。

これがほんとうの奥ゆかしさ。

おかねもおきちも、どれほど腹を立てたとしても、年長者に水をぶっかけたりはしないだろう。そんなことは、思いもしない育ち方をしてきたのだ……つばきは、心底からおのれの振舞いを悔いたし、恥じた。

「あたし、義兼屋さんにお詫びに行ってきます」

飲み干した湯呑みを盆に戻してから、つばきは立ち上がった。

「そのほうがいいね」

おそめは、つばきの目をしっかりと見た。

「菊之助さんの物言いは誉められたものじゃないけど、つばきちゃんが詫びれば、ことは納まるからさ」

菊之助は、詫びを弾き返すような、器量の小さな男じゃないと、おそめは付け加えた。

「急ぎ足で行ってきますから」

つばきは襟元を合わせ直して、土間から出ようとした。

備後屋新兵衛と松本屋芳之助に挟まれるようにして、義兼屋菊之助が戸口にあらわれた。

八十

「つばきさんが詫びることじゃない」

「新兵衛の言う通りだ。いい歳をして、おとなげないことを言い募ったのは、菊之助のほうだ」

幼馴染のふたりが、口を揃えて菊之助の非を言い立てた。

「わたしがひどい振舞いに及んだんです。目上のひとに無礼なことをしました、ほんとうにごめんなさい」

つばきは、本気で詫びた。

男三人の顔つきが変わった。なかでも菊之助は、つばきを称えるような目つきになっていた。

「雨降って、地固まるというぐらいだ。物事が始まる前でよかった」

揉め事は、きれいに納まった。おきちがいれた茶には、美味い茶を呑みつけているはずの旦那衆も目を見張った。

「こんな凄いひとたちが拵えてくれる弁当だ、さぞかし美味いだろう」

「わたしらも、菊之助と一緒になって得意先を探すことに決めたんだ」

言ったあとで新兵衛は、つばきに笑いかけた。

「つばきさんが思案した、市場の残り物を安く仕入れるというのは、わたしなんかでは思いつけない妙案だ」

わきに座った芳之助が、その通りと言って大きくうなずいた。ひとが言ったことに「その通り」と言うのは、芳之助の口ぐせらしい。

「利は元にありは、商いの鉄則だ」

新兵衛は、大きな目で菊之助を見た。菊之助はきまりわるそうに、顔を逸らした。

「少しでも安く仕入れて、儲けのみに走るのではなく、一品でも多くの料理ができるようにと考えてもらえれば……この弁当は間違いなく評判を呼ぶ」

なにとぞよろしくと、男三人があたまを下げた。日本橋老舗のあるじたちにあたまを下げられて、おそめたち四人は深々と辞儀を返した。

話がまとまったあとは、おそめの差配で弁当作りが始まった。つばきが市場で仕入れた野菜は、菊之助との揉め事の直後に届いていた。

ときはすでに四ツ半（午前十一時）が近い。今日のだいこんの仕込みは、おせきとみのぶとに任せていた。慌てて店に帰る必要はなかった。

しかし小網町は、おそめの差配で滞りなく動き始めていた。

菊之助といさかいごとを起こすまでのつばきは、今日の弁当支度の稽古には、自分が立ち会っていなければと思い込んでいた。いまは違った。

それがいかに思い上がりであったかは、おそめの差配ぶりでよく分かった。しかも料理作りを担うおかねもおきちも、底知れぬ器量を秘めている。

茶とようかんから、つばきはそれを感じ取った。

「おそめさん、あたしは並木町に帰ります」

「分かりました」

おそめはつばきを引き止めなかった。が、料理の手をとめてつばきに近寄った。

「つばきちゃんの知恵のおかげで、なんとか稽古もうまく運びそうだからさ。ほんとうにありがとう」

おそめは、しわの寄った顔をほころばせた。両の目が、こころからの礼をつばきに伝えていた。

「こちらこそ、いいことを教えていただきました」

つばきも、心底から湧き上がった思いを、短く口にした。

おかねとおきちは、つばきには構わず下ごしらえに精を出している。その姿を見て、つばきは嬉しくなった。こんな凄いふたりを差配できるおそめが、うらやましいとも思った。

そんなことを思っちゃいけない。だいこんには、おせきさんもいるし……。

ともにだいこんを支えてくれる者を思い、つばきはうらやましいと思ったことを打ち消した。

菊之助たちは、小網町に残って弁当作りの仔細を見ていくという。つばきは男三人にあたまを下げて、通りに出た。

陽を浴びた小網町の堀が、キラキラと照り返っていた。土間に長くいたつばきは、川面の照り返りがまぶしくて、目を細めた。

同じような目をした広目屋が、通りの先に立っていた。

つばきは知らぬ顔で、広目屋のわきを通り過ぎようとした。広目屋は、つばきの前に立ちふさがった。

「桃太郎車では、あんたに言いたい放題を言ってもらった」

まぶしさで、広目屋の目が細くなっている。その目でつばきを睨みつけた。

「近々、礼をさせてもらうよ」

捨て台詞を吐いて、広目屋は思案橋のほうに歩き去った。

あんなひとでも、あたしよりは年上なんだから。

胸のうちからこみ上げる腹立ちを、つばきはおかねとおきちの顔を思い出して押さえ込んだ。

八十一

おそめたちの弁当作りが上々の滑り出しを果たしたあとの、十一月五日。義兼屋菊之助が、並木町のだいこんに顔を出した。

例によって、昼の客が一段落をした八ツ（午後二時）前のことである。二度目の来店で顔を覚えていたさくらは、菊之助が入ってきても驚かなかった。

驚いたのは、つばきのほうだった。

「どうなさったんですか」

いぶかしげな顔で、つばきが問いかけた。

この朝も、小網町で菊之助と会っていた。そのときは、だいこんに顔を出すなどとは、ひとことも口にしなかった。

「折り入って、あんたと話してみたいことがあってね」

店のなかではなく、大川端に出てふたりきりで話がしたいという。菊之助の顔つきを見て、つばきは尋常な話ではなさそうだと察した。ふたりきりで差し向かうことに異存はなかったが、今日の大川端は風が強そうだ。

「少し歩くことになりますが、雷御門の仲見世なら、甘味処がありますから」

菊之助も得心し、ふたりは連れ立って仲見世へと向かった。並木町から仲見世までは、一度辻を西に折れるだけで、ほぼ一本道である。

道幅が広いため、ひとが多く出ていても歩くのは楽である。つばきは努めてゆっくり歩こうとした。達者だとはいっても、菊之助は六十歳だった。

「すまないが、わたしに先を歩かせてくれ」

菊之助の歩みは、つばきが早足で追ったほどに速かった。

「毎朝、わたしは永代橋までの行き帰りを歩いているんだ」

還暦を過ぎても菊之助は足腰の鍛錬は怠らないという。

「芳之助は家督を譲らないが、歩ける限りわたしも当主のつもりでいる」

甘味処で向かい合わせに座るなり、菊之助は隠居の身でありながら店に力を入れる気概を語った。なぜその話を最初にしたかは、聞いているうちにつばきにも呑み込めた。

「九歳からうちで奉公を続けている、松之助《まつのすけ》という手代がいる。いずれわたしはその男を番頭に取り立てるつもりだ」

松之助は、今年で義兼屋奉公二十五年目を迎える、三十四歳の手代である。番頭に就くには、まだ十五年はかかるだろう。

そのときの菊之助は七十五歳だ。

幾ら何でも……と、つばきは胸のうちでつぶやいた。菊之助には、そのつぶやきが聞こえたらしい。

「わたしがその歳まで踏ん張る気になったのは、あんたと会ったからだ。いずれ松之助を番頭に取り立てようと決めたのも、元はあんたにわけがある」

思いも寄らないことを聞かされて、つばきは返事のしようがなかった。

「折り入っての話というのは、松之助と所帯を構えてもらいたいということだ」

「そんなこと……」

驚いたつばきは、誤って湯呑みを手で払った。茶がこぼれて、湯呑みが土間に落ちた。分厚い益子焼の湯呑みは、落ちても割れずに転がった。

茶が卓の上を流れて、菊之助の膝にこぼれ落ちそうだ。菊之助が着ているのは、こげ茶色の結城紬《ゆうきつむぎ》と、共布《ともぎれ》の羽織である。

「お茶がっ」

つばきは大声で教えた。

「そんなことはどうでもいい。わたしの話はまだ続いている」

「それは駄目です。お召し物を汚してしまいますから」

店から雑巾を借りたつばきは、手早く卓を拭いた。毎日、だいこんの卓を拭き掃除しているつばきは、動きが敏捷である。菊之助は、感じ入ったような目でつばきを見ていた。

「思いがけないことを聞かされたものですから、ついうろたえてしまいました」

座り直したつばきは、まず粗相を詫びた。

「あんたを見込んだのは、その素直さだ。詫びが大いに遅れたが、いつぞやは無礼なことを言った」

菊之助は膝に両手を載せて、軽くあたまを下げた。つばきが止める間もなかった。

「わるいとは分かっていても、素直に詫びが言えないのがわたしの性分だ。あんたのように詫びが言えたらと、あの日からずっと思っている」

菊之助は、大店のあるじとも思えない素直な物言いで、出向いてきたわけを話した。

手代の松之助は、二十五年の奉公のなかで、一度も陰日なたのある振舞いに及んだことはない。中途半端な才覚よりも、誠実であることのほうが、はるかに尊い。

いずれは嫁の世話をと思っていたが、菊之助の眼がねにかなう相手は見つからなかった。

初めてだいこんをおとずれたとき、つばきの商才が並々ならぬものであることは察せられた。備後屋の広目を断ったわけが、カネの多寡ではなく、飴売り元締めに対する信義だったからだ。

弁当屋の一件でも、つばきの才覚は随所に感じられた。が、そのときはまだ、松之助の嫁にという気にはならなかった。

いさかいが生じたあと、つばきは自分から詫びた。それも全員の前で、きっぱりと。

あれで義兼屋の面子が立った。幼馴染のふたりは、菊之助がわるいと口を揃えていた。しかし内心では、つばきから詫びて欲しいと願っていた。

日本橋老舗のあるじは、軽々には人前で詫びたりはしない。こども時分から、長子はそれを骨の髄に叩き込まれて育つ。面子を保つためには、大きな儲け話でも断る。それが大店だと、菊之助たちはことあるごとに教えられていた。

商才に長けているうえに、落ち度はなくても自分から先に詫びて相手の面子を傷つけない度量の大きさがある……。

松之助の相手は、つばきしかいない。

だとすれば、松之助の祝言は自分が仲人を務める。つばきと祝言を挙げさせるためなら、手代であっても住み込みを解いて通いを許す。

番頭に取り立てる道筋も、自分の手で作る。

菊之助はこう肚をくくり、つばきとの直談判に臨んでいた。

「胸が痛くなるほどに、もったいないお話ですが、お受けすることはできません」

聞き終わるなり、つばきはきっぱりと断りを口にした。どの道断る話であれば、相手に半端な望みを抱かせぬようにと思ってのことである。

「わたしはまだまだ、だいこんを続けたいんです。仕事に命をかけていますから、店のあるじと女房との、二足のわらじを履くことはできません」

菊之助は得心せず、考えてもらいたいと迫った。つばきは受け入れなかった。

「わたし、こころに思っているひとがいますから。申しわけありません」

こころに思っているひと……これを言われて、菊之助は口を閉じた。

自分で断っておきながら、ひとりになったあと、つばきは涙を流した。

わざわざ日本橋から出向いてきた菊之助を、落胆させて帰す羽目になった。深く悔やんだが、涙を流したわけはそれではなかった。

こころに思うひとがいる。

自分が口にした、その言葉を思い返すと涙がこぼれた。

どれほど強く思っても、自分には添い遂げることはできないと分かっていた。好いた相手と暮らすよりも、商いのほうが大事に思えてしまう。

そんな自分が不憫で、涙がこぼれ出た。

八十二

天明三年の正月で、つばきは二十歳になった。

「今年からお酒を出そうと思うんだけど、おとっつあんはどう思う?」

正月の雑煮を祝ったあと、つばきは安治に問いかけた。だいこんで酒を出してみたいという相談を、つばきは母親にしかしていなかった。

「お酒のことは、おとっつあんに訊くのが一番早いと思うけど……」

みのぶの言う通りだと思ったつばきは、元日の祝い膳の席で話を切り出した。

「なんでえ、いきなり」

盃を膳に戻した安治は、怪訝そうな目をつばきに向けた。

いままで何度か、安治はだいこんで酒を出したらどうかと思案を話したことがあった。

「お酒が入ると、ひとが変わるのを見過ぎたから、気乗りがしない」

つばきはいつも同じ断り文句を口にした。

こども時分のつばきとさくらは、安治の酒ぐせのわるさで、何度も泣かされた。優しい口調で話していた安治が、いきなり暴れ出す。そんなさまを数限りなく見せつけられた。

いいひとだと思っていた客が、いきなりひどい振舞いに及んだら……。

それを思うと酒を出す気になれなかった。

「おめえが酒を出す気になった、そのわけが知りてえ」

いま初めて聞いたさくらもかえでも、父親と同じような目でつばきを見た。

「本所の蔵元が、新しく蔵を普請したそうなの。いままでよりも多くのお酒が造れるから、それを売るのに力を貸してほしいって……」

話をつないできたのは、桃太郎車を拵えてくれた常盤屋のあるじ、佐五郎である。本所の酒は『宮戸川』、蔵元は佐五郎の幼馴染だという。

「宮戸川をだいこんで出してもらえたら、酒蔵も近いし、いい広目になる。ぜひとも聞き入れてやってもらえないだろうか」

佐五郎には大きな恩義があった。しかし佐五郎は恩着せがましいことは、ひとことも言わなかった。

だいこんでお酒を出す、いい潮時かもしれない……。

そう思いつつも、決めかねていた。

「宮戸川なら、いい酒だ。辛口だから、だいこん名物のいわし煮とも相性はいいぜ」

酒が宮戸川だと知った安治は、だいこんで扱ったら客が喜ぶだろうと、強く勧めた。

安治のひとことで、つばきは酒を出すことを決めた。

「お酒を出したりしたら、飲まないお客さんに迷惑にならないかしら」

さくらは顔を曇らせたが、かえでは平気だと笑った。

「あたしがお酌をしたら、きっといっぱい売れるから」

十四歳になったかえでは、三人姉妹のなかで化粧が一番上手である。唇に紅をひき、目元に化粧をほどこしただけで、十四歳とは思えない色香が漂った。

「ばかなこと、言うんじゃないわよ」

さくらが色をなして妹を叱った。

「だいこんは、飲み屋じゃないんだから」

客にせがまれても酌は絶対にしないと、さくらは強く言い張った。つばきも同意した。

「お酒を出すのは夜のお客さんだけで、五ツ（午後八時）の鐘が鳴ったら、新しいお酒は出さない……これならいいでしょう」

つばきの思案に、さくらは渋々の顔でうなずいた。

蔵元との話は、佐五郎が間に入ってまとまった。

四斗樽ひとつが横持ち代（配送料）込みで、一両。それを一合二十五文で客に供することにした。

浅草や両国橋界隈の縄のれんだと、江戸前の酒はお通しつきで一合四十文から五十文が相場だ。

お通しも酌もなくても、一合二十五文で飲めれば客は大喜びだろう。

四斗樽ひとつで、四百合の酒が出せる。一合二十五文として、十貫文、二両の売上げだ。いま、だいこんの夜の客は、日に均《なら》せば八十人内外である。半分の客が一合の酒を呑むとすれば、十日で四斗樽ひとつを売り切ることになる。

月に三樽の宮戸川を商えば、酒の儲けが三両。一年で三十六両のカネを稼ぎ出す勘定である。算盤を弾いたつばきは、酒の儲けの多さにあらためて驚いた。

天明三年一月八日、七草明けから夜の客に宮戸川を出し始めた。酒は出だしからつばきの胸算用を大きく上回った。

一月八日から月末までの間に、四樽も売れたのだ。

商いが伸びたのは、酒だけではなかった。

肴代わりのいわしの煮つけが、三割も多く売れた。

「奴豆腐なら、手間がかからずに出せるだろうがよ。宮戸川なら、下地（醤油）を垂らした豆腐が合うぜ」

二月からは、安治の思案を受け入れて豆腐を品書きに加えた。父親が言った通り、豆腐はいわしと同じぐらいに売れた。

酒が進めば、いわしも豆腐も売れる。元々が一膳飯屋の料理である。美味くて、しかも縄のれんの半値である。

五月、六月の梅雨時でも、客足はほとんど落ちなかった。

だいこんが飲み屋ではないことは、客のほうがわきまえていた。酒が回って大声を出したり、ひとにからんだりする者は、客が外に連れ出した。

さくらが案じた酌を強要する客もなく、酒と肴は順調に売れ続けた。

天明元年十一月一日に、つばきは小網町の路上で広目屋と出くわした。

「近々、礼をさせてもらう」

広目屋は、こう口にして凄んだ。

近々とは、出会った日から丸二年が過ぎた、天明三年十一月五日のことだった。

「この店は、いわしの煮つけが名物だと聞いたが、まだ残ってるかい？」

五ツの間際になって、三人連れの男がだいこんに入ってきた。

冬も間近な十一月だというのに、三人とも素肌に細縞の唐桟を着流している。足は素足だが、履いている雪駄は鼻緒を見ただけで上物だと分かった。

「五ツでお酒はお仕舞いですが」

初顔の客に、さくらが教えた。

「分かってるさ、そんなこたあ」

答えた男は、唐桟の袖口をまくった。二の腕にまで、彫り物がされていた。

八十三

だいこんが酒を仕舞うのは、五ツ（午後八時）である。鐘が鳴り始めると、新しい酒の注文は断った。

だいこんの馴染み客は、だれもがそれをわきまえている。仕舞いが近くなると、新しい酒の注文は手控えた。

ところが五ツの間際に入ってきた三人連れの一見客《いちげん》は、腰掛に座るなり熱燗九本を注文した。

「お酒は五ツで仕舞いですから、おひとり様一合限りにしていただけませんか」

さくらは、ていねいな物言いで注文を減らしてほしいと頼んだ。

次の正月を迎えると、さくらは十九歳だ。腰周りには丸みが加わっているし、胸の膨らみも隠せなくなっていた。

「なんでえ、その言い草はよう」

二の腕までの彫り物を見せた男が、さらに唐桟の袖を捲り上げた。

「夜の酒はひとり一合限りだと、御上《おかみ》が新しいお触れでも出したのかよ」

男の声は、流し場のつばきにも届いた。

「お誂え通りにお出ししたくても、あいにくお酒が切れそうなんです」

ひとり一合の酒がやっとだと言って、つばきはあたまを下げた。

「ほんとうかよ、それは」

彫り物の男は腰掛から立ち上がると、のれん越しに流し場をのぞき込んだ。

間のわるいことに、宮戸川の四斗樽ふたつが、この日の午後に運び込まれたばかりだった。

男の顔に、いやらしい笑いが浮かんだ。

「流しの奥に、真新しい樽が重ねてあるじゃねえか。あれは飾りかよ」

「そうです」

つばきは、きっぱりと言い切った。

「ふざけんじゃねえ」

彫り物の男が声を荒らげた。連れのふたりも腰掛から立ち上がると、つばきとさくらに詰め寄った。

「こっちは気持ちよく酒を呑もうてえんで、店にへえった。それがなんでえ、ひとり一合にしろだの、酒が品切れだのと、言いてえ放題じゃねえか」

「この店は、客が遠慮しいしい、呑ませてくだせえと、頼み込まなきゃあいけねえのか」

「その通りだぜ」

隅の卓で酒を呑んでいた三人客のひとりが、野太い声で応じた。御米蔵で働く仲仕で、三人ともだいこんの馴染み客だ。

答えた男が立ち上がると、連れのふたりもあとに続いた。いずれも五尺七寸（約百七十三センチ）見当の大男揃いだ。

立ち上がった仲仕衆は、かたまりになって三人連れに近寄った。

「ここは安いゼニで、うめえ煮物と辛口の酒を楽しませてくれる店だ」

「ここは行儀のいい客じゃねえと、店からおっぽり出される」

「それがいやなら、よそに行きねえ」

仲仕が口々に、三人連れをへこました。

「言ってくれるじゃねえか。やるてえなら、おもてで相手になるぜ」

彫り物の男が、仲仕衆を煽り立てた。

仲仕は、力と男伊達を売る稼業だ。売られた言葉を、その場で買った。

外に出るなり、三人組はさらしに挟んでいた匕首《あいくち》を抜いた。柄の握り方が、刃物使いに長けた渡世人であることを示した。

しかし仲仕衆も、喧嘩なれしていた。匕首に怯むことなく、一気に間合いを詰めた。

動きを読んでいた渡世人たちは、相手との間合いを見切り、刃物を振るった。

狙いは、太い血筋が走っている太ももの内側である。ここを斬られると、血止めができずに命を落とす。

急所を攻める三人は、本気で仲仕を始末する気らしい。殴りかかった仲仕のひとりが、足を滑らせた。渡世人はその隙を見逃さず、匕首で斬りつけた。

幸いにも急所は外れたが、腕を斬られた。太い腕から血が噴出した。土間には仲仕衆のほかに、八人の客がいた。その全員が、三人組に立ち向かった。

仲仕が手傷を負ったのを見て、だいこんの客がいきり立った。土間には仲仕衆のほかに、八人の客がいた。その全員が、三人組に立ち向かった。

だれもが腰掛を盾にして、匕首の攻めをかわした。いかに刃物を使い慣れていても、八人の客と、三人の仲仕に立ち向かわれては、勝負は見えている。

たちまち渡世人三人は、だいこんの客に取り押さえられた。怪我をした仲仕を除いた客とつばきが、渡世人を自身番に突き出した。

店に残った仲仕は、血の流れ方はひどかったが、傷口はさほどに深くはない。

「あたしに手当てを手伝わせてください」

医者に診せるほどでもないと判ったあと、手当ての手伝いはさくらが受け持った。

夏場の怪我ではなかったことで、傷口は膿《うみ》も持たず、十日目にはすっかりふさがった。

仲仕の名は俊助《しゅんすけ》で、相州藤沢が在所だった。俊助に傷を負わせた男は、広目屋に雇われた渡世人だった。自身番の役人が、それをつばきに教えた。

事情が分かったあとも、つばきは広目屋を訴えることはしなかった。

訴え出て、広目屋から新たな恨みを買うのが億劫だったのが、わけのひとつだ。

広目屋は日本橋で所帯を張っている。その同じ日本橋では、おそめが弁当屋を商っているのだ。

つばきが知らぬ顔をしている限り、広目屋は二度と手出しはしないだろう。そう考えたことで、役人に強く言われても訴えを出さなかった。

黙っていたわけは、もうひとつある。

傷口の世話がきっかけで、さくらと俊助が親しく付き合うようになった。三人姉妹のなかで、一番控え目な性格のさくらが、目を輝かせて俊助の話を姉と妹に聞かせた。

訴えを出せば、怪我を負った俊助も番所に呼び出される。

「俊助さんは、斬られたことはもういいって言ってるから」

さくらも、俊助が役人にあれこれ問い質されるのはいやだという。

これが決め手となって、つばきは広目屋の一件には堅いふたをかぶせた。

天明四（一七八四）年五月。付き合いを始めて半年が過ぎたとき、俊助とさくらは祝言を挙げた。俊助二十三歳、さくら十九歳の初夏だった。

両親ともに没していた俊助は、所帯を構えたあとも、仲仕の仕事を続けると言った。

「だったら、ふたりの宿は浅草橋で探せばいいと思うけど」

ふたりが納得したことで、借家探しはつばきが受け持った。

「妹と連れ合いが暮らすんです。店賃のことは、一切合財、わたしが持ちますから」

周旋屋と掛け合うときのつばきは、姉というよりは母親のような気になっていた。

こどものころ、つばきはさくらの手を引いて町を歩いた。夕焼け空を一緒に見たとき、妹の面倒は自分がみるとこころに決めた。

遠い昔に思い定めたことを、さくらが十九歳になったときに果たすことができた。

所帯を持ったあとも、さくらはだいこんの手伝いをやめなかった。俊助が働く御米蔵とだいこんとは、さほどに遠くでない。ふたりは毎朝、連れ立って仕事に出た。

帰りも同じである。俊助はだいこんで夕飯を食べてから、さくらとともに浅草橋に帰って行く。

ふたりの後姿を、つばきは毎日、だいこんの戸口に立って見送った。

八十四

天明六（一七八六）年。つばきは、いつになく賑やかな正月を迎えた。

元日の祝い膳が、ふたつ増えたからだ。

父親安治の生家の慣わしで、元日には歳の数だけ、小鉢に黒豆が盛られた。カネに詰まって赤貧にあえいでいたときでも、この慣わしだけはかならず守った。

煮売り屋で買う黒豆は、甘味に富んでいる。甘さに飢えていたこども時分のつばきは、黒豆が食べられる元日が、一年のなかで一番好きな日だった。

つばきはいまでも、四粒の黒豆を食べた明和四年の正月を覚えている。四粒しか入っていない小鉢は、底が見えた。

安治は二十八粒、みのぶは二十四粒で、黒豆が盛り上がっていた。

さっさと自分の豆を食べたつばきは、父親にもっと食べたいとねだった。安治の小鉢の黒豆は、ほとんど減っていなかったからだ。

「だめだ。縁起物の豆を、やり取りしちゃあいけねえ」

つばきの頼みはなんでも聞き入れた安治だが、元日の黒豆は別だった。

誕生から一年も過ぎていないのに、さくらの小鉢には二粒の黒豆が入っていた。

あたいとさくらは、ふたつちがいなんだ。

豆の数で、つばきは妹との歳の差を知った。

歳を重ねるごとに、鉢の黒豆は増えた。そして、小鉢の底が見えなくなった。

つばきの小鉢に十五粒の黒豆が入った安永七年には、安治は三十九粒、みのぶには三十五粒の豆が盛られた。

小鉢からこぼれ落ちそうな豆を見て、つばきは両親が歳を重ねていることを思い知った。

どんぶりに豆がいっぱいになるまで、長生きしてね……。

つばきはこみ上げる思いで胸を詰まらせながら、十五粒の黒豆を食べた。

天明六年。安治は四十七粒、みのぶは四十三粒で、ふたりとも小鉢ではなく、茶碗に豆を盛っていた。

つばきは二十三粒で、小鉢のなかで小山を築いている。こどものころ、あれほど楽しみにした黒豆を、二十歳を過ぎてからは食べるのが億劫になった。

毎年一粒ずつ増える豆で、歳を重ねていると知るのがつらかった。

しかし天明六年は、久々に喜びとともに二十三粒の黒豆を食べた。

祝言を挙げて足掛け二年目の去年十月、さくらはこどもを授かった。男の赤ん坊で、名前は良治《りょうじ》である。おじいちゃんとなった安治から、一字をとって命名された。

生まれてまだ三カ月にも満たないのに、良治の小鉢には二粒の豆が入っていた。生まれて初めて、甥っ子と祝う元日である。

つばきは気持ちが大きく弾み、自分の豆が山盛りとなっていることを忘れた。

両親とこども三人の元日が長く続いた。

今年はさくらの連れ合い、甥っ子と、膳がふたつ増えた。去年の元日も、すでに俊助の膳は出ていた。が、そのときは家族が増えたという感慨は、さほどに感じなかった。

自分と血を分けた甥っ子の誕生が、これほど嬉しいことなのか……。

血のつながりが増える喜びを嚙み締めながら、つばきは二十三粒の黒豆を食べた。

かえでの鉢には、十七粒の豆が入っている。

自分の小鉢を空にしたつばきは、今年こそかえでにも良縁をと、胸のうちに思い定めた。

「おねえちゃん、黒豆好きだから、あたしのをあげる」

かえでが、豆のたっぷり入った小鉢を差し出した。

「だめよ、そんなことは」

縁起物のやり取りはだめと、妹をたしなめた。言い終わってから、つばきは不意に四歳の正月を思い出した。

父親の鉢にたっぷりと残っていた黒豆を、つばきはせがんだ。が、安治はこどもの頼みを断った。

あのころは、決して豊かな暮らしではなかった。が、明和四年の正月はさくらの小鉢が加わり、四つに増えていた。

血のつながりが増えることの喜び。

それをあらわす、黒豆の入った小鉢。

まさしく元日の小鉢は縁起物だと、二十三歳の正月に、つばきは気づいた。

そして、来年の正月には、かえでが連れ合いを得て、小鉢をひとつ増やしますようにと願った。

自分が増やすことには、思い至らなかった。

八十五

天明七年は、つばきの生き方が大きく変わった『節目の年』となった。

前年八月二十七日。権勢並ぶ者なしと称されてきた老中田沼意次が罷免された。

とはいっても、老中の人事で右往左往するのは、身分のある武家だ。庶民相手の一膳飯屋の商いにはかかわりがなかった。

幕閣の顔ぶれが大きく変わったあとも、だいこんは、いつに変わらず繁盛した。日本橋老舗相手の弁当屋も、おそめたちの踏ん張りで、毎年、得意先を増やした。

そんな天明六年の十一月に、周旋屋の富田屋がつばきにひとつの話を持ち込んできた。

「浅草材木町の料亭が、店仕舞いをすることになりましてねえ。居抜きで買ってくれるひとを探しているんです」

大川に面した二階家で、八畳間、十畳間、十二畳が合わせて七部屋あるという。二階の三部屋はどれも大川に面していた。夏の花火は大層な眺めですと、富田屋は声を弾ませて売り込んだ。

眺めもいいし、建物の拵えもしっかりしている。裏手には、自前の船着場までついているという。

だいこんのある並木町と、浅草材木町は、町木戸を接する近さだ。が、つばきはその料亭のことは、ほとんど知らなかった。商いのかかわりが、皆無だったからだ。

立ち行かなくなっての店仕舞いではないと、富田屋は、何度も語気を強めた。

「だったら、どうして店仕舞いをするんですか」

「もっともなおたずねです」

富田屋は、舌で上唇をぺろりと舐めた。


料亭の屋号は相良《さがら》屋。屋号通り、遠江《とおとうみ》国相良が女将絹乃《きぬの》の在所である。

五十年前、十八で在所から江戸に出てきた絹乃は、吉原大見世の賄い女に雇われた。

いつか江戸で自分の店を持ちたい。

その夢をかなえるために、絹乃はひたすら働いた。給金のほとんどは蓄えに回し、楽しみは、藪入りで出かける両国橋西詰の小芝居見物ぐらいだった。

絹乃は料理に長けていた。とりわけ魚の煮つけの腕は見事で、大見世の女将が料理人にではなく、絹乃に自分の料理を任せたほどだ。

働き始めて七年目の藪入りの日、絹乃は月のものが重くて外出をせず、四畳半の自室で臥せっていた。

「どうしたよ、お絹さん」

見世の牛太郎《ぎゅうたろう》（客引きの若い衆）が、心配して様子を見にきた。絹乃の料理は、奉公人にも大受けしており、だれもが親しく声をかけた。

「せめて気晴らしに、観音さまに出向こうじゃねえか」

牛太郎に強く誘われた絹乃は、手早く着替えて浅草寺に参詣した。帰り道、ふっと気がそそられて、一枚の富くじを買った。

これが二番当りで、三百両が手に入った。明和四年のことである。

「それを元手にして、商いを始めなさい」

大見世の女将が後見に立ってくれて、絹乃は雷御門近くで小料理屋を開いた。料理の美味さが評判で、店は大繁盛した。

開業から五年後の安永元年、富田屋の勧めで浅草材木町に料亭を普請した。

富くじに当たった強運と、絹乃の人柄と料理の腕、小料理屋についた客筋のよさ。

これらをすべて勘案して、富田屋が普請の費えを一部負うからと持ちかけた。絹乃は八卦見に占いを頼んだ。

「富くじが当たった年に、田沼様は側用人に就かれて、なおかつ遠江相良のご城主になった。今年は江戸城本丸のご老中に列座されておる。あんたの在所も相良。あんたは田沼様の強運と同じ星だ、迷わず進みなさい」

八卦見に背中を押された絹乃は、材木町に料亭相良屋を普請した。

易者の見立て通り、田沼意次の出世に重なるかのように、相良屋も商いを大きく伸ばした。

が、権勢もいつかは墜ちる。天明六年八月に、田沼は失脚した。

相良屋の商いには格別のかげりはなかったが、絹乃はこころの支えを失った。

田沼様に殉じよう。

決めればぶれない絹乃は、すぐさま富田屋に買い手を探してほしいと依頼した。だいこんの評判を耳にしていた富田屋は、どこよりも先につばきに話を持ちかけた。

「ひと晩、考えさせてください」

富田屋にこう告げたつばきは、相良屋の船着場にひとりでたたずんだ。

聞かされた絹乃の境遇には、驚くほどつばきと似ている点が幾つもあった。

料理が上手なこと。

自分の夢を持っていること。

節目ごとに、ひとが助けてくれること。

そして、運の強いことと、決めたあとは迷わずに突き進むこと。

去年からだいこんの売上げは、料理を酒が上回るようになっていた。

新しい勝負どきかもしれない。

思いを定めたつばきは、翌日、富田屋にひとつの条件を出した。

「相良屋さんで働いていた仲居さんたちに、わたしを顔つなぎしてください」

料亭には、腕のよい料理人と、気働きに長けた仲居が欠かせない。

料理なら、なんとでも工夫ができるが、仲居は素人の目利きでは無理だと、つばきはわきまえていた。

「今日から、すぐに動きます」

富田屋は動きがよかった。散り散りになっていた仲居を探し歩き、六人をつばきと引き合わせた。いずれも二十代後半で、客あしらいのよさを感じさせる者ばかりだった。

「わたしは一膳飯屋と料亭とが合わさった店を始めます」

六人の仲居に、つばきは考えを示した。ひとりを除き、全員が賛成した。

「あなたはどうして、わたしの思案がだめだと思うのですか」

問われた仲居は、つばきを正面から見た。

「そんなことをすれば、どっちつかずの半端な店になります」

安い料金で呑ませるなら、仲居ではなく、思い切って酌婦《しゃくふ》にしないと無理だと、反対した仲居は断言した。

仲居は格式を重んずるが、酌婦は客を選ばず、お仕着せ姿で、だれにでも酌をする。

一膳飯屋と合わさった店なら、酌婦がいい。

つばきは、その思案を受け入れた。最初の考えに賛成した五人は、酌婦と仲居とでは格が違うと難色を示した。

「ご縁がありませんでしたね」

つばきは五人を断り、異を唱えたひとりに酌婦の目利きを任せた。

天明七年三月に、相良屋を改装して新しいだいこんを店開きした。

八十六

新しいだいこんは、つばきの予想を大きく上回る、極上の滑り出しとなった。

改装は安治が棟梁となって、細かなところまで存分に手を加えた。用いた材木は、ほとんどが杉である。

「老舗料亭の真似をする気はねえんだ。見栄えよりも、客の居心地のよさがでえじだ」

安治の思案には、つばきも、酌婦がしらで雇い入れたおきょうも異を唱えなかった。

元の相良屋の二階座敷は、十畳ひと間と、十二畳がふた間である。床の間まで加えれば、四十三畳の広さがあった。

二階座敷の客は、一階の客よりも五割増しのカネを払っていた。ゆえに、眺めがよく、広々とした部屋が使えた。

これを安治は、四畳半ばかり九間に作り変えた。手ごろなカネで、大川の眺めが楽しめるようにとの工夫である。

一階は、入れ込みの大座敷にした。酒も呑めるし、いままでのだいこん同様、昼と夜の飯も食べられる。

店構えは、並木町よりもはるかに立派になったが、代金も品書きも据え置きにした。

客は、店主が思う以上に改装には敏感に応ずる。

「店をきれいにしたからって、三割も高くすることあねえだろうが」

「すっかり味が落ちやがったぜ」

「店をきれいに直したてえんで、あるじはてめえの身分を思い違いしやがったのさ」

改装と同時に、多くの店から客が離れた。わけは店が品書きを変えたり、値上げをしたりの振舞いに及ぶからだ。

つばきは大川が眺められる二階家に移ったあとも、いわしの煮つけと、飯の美味さを売り物にした。酒は銘柄も変えず、宮戸川ひと口を供した。

市場の残り物を安く仕入れて、桃太郎車で運ぶのも、棒手振に頼んで弁当を配るのも、いささかも変えなかった。

ただひとつ、酒を出すのを五ツ半（午後九時）まで延ばし、求めに応じて酌婦が客の相手をすることにした。

これには、客が大喝采した。

「いままではつばきちゃんや、さくらちゃんに遠慮があったが、これからはおねえさん相手に、好きなだけ呑める」

「そのことさ」

馴染み客が身を乗り出した。

「酌婦のねえさんを頼んでも、一合七十文で呑めるてえんだ。こんな店は、江戸中探してもありゃあしねえ」

酒も料理も、安くて美味い。

酌婦を頼んでも、他の店の半値以下。

小粒二粒（百六十六文）で、仲間と一緒に大川を見ながら呑める店。

だいこんは天明七年の開業から、昼も夜も大盛況が続いた。

酌婦を入れて酒を売り始めたら、儲けが並木町とは桁違いに膨らんだ。

「ほんとうにおまえは、商いのために生まれてきたようなひとだねえ」

髪に白いものが混じり始めたみのぶが、しみじみとつぶやいた。

繁盛していた店だけに、開業の翌年につばきが店から手を引くと言ったときは、だれもが飛び上がって驚いた。

二十五歳になっていたつばきは、いままでとはまるで違う大博打に打って出た。

生まれ育った浅草を離れて、深川に越した。

終章

寛政元年五月十日、八ツ（午後二時）の四半刻前。

つばきはひとりで、富岡八幡宮境内の茶店に座っていた。杉の縁台に、緋毛氈《ひもうせん》がかぶせられている。使い込まれた毛氈は、方々が毛羽立っていた。

普請中のだいこんも、仕上がりが見えてきた。流し場には、へっついも水がめも、そして長さ半間（約九十センチ）の杉板の流しも、すでに据付が終わっている。

あとは棟梁から引渡しを受けて、細々とした手直しをするだけだ。

境内の木々は五月の陽を浴びて、若葉の緑が照り映えていた。茶店で供された上煎茶は淡い緑色で、お茶請けのまんじゅうは黄緑色である。

境内には、緑の色が溢れていた。

浅草材木町のだいこんも、お仕着せは緑色だった……。

八幡宮の杜《もり》のなかで、つばきはだいこんを譲った日のことを思い返した。

浅草材木町は、材木商が軒を連ねていたのが町の興りである。深川木場に材木置き場ができたことで、町から丸太置き場は消えた。

が、元禄時代から続く材木問屋の老舗が二軒残っていた。二軒とも、床の間材などの銘木問屋だ。

木場にもないめずらしい銘木を求めて、深川の問屋が材木町をおとずれた。

冬木町の材木問屋豊国屋木左衛門も、銘木を求めて浅草まで出向いてきた。

そして、材木町のだいこんを知った。

「酒はいまひとつだが、料理と客あしらいはなかなかのものだ」

来るたびに、豊国屋はあれこれと文句をつけた。が、つばきの料理の腕と、きっぱりとした気性、それと桃太郎車で仕入れ品を運ぶ才覚を気にいったらしい。

「つばきさんの手があいたら、顔を出してもらってくれ」

二階の四畳半を二間続きで使うのが、豊国屋の流儀だ。相応のカネを店に落としたし、酌婦たちにもほどよい祝儀を忘れない。

それゆえに、つばきは豊国屋流の遊び方を受け入れていた。

去年（天明八年）の七月十七日、豊国屋は五ツ半間際になってだいこんに顔を出した。その日もだいこんには、客が溢れていた。二階の部屋はすべてふさがっていたし、煮物も焼物もほぼ売り尽くしていた。

つばきは手すきになっていた。

「大層な繁盛ぶりじゃないか」

二階に上がれない豊国屋は、存念を抱えたような物言いをした。店仕舞いが近いことで、つばきは手すきになっていた。

「よろしかったら、流し場でお茶でもいかがですか」

つばきにしてみれば、ほかの者に茶の世話をさせようと考えて、ぞんざいに言ったことである。ところが豊国屋は、流し場に招かれたことで、おのれは別格だと思い違いをした。

よそで酒が入っていたこともあり、茶を呑みながら遠慮のないことを言い募った。つばきは聞き流していたが、豊国屋が口にしたひとことには、激しく反応した。

「繁盛しているとは言っても、所詮は夜の飲み屋だ。昼の商売で、堅気を相手でなければ、商いで大きな顔なんぞはできない」

材木商老舗ののれんを背負った豊国屋は、明らかにつばきを見下した物言いをした。

いつものつばきなら、知らぬ顔で聞き流しただろう。ところがこの日はいわしの煮付がうまくいかず、昼前から苛立っていた。

「わたしは昼の商いで、いまの元手を作りましたから」

強い口調で言い返した。酒の入っている豊国屋も一歩も引かない。

「そこまで強いことを言うなら、深川で昼の商いをやってみろ。江戸で一番商いの厳しい深川で名を高められたら、あたしもあんたを認めてやってもいい」

ふたこと目には、深川を口にする豊国屋に、つばきは我慢がきかなくなった。

「豊国屋さんが地所を見つけなさいよ。わたしがこの目で見定めて、その土地で商いができると思えたらここを譲って深川に移りますから」

そんな地所を、豊国屋さんには見つけられっこないでしょうと、つばきは追い討ちをかけた。

豊国屋は、それまで見せたことのない凄みをはらんだ笑いを浮かべた。

「いまあんたが言ったことを、起請文《きしょうもん》に書いてくれ。あたしはやるよ」

つばきも受けて、起請文を認《したた》めた。

縁台に腰をおろしたつばきの頰を、木立を渡る皐月《さつき》の風がなでて流れ去った。

深川で商いをしようなどとは、一度も考えたことはなかった。それなのに、行きがかりで店の普請を終えた。

つくづく、無鉄砲だと思うし、博打好きの父親の血がさせることだとも思った。

しかし、物事は動き出したのだ。見知らぬ深川で、もう一度振り出しから始めることに、悔いはなかった。

出し抜けに浮かんだ思いつきを生かすことで、ここまでやってこられたのだ。

閻魔堂の弐蔵は、今戸の芳三郎親分とつばきがかかわりがあると分かって以来、なにも言ってこなくなった。

新しいだいこんの看板は、深川の指物師、京助が丹精をこめて仕上げてくれた。

知恵を使い、こころざしを捨てず、ひたむきに汗を流せば、道は開ける。ひとが力を貸してくれる……。

思い返しを閉じたつばきは、湯呑みの茶を飲み干した。

陽を浴びた木々の葉が、風に揺れている。

わたしの名はつばき。緑色にはご縁があるから……。

おのれを励ますようにつぶやき、つばきは茶店を離れた。

永代寺から、八ツを告げる鐘の音が流れてきた。八幡宮の杜が時の鐘と響きあい、葉擦れの音を立てた。

鐘の音が、暮らしに溶け込んでいる町。

だいこん開業前から、つばきは深川の町が好きになっていた。

解説

縄田《なわた》一男《かずお》
（文芸評論家）

執筆に、取材に、講演に、そしてTVやラジオの出演にと、山本一力さんの八面六臂《はちめんろっぴ》の活躍が続いている。

今や、山本さんが描くところの下町――特に江戸・深川八幡宮界隈は、距離ではなく、時間軸をさかのぼった読者のユートピアとして、多くの人々に元気を与え、そして時には叱咤激励しているように思われてならない。

「江戸下町に学ぶ生きる知恵」という講演の中で、山本さんは次のようにいっている。

いま、深川をあらわして、人情の町であるとか、昔からの風情が伝わる町であるとか、さまざまな形容がされています。水の都であった江戸を、今日に伝える町であるとも言います。／文学の上だけではなしに、実際にあの町を自分の足で歩いてみれば、伝わってくることがたしかにあります。いまから二百年、三百年前に、この同じ地べたを江戸の人たちが踏んでいたことを思えば、伝わってくるものを足の裏は感じ取ることができる／道に転がる小石ひとつ――その石がことによったら百年前の石かもしれない、二百年前にもここに転がっていた石かもしれないと思うことがあるかもしれない。と。

この発言は、ある意味、山本作品の真骨頂ではないか、と思えてならない。山本さんは、深川からは幾つもの伝わってくるものがある、といっている。それがたとえ地面や小石ひとつからでも、である。が、それは、本当に伝わってくるのであろうか。ここで、山本さんがいっているのは、恐らく、それらを通して、往時、深川に住んでいた人々の思いが伝わってくる、ということだろう。そしてこのことをより正確にいうと、次のようになるのではないか。

それは、思いは伝わってくるものではなく、読みとるべきものである、ということだ。山本さんは謙虚に伝わってくる、といっているが、思いを読みとることのできない人にとっては、地面は地面、そして小石はただの小石にしかすぎないのである。要は想像力の問題である。そして想像力の基本とは、まず第一に人の思いをくみとることではないのか。

しかしながら、戦後の高度経済成長期からバブル崩壊前後にかけて、浮かれに浮かれた日本人は、ものから人の思いをくみとることをいとも簡単に放棄してしまった。特にバブル崩壊前後におよそ想像力を持たぬ輩《やから》が行った、いわゆる地上げ等は、町の姿を無残に変えたばかりでなく、そこに住む人々の心の中にまで、荒涼たる爪あとを残してしまった、といえる。が、ここに山本一力という一人の優れた作家が登場する。彼は、決して摩滅することのない想像力によって、自分が今、踏みしめている地面から、そして路傍《ろぼう》の小石から、百年、二百年前の人々の思いを、さらには生の息吹を読み取ることができたのである。
彼には聞こえるのだ――江戸に生きる人たちの活気あふれる喧騒《けんそう》が。そして見えるのだ――澄み切った青い空が。

さて、前置きが長くなってしまったが、本書『だいこん』は、「小説宝石」の二〇〇二年七月号から二〇〇四年十二月号にかけて連載され、二〇〇五年一月に光文社から刊行された長篇である。山本さんが得意とする、読めばたちまち読者が元気になる、下町ものの傑作だ。

私は、今、この解説を書きながら、本書を書評した時、往年の剣戟王、阪東妻三郎の話からはじめたことを思い出さずにはいられない。読者諸氏は、『だいこん』と阪妻《バンツマ》？と、この両者の取り合わせを奇異に思われるかもしれないが、それはこういうことだ。

かつて、映画評論家の佐藤忠男は『君は時代劇映画を見たか』（じゃこめてい出版）の中で、「無法松の一生」や「王将」に出演した阪妻の顔に触れてこんなことを記している。それは、阪妻が不世出の剣豪スターであったことはもちろんだが、彼ほど、かつての日本人の働く時の顔を気高く立派に演じた俳優はいなかった、というものだった。

本来、額に汗して働くという行為は、人間として最も美しく、かつ、誇るべき営みであったはずだ。ところが、佐藤忠男が、〝かつての〟と但し書きをつけねばならなかったように、いつ頃からか、日本人はそうした姿に羞恥《しゅうち》をおぼえ、虚飾をもって身を飾ることが美しいなどとはき違えた考えを持つようになってしまった。

そんな時、山本さんの『だいこん』は、私たちが忘れかけていた、人が働くことの美しさを、そして生活の原風景を、見事に思い出させてくれる小説として登場したのである。

主人公であるつばきの父・安治《やすじ》は、腕もきっぷもいい大工だったが、博奕《ばくち》にはまったばかりに生活はかつかつ。そればかりか、自分を賭場《とば》に誘った伸助《しんすけ》のぬくもりでようやく息をしているような始末である。そのため女房のみのぶは、蕎麦屋で働かねばならなくなってしまう。が、後から考えると、これがその後のつばきの人生を決定づけることになる。

作者はこう記している――「客のいうことに、みのぶは笑顔で返事をする。そしてすぐに応じる。重たい土瓶を、何度でも客の前に運ぶ。／その立ち姿の美しさが、つばきには誇らしかった。／おかあちゃんて、すごい。（中略）客がなにを欲しがっているかを、つばきは感じ取っていた。／大きくなったら、あたいもおかあちゃんとおんなじことがしたい……」と。

母親の働く姿を見て感動するつばき――何といい場面であろうか。

子は親のうしろ姿を見て育つというが、正につばきは、母親を見て、人が働くさまは美しい、と子供の頃に認識するのである。作者はここに、平成の世に失われてしまった理想の親子関係を描いている。

そして、汗にまみれて働くことが何が恥ずかしいものか。さらには、家族のために働いている者が、自らは誇りを持ち、周囲からは敬意を払われなくて、何が人の世か――。それが当たり前のことではなかったのか。

そして、飯炊きに天才的な手腕を発揮したつばきは、十七歳で一膳飯屋「だいこん」をはじめ、さまざまな困難を知恵とアイデア、そして何よりも誠意によって乗り越えてゆく。もし解説の方を先に読んでいる方がおられるなら、是非とも、もう本文から読んでいただきたいのだが、作中にいわく、「中途半端な才覚よりも、誠実であることのほうが、はるかに尊い」。

そして、つばきが直面する困難は、時として、人の力ではどうすることもできない火事であったり、洪水であったり、或いは、ままならぬ恋や、ふと感じる、先頭を走る者の孤独であったりもする。が、それでもつばきはくじけない。

傷ついた人にはいたわりの心を持ち、あくまでも自分の分をわきまえ、しかしながら、横車を押し通そうとする者に対しては、一歩も引かない――つばきはそうした毅然とした生き方で、土地の親分も一目置かざるを得ない存在になっていく。

山本さんは、つばきが、人の輪と商売の輪を二つながらに広げていくさまを描いていくが、そのつばきの心意気は、大店の主をして、「暖簾にあぐらをかいていては身代を潰すと、いつも奉公人に言っておきながら、おのれの足元はまるで見えてはいなかった」といわしめるほどのものなのである。

そして物語は、つばきが新しい勝負に出るところで幕となるが、彼女の中に「知恵を使い、こころざしを捨てず、ひたむきに汗を流せば、道は開ける。ひとが力を貸してくれる……」という決意があれば、必ずどんな困難が目の前に立ちふさがっても、必ずやそれを切り抜けることができるはずだ。ひねくれ者のニヒリストは、所詮、紙の上に描かれた理想だというかもしれない。だが、その理想を現実のものにしようと努力するのを誰が笑うことができようか。誰もが、日々、額に汗して働く人を美しいと思えるようになること——山本さんのその祈りをしっかりと受けとめつつ、この作品のページを繰りたいと思う。

そして最後に、この解説の冒頭で記した、山本さんが作中に紡ぎ出すユートピアについて再び筆を費やせば、そのユートピアは、私たちが、今、暮している平成の世の致し方のなさと密接にかかわっている。

エッセイ集『江戸は心意気』（朝日新聞社）は、歴史を生きた人々の真実の像を、そして往時の江戸の素晴らしさを、練達の筆致で綴った一巻だが、この中には、平成の今に対する山本さんのきびしい眼差を伝える文章が多く含まれている。まず、作家としてどうしても見逃せないのが、言葉というものに対する厳密さだが、山本さんは、「援助交際」「出会い系サイト」等、実態からかけ離れている言葉は、当事者たちが己れの行為をごまかすためのもの以外の何物でもなく、これが、〝売春〟以外の何であるか、と喝破する。

また、サービス業を営む人たちの質の低下については、「一人前という言葉の真の意味を、いまこそ本気で取り戻してもらいたい」と切望。かつて、人は自分の職分に生命すらをも懸けた。『だいこん』の中に良い例がある。このくだりは、本書の脇筋の話の中で私の最も好きなものの一つだが、目黒行人坂の火事の際、吾妻橋のたもとの火の見やぐらには、半鐘打ちの潮吉《ちょうきち》がいた。彼は、火の勢いを巧みに読み取り、もし万一の場合は「咎めはおれがかぶります」（傍点引用者）と半鐘を乱打。人々を的確に誘導することに成功する。これをプロフェッショナルと呼ばずして何と呼べというのか。

思えば、二〇〇七年は、官から民までが腐敗の極みに達し、日本は国家の体を成さぬほどの醜態をさらし続けた。そして『だいこん』をはじめ山本さんの小説に描かれたユートピアは、こうした現状に対するきびしい認識があるからこそ、私たちの住みにくい〝現在〟に対するレジスタンスになるのである。

だから、これからも当分、山本さんの八面六臂の活躍は休むことなく続くに違いない。

「小説宝石」（小社）
二〇〇二年七月号〜二〇〇四年十二月号連載
二〇〇五年一月　光文社刊

光文社文庫

長編時代小説

だいこん

著者　山《やま》本《もと》一《いち》力《りき》

2008年1月20日　初版1刷発行
2008年2月10日　4刷発行

発行者　駒井　稔
印刷　萩原印刷
製本　ナショナル製本

発行所　株式会社　光文社
〒112-8011　東京都文京区音羽1-16-6
電話(03)5395-8149　編集部
8114　販売部
8125　業務部

落丁本・乱丁本は業務部にご連絡くだされば、お取替えいたします。
ISBN978-4-334-74361-1　Printed in Japan

お願い　光文社文庫をお読みになって、いかがでございましたか。「読後の感想」を編集部あてに、ぜひお送りください。

このほか光文社文庫では、どんな本をお読みになりましたか。これから、どういう本をご希望ですか。

どの本も、誤植がないようつとめていますが、もしお気づきの点がございましたら、お教えください。ご職業、ご年齢などもお書きそえいただければ幸いです。当社の規定により本来の目的以外に使用せず、大切に扱わせていただきます。

光文社文庫編集部

松本清張　網《あみ》（上・下）
松本清張　柳生一族
松本清張　逃亡（上・下）
宮本輝　オレンジの壺（上・下）
宮本輝　葡《ぶ》萄《どう》と郷愁
宮本輝　異国の窓から
宮本輝　森のなかの海（上・下）
宮本輝編　わかれの船
宮本輝選　父のことば

宮本輝選　父の目《め》方《かた》
村上龍　ダメな女
盛田隆二　おいしい水
梁《ヤン》石日《ソギル》　裵《ベ》昭《ソ》（写真）　魂の流れゆく果て
梁石日　夜の河を渡れ
連城三紀彦　少女　新装版
連城三紀彦　戻り川心中
連城三紀彦　夕萩心中